Collection dirigée par Glenn Tavennec

L'AUTEUR

Originaire de Floride, Rick Yancey est diplômé de l'université Roosevelt à Chicago. Titulaire d'un mastère de littérature anglaise, il travaillera quelques années comme inspecteur des impôts, avant de décider que son diplôme lui serait plus utile s'il se consacrait à l'écriture à plein temps – ce qui lui réussit depuis 2004.

Auteur de romans pour adultes et jeunes adultes, Rick Yancey a été récompensé par de nombreux prix prestigieux, dont le Michael L. Printz Honor et le Carnegie Medal. Lorsqu'il n'écrit pas, ne réfléchit pas à de nouvelles histoires, ou n'est pas en tournée dans de grandes villes des États-Unis pour parler de ses livres, Rick consacre son temps à sa famille en Floride.

Retrouvez tout l'univers de
LA 5e VAGUE
sur le site dédié :
www.la5evague.fr
et sur la page Facebook de la collection R :
www.facebook.com/collectionrcanada

RICK YANCEY

LA DERNIÈRE ÉTOILE

traduit de l'anglais (États-Unis) par Francine Deroyan

roman

ISBN 978-2-221-13427-6 ISSN 2258-2932
(édition originale : ISBN 978-0-399-16243-5, G.P. Putnam's Sons Books for Young Readers, Penguin Group, New York)

Pour Sandy.
Le monde meurt. Le monde renaît.

« Ne perdez pas espoir
Même si dans la nuit la plus sombre
Disparaît la dernière étoile. »

Christoph Martin WIELAND

– LA FILLE QUI POUVAIT VOLER –

Bien des années plus tôt, quand il avait dix ans, son père était monté à bord d'un gros bus jaune pour aller au planétarium.

Là-bas, le plafond avait explosé en un million d'éclats de lumière. Il en était resté bouche bée. Ses petits doigts avaient agrippé le bord de la banquette en bois sur laquelle il était assis. Au-dessus de sa tête, des gerbes de feu avaient surgi, comme le jour où la Terre avait émergé, énorme rocher noir et grêlé, planète moyenne en orbite autour d'une étoile moyenne aux limites d'une galaxie moyenne dans un univers sans limites.

Le Grand Chariot. Orion. La Grande Ourse. *La voix monotone de l'astronome. Les visages des enfants levés, leurs bouches ouvertes, leurs yeux écarquillés. Et cette sensation d'être infiniment petit sous l'immensité de ce ciel artificiel.*

Jamais il n'oublierait ce jour.

Des années plus tard, quand sa fille serait encore très jeune, elle courrait à lui, vacillant sur ses jambes potelées, ses petits bras levés en l'air, les yeux brillant de joie, et elle crierait : Papa, papa, *tendant vers lui, vers le ciel, ses minuscules mains.*

Alors elle s'élancerait dans l'espace sans aucune peur parce qu'il n'était pas juste son père – il était papa. *Il l'attraperait ; jamais il ne la laisserait tomber.*

Et elle crierait : Fais-moi voler, papa, fais-moi voler !

Et il la ferait voler dans l'immensité de ce ciel sans limites, la fillette qui tournoie les bras grands ouverts pour embrasser l'infini, la tête renversée en arrière, entraînée vers ce lieu où la peur et l'émerveillement se croisent, ses cris résumant son plaisir d'être libre et aussi légère que l'air, d'être en sécurité dans ses bras, d'être vivante.

Cassiopée.

Depuis ce jour au planétarium, alors que la naissance de ce petit être ne surviendrait pas avant une bonne quinzaine d'années, il avait déjà choisi son prénom.

1

JE VAIS M'ASSEOIR PRÈS DE TOI

Ceci est mon corps.

Dans la pièce la plus basse de la grotte, le prêtre lève sa dernière hostie – sa réserve est épuisée – vers les excroissances de pierre qui lui évoquent la gueule d'un dragon prêt à rugir. Semblables à d'énormes crocs, elles se teintent de rouge et de jaune sous l'effet de la lumière.

La catastrophe du sacrifice divin opéré par ses mains.

Prenez et mangez-en tous…

Puis le calice qui contient les dernières gouttes de vin.

Prenez et buvez-en tous…

Il est minuit en cette fin novembre. Dans les grottes inférieures, le petit groupe de survivants restera au chaud et caché avec un stock de provisions suffisant pour tenir jusqu'au printemps. Personne n'est mort de la Peste Rouge depuis des mois. Le pire semble être passé. Ils sont en sécurité ici, parfaitement en sécurité.

Avec foi dans ton amour et ta miséricorde, je mange ton corps et bois ton sang…

Ses murmures résonnent dans les profondeurs. Ils grimpent le long des murs glissants, se faufilent par l'étroit passage vers les cavernes supérieures, où ses compagnons réfugiés dorment d'un sommeil agité.

Que je ne sois ni condamné ni malade d'âme et de corps.

Il n'y a plus de pain, plus de vin. C'est sa dernière communion.

Puisse le corps du Christ m'apporter la vie éternelle.

Le morceau de pain rassis qui se ramollit sur sa langue.

Puisse le sang du Christ m'apporter la vie éternelle.

Les gouttes du vin amer qui brûlent sa gorge.

Dieu dans sa bouche. Dieu dans son estomac vide.

Le prêtre laisse couler quelques larmes.

Il verse un peu plus d'eau dans le calice. Sa main tremble. Il boit le sang précieux mêlé à l'eau, puis nettoie le calice avec le purificateur.

C'est terminé. Le sacrifice éternel est fini. Il essuie ses joues avec le même chiffon dont il s'est servi pour frotter le calice. Les larmes de l'homme et le sang de Dieu sont inséparables. Il n'y a rien de nouveau là-dedans.

D'un coup de chiffon, il fait briller la patène, glisse le purificateur dans le calice et le met de côté. Alors, il retire l'étole verte de son cou, la plie avec soin, l'embrasse. Il adore être prêtre. Ce qu'il aime par-dessus tout, c'est la messe. Son col, mouillé de sueur et de larmes, pend mollement autour de son cou : il a perdu plus de sept kilos depuis que la peste a frappé et qu'il a abandonné sa paroisse pour entreprendre le voyage de plus de cent cinquante kilomètres vers les grottes au nord d'Urbana. En chemin, il a gagné beaucoup de disciples – plus d'une cinquantaine en tout, même si trente-deux sont morts de la pandémie avant de pouvoir se mettre à l'abri. Quand l'heure de leur mort approchait, il entamait les rituels, catholiques, protestants ou juifs, peu importait. *Que le Seigneur dans son amour et sa miséricorde t'apporte son aide...* De son pouce, il traçait une croix sur leur front brûlant. *Que le Seigneur qui t'a libéré du péché te sauve...*

Le sang qui suintait de leurs yeux, mêlé à l'huile qu'il frottait sur leurs paupières. Et la fumée qui roulait à travers les vastes étendues se tapissait dans les bois, couvrait les routes comme la glace nappe les rivières lors de rudes hivers. Des feux à Colombus. Des feux à Springfield et à Dayton. À Huber Heights, Londres et Fairborn. À Franklin, Middleton et Xenia. Le soir, les lueurs d'un millier de feux donnaient à la fumée une teinte orange, et le ciel semblait se rapprocher de leurs têtes. Avec lenteur, le prêtre avançait dans la campagne incandescente, une main tendue devant lui, l'autre tenant un mouchoir plaqué sur son nez et sa bouche, des larmes de rage coulant sur son visage. Le sang incrusté sous ses ongles cassés, le sang séché sur ses paumes et sous ses semelles. *Nous ne sommes plus très loin*, disait-il à ses compagnons pour les encourager. *Ne vous arrêtez pas !* Durant ce trajet, quelqu'un l'avait surnommé père Moïse, car il conduisait les gens hors de l'obscurité, loin du feu et de la fumée, vers la Terre promise des cavernes les plus pittoresques de l'Ohio.

Bien sûr, quand ils arrivèrent, d'autres réfugiés se trouvaient déjà là. Il s'y attendait. Une grotte ne brûle pas. Elle est imperméable aux conditions climatiques. De plus, c'est un lieu facile à défendre. Après les bases militaires et les immeubles gouvernementaux, les grottes avaient été les destinations les plus populaires depuis l'Arrivée.

On avait réuni des provisions, de l'eau et des biens non périssables, des couvertures, des bandages et des médicaments. Et des armes, évidemment, des fusils, des pistolets, des revolvers et de nombreux couteaux. Les malades étaient placés en quarantaine dans le centre d'accueil, allongés sur des couchettes installées entre les présentoirs de la boutique de souvenirs, et le prêtre leur rendait visite chaque jour, discutait avec eux, priait avec eux, écoutait leurs confessions, distribuait la communion, chuchotait ce qu'ils voulaient entendre : *Per sacrosanta humanae reparationis mysteria... Par le mystère sacré de la rédemption de l'humanité...*

Des centaines d'entre eux mourraient avant que la mort ait achevé son œuvre. Ils creusèrent un puits de dix mètres de large et trente mètres de profondeur au sud du centre d'accueil pour les incinérer. Le feu brûlait jour et nuit, et l'odeur de chair calcinée était devenue si habituelle qu'ils la remarquaient à peine.

À présent, on est en novembre. Dans la grotte la plus basse, le prêtre se lève. Il a beau ne pas être grand, il doit néanmoins garder le dos courbé pour éviter de se cogner la tête contre le plafond ou contre les dents de pierre qui ornent la voûte du palais du dragon.

La messe est dite, allez en paix.

Il abandonne le calice et le purificateur, la patène et son étole. Désormais, ce ne sont plus que des reliques, des artifices d'un âge qui s'évanouit dans le passé à la vitesse de la lumière. *Nous étions habitants des cavernes,* songe le prêtre en regagnant la surface, *et nous sommes retournés dans ces cavernes.*

Même le plus long des voyages n'est qu'un cercle, et l'histoire revient toujours là où elle a commencé. Comme dans le missel : *Souviens-toi que tu es poussière et que tu retourneras à la poussière.*

Et le prêtre s'élève comme un plongeur qui donne un coup de pied au fond pour regagner le dôme du ciel qui scintille au-dessus de l'eau. Le long de l'étroit passage qui serpente gentiment vers le haut entre des murs de pierre suintants, le sol est aussi doux et lisse qu'une piste de bowling. Il y a quelques mois à peine, des élèves en classe verte marchaient ici en file unique, laissaient courir leurs doigts sur la roche, leurs yeux cherchant les monstres dans les ombres des crevasses. Ils étaient encore assez jeunes pour croire aux monstres.

Tel un Léviathan, le prêtre s'élève de la profondeur obscure.

Son chemin jusqu'à la surface passe par Caveman's Couch, le Crystal King, la Big Room – la salle principale pour les réfugiés – et finalement le Palace of Gods, son endroit préféré parmi les cavernes, où des formations cristallines étincellent comme des éclats figés de lune, et où le plafond ondule telles les vagues qui roulent vers le rivage. Là, tout près de la surface, l'air devient plus sec et se teinte de la fumée des feux qui se nourrissent toujours du monde qu'ils ont laissé derrière eux.

Que Dieu bénisse les cendres dont nos fronts seront marqués en signe de pénitence…

Car nous ne sommes que poussière…

Des bribes de prières lui viennent à l'esprit. Des extraits de chansons. Les litanies, les bénédictions, et les paroles d'absolution. *Que Dieu t'accorde le pardon et la paix… je t'absous de tes péchés…* Des extraits de la Bible : *Je suis descendu jusqu'aux racines des montagnes, la terre s'est refermée sur moi à jamais.*

L'encens qui brûle dans l'encensoir. Les rayons du soleil printanier qui se brisent sur les vitraux. Le craquement des bancs, le dimanche, comme ceux d'un vieux vaisseau sur la mer. Le rythme des saisons, le calendrier qui gouvernait sa vie depuis son enfance, l'Avent, Noël, le Carême, Pâques. Il avait conscience de préférer le côté artificiel de la liturgie, les rituels et les traditions, le faste et la vanité, ces pans critiqués par ceux qui ne font pas partie de l'Église. Il adorait la forme, pas le contenu ; le pain, pas le corps.

Cela ne faisait pas pour autant de lui un mauvais prêtre. Il était réservé, humble, fidèle à sa vocation. Il aimait aider les gens. Ces quelques semaines passées dans les cavernes avaient été parmi les plus gratifiantes de sa vie. Les souffrances ramènent Dieu à sa demeure première, la mangeoire de terreur et de confusion, de douleurs et de deuils, là où il était né. *Tourne-toi vers la souffrance,* pense le prêtre, *et tu verras son visage.*

Un gardien est assis dans la percée juste au-dessus du Palace of Gods. Sa silhouette robuste se découpe sur la nuée d'étoiles derrière lui. Un fort vent du nord augurant de l'hiver a nettoyé le ciel des gros nuages. L'homme porte une casquette de baseball qui descend bas sur son front et une veste en cuir. Il tient à la main une paire de jumelles. Un fusil est posé sur ses genoux.

L'homme hoche légèrement la tête pour saluer le prêtre.

— Où est votre manteau, mon père ? Il fait plutôt froid ce soir.

Le prêtre esquisse un petit sourire.

— Je l'ai prêté à Agatha.

L'homme acquiesce d'un grognement. Agatha. Celle qui se plaint toujours. Elle a toujours froid. Toujours faim. Il lui arrive *toujours* quelque chose. L'homme porte les jumelles à ses yeux et scrute le ciel.

— Vous en avez vu d'autres ? demande le prêtre.

Une semaine plus tôt, ils ont aperçu le premier objet gris argenté en forme de cigare. Il a stagné au-dessus des cavernes pendant plusieurs minutes puis il s'est élevé en flèche – et en silence – droit à la verticale jusqu'à disparaître et n'être plus qu'une minuscule piqûre d'épingle dans le vaste bleu de l'espace. Un autre – ou peut-être le même – était apparu deux jours plus tard, glissant sans bruit au-dessus de leurs têtes avant de s'évanouir au-delà de l'horizon. Personne ne s'interrogeait sur l'origine de ces étranges vaisseaux – les habitants des grottes savaient qu'ils n'étaient pas terrestres. Ce qui les effrayait, c'était d'ignorer l'objectif de ces engins.

L'homme baisse ses jumelles et se frotte les yeux.

— Qu'est-ce qui va pas, mon père ? Vous arrivez pas à dormir ?

— Oh, je ne dors guère, ces derniers temps.

Il se tait un instant et ajoute :

— J'ai tant à faire.

Il ne veut pas que l'homme pense qu'il se plaint.

— Pas d'athées chez ceux qui sont au fond du gouffre.

Les paroles flottent dans l'air comme une odeur rance.

— Ou dans les cavernes, dit le prêtre.

Depuis leur première rencontre, il s'est efforcé de mieux connaître cet homme, mais il est semblable à une pièce fermée, dont la porte a été soigneusement verrouillée par la colère et le chagrin, ainsi que l'effroi, le désespoir des condamnés. Depuis des mois, il leur est impossible d'éviter cette peur. Pour certains, la mort est l'accoucheur de la foi. Pour d'autres, elle est le bourreau de cette foi.

L'homme sort un paquet de chewing-gums de sa poche poitrine, en déballe un avec précaution, le glisse dans sa bouche. Il compte les chewing-gums qui lui restent avant de remettre le paquet dans sa poche, sans en offrir au prêtre.

— Mon dernier paquet, lâche-t-il en guise d'explication.

— Je comprends.

— Vraiment ?

La mâchoire de l'homme bouge à un rythme hypnotique.

— Vous comprenez *vraiment*, mon père ?

Le pain rassis, le vin aigre : il en a encore le goût sur la langue. Le pain aurait pu être rompu, le vin partagé. Il n'avait pas à célébrer la messe tout seul.

— Oui, je crois que je comprends, répond le petit prêtre.

— Pas moi, rétorque l'homme avec une lenteur délibérée. Je crois plus en rien du tout.

Le prêtre rougit. Son léger rire embarrassé est comme le bruit des pas des enfants dans un long escalier. Il tripote son col avec nervosité.

— Quand le courant s'est éteint, j'ai cru qu'il reviendrait, dit l'homme au fusil. Comme tout le monde. Le courant s'arrête – puis il revient. C'est ça la foi, non ?

Il mâchouille son chewing-gum, à gauche, à droite. De sa langue, il le fait aller et venir dans sa bouche, d'avant en arrière, d'arrière en avant.

— Puis on a entendu aux infos que les côtes avaient été submergées par les eaux. À présent, Reno est devenue une station balnéaire. Et alors ? Il y avait déjà eu des tremblements de terre, avant. Et des tsunamis. Après tout, qui a besoin de New York ? Qu'y a-t-il de si spécial en Californie ? Nous rebondirons. Nous rebondissons toujours. C'est ce que je croyais.

L'homme fixe le ciel sombre, les étoiles brillantes. Les yeux en l'air, la voix basse.

— Puis les gens sont tombés malades. On leur a donné des antibiotiques. Il y a eu des mises en quarantaine. On a utilisé des tonnes de désinfectant. Nous avons enfilé des masques et nous nous sommes lavé les mains jusqu'à ce que la peau vienne avec. Malgré tout ça, la plupart d'entre nous sont morts.

L'homme au fusil contemple les étoiles comme s'il attendait qu'elles se décrochent de l'immense toile noire pour tomber sur la Terre. Et pourquoi pas ?

— Mes voisins. Mes amis. Ma femme et mes enfants. Je savais que tous ne mourraient pas. Comment pouvaient-ils *tous* mourir ? Comment cela aurait-il été *possible* ? Certains sont tombés malades, mais la plupart échapperaient à cette saloperie, et les autres iraient bientôt mieux, non ? C'est ça, la foi. C'est ce que nous croyons.

L'homme sort un gros couteau de chasse de sa botte et, de la pointe, commence à gratter la poussière sous ses ongles.

— Oui, c'est ça, la foi : vous grandissez, vous allez à l'école. Vous trouvez un boulot. Vous vous mariez. Vous fondez une famille.

Il en a terminé avec sa première main – un ongle pour chaque rite de passage –, alors il s'attaque à l'autre.

— Vos gosses grandissent. Ils vont à l'école. Ils trouvent un boulot. Ils se marient. Ils fondent une famille.

Gratte, gratte. Gratte, gratte, gratte.

D'un revers de la main qui tient le couteau, il repousse sa casquette en arrière.

— Je n'ai jamais été ce que vous appelleriez une personne religieuse. J'ai pas mis le pied dans une église depuis une bonne vingtaine d'années. Mais je sais ce qu'est la foi, mon père. Je sais ce que signifie croire en quelque chose. La lumière s'éteint, puis elle revient. La crue monte, puis elle reflue. Les gens tombent malades, ils guérissent. La vie continue. C'est ça la véritable foi, n'est-ce pas ? Tout votre bla-bla sur le paradis et l'enfer, le péché et le salut, même si on essaie de le bazarder, il revient toujours. Même le plus grand athée a foi en cela. La vie continue.

— Oui, répond le prêtre. La vie continue.

L'homme découvre ses dents. Il pointe son couteau vers le torse du prêtre et lance d'un ton hargneux :

— Vous n'avez pas entendu un seul putain de mot de ce que j'ai dit, mon père. Vous voyez, c'est pour ça que je n'aime pas les gens comme vous. Vous allumez les bougies et marmonnez votre latin, vous priez un Dieu qui n'est pas là, ou s'en fiche, ou est complètement dingue, ou cruel, ou les deux. Le monde brûle et vous, vous priez le connard qui a mis ça en place, ou qui laisse faire.

Le petit prêtre a levé les mains, ces mêmes mains qui ont consacré le pain et le vin, comme pour montrer à l'homme qu'elles sont vides, qu'il n'a aucune mauvaise intention.

— Je ne prétends pas connaître l'esprit de Dieu, commence-t-il en les baissant.

Tout en surveillant le couteau de l'homme, il cite le livre de Job : *Oui, j'ai parlé, sans les comprendre, de merveilles qui me dépassent et que je ne conçois pas.*

Parfaitement immobile, mis à part sa bouche qui mâche ce chewing-gum déjà sans goût, l'homme le fixe durant un long moment inconfortable.

— Je vais être honnête avec vous, mon père. À l'instant même, j'ai plutôt envie de vous tuer.

Le prêtre hoche la tête d'un air sombre.

— J'ai bien peur que cela arrive. Quand la vérité surgira.

Il prend le couteau de la main tremblante de l'homme et pose sa main sur son épaule.

L'homme tressaille, mais ne bouge pas.

— Quelle est la vérité ? chuchote-t-il.

— C'est ça, répond le petit prêtre en plongeant le couteau dans le torse de l'homme.

La lame est longue, pointue – elle traverse facilement la chemise de l'homme, se faufile entre ses côtes avant de s'enfoncer de plus de sept centimètres dans son cœur.

Le prêtre attire l'homme contre lui et embrasse le sommet de son crâne. *Que Dieu t'accorde le pardon et la paix.*

Tout se termine très vite. Le chewing-gum tombe des lèvres de l'homme, le prêtre le ramasse et le jette dans la grotte. Il allonge l'homme sur la pierre froide et se redresse. Le couteau ensanglanté brille dans sa main. *Le sang de l'alliance nouvelle et éternelle...*

Le prêtre étudie le visage de l'homme mort, et son cœur brûle de rage et de dégoût. Le visage humain est hideux, intolérablement grotesque. Enfin, il n'a plus besoin de cacher sa répugnance.

Le prêtre regagne la Big Room, où les autres se tournent et se retournent dans un sommeil sans repos. Tous sauf Agatha, adossée au mur du fond de la caverne, une femme de petite taille perdue dans cette veste bordée de fourrure que le prêtre lui a prêtée, ses cheveux sales et emmêlés, véritable maelström de gris et de noir. La crasse comble les rides profondes de son visage fané, autour d'une bouche sans dents et d'yeux enfouis dans les plis de sa peau flétrie. *Voilà l'humanité*, pense le prêtre. *Voilà son visage !*

— C'est vous, mon père ?

Sa voix est à peine audible, on dirait un cri de souris, le glapissement haut perché d'un rat.

Et ça, c'est la voix de l'humanité.

— Oui, Agatha, c'est moi.

Elle scrute le masque humain qu'il porte depuis son enfance, obscurci par l'ombre.

— Je n'arrive pas à dormir, mon père. Voulez-vous bien vous asseoir près de moi un moment ?

— Oui, Agatha, je vais m'asseoir près de toi.

2

IL PORTE LES RESTES DE SES VICTIMES À LA SURFACE, une sous chaque bras, et les jette dans le puits, sans aucune cérémonie, avant de redescendre pour récupérer un nouveau chargement. Après Agatha, il a tué tous les autres durant leur sommeil. Personne ne s'est réveillé. Le prêtre a travaillé avec calme, assurance et rapidité. L'unique bruit dans la grotte était la déchirure du tissu quand la lame s'enfonçait dans le cœur de ses quarante-six victimes, jusqu'à ce qu'il n'y ait plus un seul cœur qui batte, sauf le sien.

À l'aube, la neige commence à tomber. Il reste planté debout durant un moment, lève son visage vers le ciel blanc. Des flocons dansent sur ses joues pâles. C'est son dernier hiver avant très longtemps : à l'équinoxe, la capsule de sauvetage descendra sur Terre pour le reconduire au ravitailleur, où il attendra le nettoyage final de l'infestation humaine par ceux qui ont été entraînés pour cette tâche. Une fois à bord du vaisseau, depuis la sérénité du vide, il observera la scène majestueuse tandis qu'ils lanceront les bombes prévues pour détruire chaque ville de cette planète, éliminant ainsi les ultimes vestiges de la civilisation humaine. L'apocalypse rêvée par l'humanité depuis l'éveil de sa conscience aura finalement lieu – elle ne sera pas provoquée par un dieu en colère, mais par un dieu indifférent, aussi froid que le petit prêtre quand il a plongé son couteau dans le cœur de ses victimes.

La neige fond sur son visage tendu vers le ciel. Quatre mois avant la fin de l'hiver. Cent vingt jours avant que les bombes tombent, puis le lancement de la 5ᵉ Vague, les pions humains conditionnés pour tuer ceux de leur propre espèce. D'ici là, le prêtre restera sur Terre pour massacrer les survivants qui s'aventureront sur son territoire. Tout est presque terminé. Tout est en place.

Le petit prêtre descend dans le Palace of Gods et rompt son jeûne.

3

RINGER

À CÔTÉ DE MOI, RAZOR MURMURA :

— Cours !

La détonation de son arme de poing à côté de mon oreille.

Sa cible : la plus petite chose, qui est la somme de toutes les choses ; sa balle, l'épée qui brise la chaîne qui me lie à elle.

Teacup.

Et tandis que Razor mourait, il leva ses yeux doux et sans âme vers les miens et chuchota :

— Tu es libre. *Cours !*

Je courus.

4

JE TRAVERSE EN LA PULVÉRISANT LA VITRE de la tour d'observation. Le sol se rapproche de moi à grande vitesse.

Quand j'atterrirai sur le tarmac, aucun de mes os ne se brisera. Je ne ressentirai aucune douleur. L'ennemi a renforcé mon système pour que je supporte des chutes bien plus graves que celle-là. La dernière, je l'ai effectuée à mille cinq cents mètres d'altitude. Celle-là, c'est du gâteau !

J'atterris sur mes pieds et sprinte autour de la tour, puis sur le chemin qui mène au mur de béton et à la grille surmontée de barbelés. Le vent siffle à mes oreilles. Je suis plus rapide que le plus rapide animal de la Terre. Comparé à moi, le guépard est une tortue.

Ils ne t'attraperont pas. Comment diable pourraient-ils t'attraper ?

Le processeur enchâssé dans mon cerveau a fait tous les calculs nécessaires avant que je touche terre. Il a déjà relayé l'information aux milliers de drones microscopiques assignés à mon système musculaire ; je n'ai pas besoin de penser à la vitesse, au timing ou au point d'attaque ; le hub s'en charge pour moi.

Fin de la piste : je bondis. Ma plante de pied atterrit sur le haut du mur de béton, puis prend appui dessus pour me propulser vers la grille. Les barbelés foncent vers mon visage. Mes doigts s'insinuent dans la petite ouverture entre les anneaux et la barre supérieure pour me permettre d'exécuter un saut arrière. Je vole, bras tendus, dos cambré.

Une fois à terre, j'accélère à vitesse maximum, franchissant la centaine de mètres à ciel ouvert entre la grille et les bois en moins de quatre secondes. Aucune balle ne siffle à mes oreilles. Aucun hélicoptère ne vrombit pour me suivre. Les arbres se referment derrière moi comme un rideau. Je cours avec assurance sur le sol glissant. J'atteins la rivière au courant noir et rapide. Quand je la traverse, mes pieds semblent à peine toucher la surface.

De l'autre côté, les bois laissent place à de la toundra, à des kilomètres déserts, qui s'étirent à l'horizon vers le nord, une contrée sauvage sans frontières dans laquelle je vais me perdre sans que l'on me retrouve.

Libre.

Je cours pendant des heures. Le douzième système renforce mes articulations et mes os. Il soutient mes muscles, me donne de la force, de l'endurance, annihile ma douleur. Il me suffit de m'y abandonner. Si j'ai confiance, je survivrai.

VQP. À la lueur de centaines de corps formant un gigantesque brasier, Razor avait gravé ces trois lettres sur son bras. *VQP.* Conquiert celui qui souffre.

Certaines choses, jusqu'à la plus petite, valent bien la somme de toutes les choses, m'a-t-il dit la nuit précédant son décès.

Razor savait que je ne me serais jamais enfuie en abandonnant Teacup. J'aurais dû deviner qu'il allait me sauver en la trahissant : c'était son mode opératoire depuis le début. Il a tué Teacup pour que je puisse vivre.

Le paysage monotone s'étend dans toutes les directions. Le soleil tombe vers l'horizon d'un ciel sans nuage.

Le vent glacé griffe mon visage et gèle mes larmes au fur et à mesure qu'elles coulent. Le douzième système peut protéger votre corps de la douleur, mais il est impuissant contre le chagrin qui écrase votre âme.

Des heures plus tard, alors que toute lumière se retrouve drainée du ciel et qu'apparaissent les premières étoiles, je cours toujours. Le ravitailleur plane à l'horizon, comme un gros œil vert sans paupière qui regarde en dessous de lui. Inutile de tenter de lui échapper. Ou de se cacher. Il est inatteignable, insaisissable. Bien après que le dernier humain sera réduit à une poignée de cendres, il sera toujours là, implacable, impénétrable : Dieu aura été détrôné.

Je cours toujours. Dans une étendue sauvage, pas encore abîmée par l'homme, le monde tel qu'il était avant que la civilisation enfante le monstre du progrès. À présent, tel un cercle qui se referme, le monde redevient ce qu'il était avant que nous le connaissions. Paradis perdu. Paradis retrouvé. Je me souviens du sourire de Vosch, triste et amer : un sauveur. C'est donc ce que je suis ? Pendant que je cours vers rien, que je cours loin de rien, que je cours à travers un paysage d'un blanc immaculé sous l'immensité d'un ciel indifférent, je le vois, maintenant. Je crois que je comprends.

Réduire la population humaine à un nombre viable, puis écraser son humanité, étant donné que la confiance et la fraternité sont les véritables menaces au délicat équilibre de la nature, les péchés impardonnables qui ont conduit le monde au bord du gouffre. Les Autres ont conclu que la seule façon de sauver le monde était de détruire la civilisation. Non pas de l'extérieur, mais de l'intérieur. Oui, pour Eux, l'unique façon d'annihiler la civilisation humaine c'est de changer la nature humaine.

5

Je continuai à courir dans l'immensité sauvage. Personne ne me poursuivait. Au fil des jours, je m'inquiétais moins des hélicoptères qui auraient pu me pister, ou d'attaques de troupes. Ce qui me préoccupait le plus, c'était de ne pas me refroidir, et de trouver l'eau fraîche et les protéines dont j'avais besoin pour soutenir l'hôte fragile du douzième système. Je creusai des trous pour me cacher et construisis des abris pour dormir. J'aiguisai des branches, les transformant en lances pour chasser des lièvres et des élans et manger leur chair crue. Peu m'importait d'allumer un feu, même si je connaissais la technique ; l'ennemi m'avait montré comment faire à Camp Haven. L'ennemi m'avait enseigné tout ce que j'avais besoin de savoir en matière de survie dans la nature, puis il m'avait offert la technologie extraterrestre pour aider mon corps à s'y adapter. Il m'avait appris comment tuer et comment éviter d'être tuée. Il m'avait enseigné ce que les humains avaient oublié après dix siècles de confiance et de fraternité. Il m'avait enseigné la peur.

La vie est un cercle lié par la peur. La peur du prédateur. La peur de la proie. Sans peur, la vie elle-même n'existerait pas. J'ai essayé d'expliquer ça à Zombie, une fois, mais je ne crois pas qu'il ait compris.

Je demeurai quarante jours seule dans cette immensité sauvage, consciente de la symbolique.

J'aurais pu rester plus longtemps. Le douzième système aurait été capable de me soutenir pendant plus de cent ans. La reine Marika, la solitaire, l'ancienne chasseresse, la glume sans âme qui se nourrit d'os desséchés d'animaux morts, la souveraine incontestable d'un domaine insignifiant – jusqu'à ce que le système se crashe enfin –, que son corps s'écroule ou soit dévoré par des charognards, ses os éparpillés comme des runes dans un paysage abandonné, sans personne pour les déchiffrer.

Je décidai de rentrer. Je revins sur mes pas. À ce moment-là, je compris pourquoi ils ne venaient pas à ma rencontre. Comme d'habitude, Vosch avait deux coups d'avance sur moi. Teacup était morte, mais j'étais toujours liée à une promesse que je n'avais jamais faite à quelqu'un qui était probablement mort aussi. Mais la probabilité n'avait désormais plus d'importance.

Il savait que je ne pouvais abandonner Zombie – tant que j'avais une chance de le sauver.

Et il n'y avait qu'une façon de le sauver. Vosch le savait aussi.

Pour cela, je devais tuer Evan Walker.

I

LE PREMIER JOUR

6

CASSIE

JE VAIS TUER EVAN WALKER.

Ce connard énigmatique, complètement secret, centré sur lui-même, à l'humeur toujours sombre. Je vais mettre un terme aux souffrances de sa pauvre petite âme torturée d'hybride humain-alien. *Tu es une Éphémère. Tu es celle qui vaut la peine qu'on meure pour elle. Je me suis réveillé quand je me suis vu en toi.* Oh, quelle gerbe !

Hier soir, j'ai fait prendre un bain à Sams – le premier depuis trois semaines – et il a failli me casser le nez, ou plutôt je devrais dire me *re*casser le nez, étant donné que l'ex-petite amie d'Evan (ou amie, si on lui accorde le bénéfice du doute) l'avait cassé en premier en me catapultant contre une porte derrière laquelle se trouvait mon frère, ce petit crétin que j'essayais de sauver, le même crétin qui a failli me briser le nez de nouveau. Vous voyez un peu l'ironie, là-dedans ? Il y a probablement aussi un certain symbolisme, mais il est tard, et je n'ai pas dormi depuis trois jours, alors laissez tomber.

Revenons un peu à Evan et à la raison pour laquelle je vais le tuer.

À la base, cela se réduit à une question d'alphabet.

Après que Sam m'a frappé le nez, je me suis précipitée hors de la salle de bains, trempée d'eau savonneuse, et là, j'ai carrément percuté Ben Parish. Mon visage droit dans son torse. *Bang !* Ben traînait dans le couloir, comme si tout ce qui avait trait à Sam était sa responsabilité. Pendant ce temps, le petit crétin susmentionné me hurlait des obscénités dans le dos, la seule partie de mon corps encore sèche après que j'avais essayé de laver le sien, et Ben Parish, l'incarnation vivante de la phrase préférée de mon père, à savoir qu'il vaut mieux avoir de la chance qu'être intelligent, m'a regardée d'un air ridicule genre : *Qu'est-ce qui se passe ?*, ridicule mais si mignon que j'ai été tentée de lui casser le nez pour qu'il ne soit plus aussi *parishement* sexy.

— Tu devrais être mort, dis-je.

Je sais que je viens juste d'écrire que j'étais sur le point de tuer Evan, mais il faut que vous compreniez... Oh, on s'en fout ! De toute façon, personne ne lira jamais ça. D'ici à ce que j'aie disparu, il n'y aura plus personne pour lire quoi que ce soit. Donc, cela n'est pas écrit pour toi, futur lecteur qui n'existeras pas. C'est uniquement pour moi.

— Probablement, répondit Ben.

— Quelles sont les probabilités qu'une personne que je connaissais d'*avant* soit encore ici *maintenant* ?

Il réfléchit à ma question. Ou tout du moins il fit semblant d'y réfléchir : après tout, ce n'est qu'un mec.

— Une sur un milliard ?

— Je crois que ce serait plutôt deux sur sept milliards, Ben. Ou une sur trois milliards et demi.

— Waouh ! Autant ?

D'un mouvement de tête, il désigna la porte de la salle de bains.

— Qu'est-ce qui se passe avec Nugget ?

— Sam. Son prénom, c'est Sam. Si tu l'appelles encore comme ça, je te fous un coup de genou dans ta petite paire de nuggets.

Il sourit. Puis, soit il fit semblant de ne comprendre qu'avec un temps de retard, soit il avait pigé instantanément, mais en tout cas, son sourire se transforma en une grimace de fierté blessée.

— Elles sont légèrement plus grosses que des nuggets. Légèrement.

Et puis, *bim*, il réenclencha le sourire.

— Tu veux que j'aille lui parler ?

Je lui répondis que je n'en avais rien à foutre de ce qu'il faisait ; j'avais des choses plus importantes sur le feu, comme tuer Evan Walker.

Je fonçai dans le couloir, puis dans le salon, toujours suffisamment près – ou pas assez loin – pour entendre Sam hurler :

— Je m'en fiche, Zombie. Je m'en fiche, je m'en fiche ! Je la déteste !

Là, je dépassai Dumbo et Megan, installés sur le canapé. Ils essayaient de reconstituer un puzzle que l'un d'entre nous avait trouvé dans la chambre d'enfants, une scène d'un dessin animé de Disney, ou quelque chose du genre. Ils détournèrent le regard pendant que je continuais à foncer, genre : *Ne t'occupe pas de nous, on ne t'arrêtera pas, tout va bien, personne n'a rien vu.*

Dehors, sous le porche, il fait un froid d'enfer, car le printemps refuse de se montrer. Le printemps ne viendra jamais, car il en a déjà ras le bol de tous ces événements. Ou bien les Autres ont déclenché une nouvelle ère glaciaire, juste parce qu'ils en ont la possibilité, car après tout, pourquoi se contenter d'humains condamnés quand on peut avoir des humains condamnés gelés, affamés, misérables ? C'est tellement plus marrant ainsi.

Il était appuyé contre la rambarde pour soulager sa cheville blessée de son poids, son fusil blotti au creux du bras, vêtu de son uniforme habituel, chemise de bûcheron froissée et jean moulant. Son visage s'éclaira dès qu'il me vit. Il me dévora aussitôt du regard. Oh, *l'evanitude* de cette scène, la façon dont il se désaltère de ma présence comme un homme qui titube vers une oasis dans le désert.

Je le giflai.

— Pourquoi tu me frappes comme ça ?

— Tu sais pourquoi je suis trempée ?

Il secoua la tête.

— Pourquoi es-tu trempée ?

— J'ai donné un bain à mon petit frère. Pourquoi est-ce que je lui ai donné un bain ?

— Parce qu'il était sale ?

— Pour la même raison que j'ai passé une semaine à nettoyer ce dépotoir quand nous nous sommes installés.

Grâce était peut-être un hybride alien-humain technologiquement supérieur, à l'allure de Princesse des Glaces

– et au cœur assorti –, mais elle était aussi une épouvantable femme d'intérieur. La poussière régnait dans chaque coin de la maison, des moisissures poussaient sur d'autres moisissures, et la cuisine aurait fait rougir de honte la pire des souillons.

— Parce que c'est ce que font les humains, Evan. Nous ne vivons pas dans la crasse. Nous prenons des bains. Nous nous lavons les cheveux, nous nous brossons les dents, nous nous rasons...

— Sam a déjà besoin de se raser ?

Il essayait d'être drôle.

Mauvaise idée.

— Ferme-la ! Quand je parle, tu te tais. Quand tu parles, je me tais. Ça, c'est un autre truc que font les humains. Ils se traitent mutuellement avec respect. Du respect, Evan.

Il hocha la tête d'un air sombre.

— Du respect, répéta-t-il – ce qui me mit encore plus en colère.

Il était en train de me manipuler.

— Tout est une question de respect. Être propre, et ne pas puer comme un porc, c'est du respect.

— Les porcs ne puent pas.

— Ferme. La.

— Je dis ça parce que j'ai grandi dans une ferme, c'est tout.

Je secouai la tête.

— Oh non, ce n'est pas tout. On en est même loin ! La part de toi que j'ai giflée n'a jamais grandi dans une putain de ferme.

Il posa son fusil contre la balustrade, et boitilla jusqu'à la balancelle sur laquelle il s'assit, avant de regarder droit devant lui.

— Ce n'est pas de ma faute si Sam avait besoin d'un bain.

— Bien sûr que si, c'est de ta faute. Tout est de ta faute !

Il tourna alors la tête vers moi et me dit d'un ton mesuré :

— Cassie, je crois que tu ferais mieux de rentrer.

— Pourquoi ? Pour éviter que tu te mettes en colère ? Oh, je t'en prie, mets-toi donc en colère, pour une fois ! J'adorerais voir à quoi tu ressembles quand tu te fâches.

— Tu as froid.

— Non, pas du tout !

Plantée devant lui dans mes vêtements trempés, j'eus soudain conscience que je tremblais comme une folle. Des gouttes d'eau glacée me roulaient dans le cou et descendaient le long de mon dos. Je croisai les bras sur ma poitrine et suppliai mes dents (tout juste brossées et très propres) de cesser de claquer.

— Sam a oublié son alphabet, l'informai-je.

Evan me contempla durant de longues secondes.

— Pardon ? De quoi parles-tu ?

— De son alphabet, espèce de gardien de porcs intergalactique.

— Eh bien…

Ses yeux quittèrent mon visage pour se porter sur la route déserte en face du champ désert qui s'étirait vers l'horizon tout aussi désert au-delà duquel il y avait d'autres routes désertes et des bois, et des champs, et des villes, et des métropoles, le monde n'étant plus qu'une énorme calebasse creuse, un immense seau vide. Vidé par des choses comme lui, ce truc qu'il était avant de s'insérer dans un corps humain.

Il se pencha en avant, et d'un mouvement d'épaules se débarrassa de sa veste, cette même ridicule veste de bowling avec laquelle il était apparu au vieil hôtel (celle dont le dos arborait fièrement le logo d'une équipe de bowling, les Urbana Pinheads), et me la tendit.

— Je t'en prie.

Peut-être que je n'aurais pas dû la prendre. Le schéma ne cessait de se répéter : j'ai froid, il me réchauffe ; je suis blessée, il me soigne ; j'ai faim, il me nourrit ; je suis à terre, il me ramasse.

Vu ma taille, la veste était dix fois trop grande pour moi. Elle m'engloutit. Tout comme la chaleur de son corps. Ça me calme – pas nécessairement le fait que la chaleur provienne de son corps, juste la chaleur elle-même.

— Une autre chose que font les humains, c'est d'apprendre l'alphabet, continuai-je. Pour pouvoir lire. Apprendre des choses. Par exemple, l'histoire, les mathématiques, les sciences et pratiquement tout ce que l'on peut nommer d'autre, y compris des trucs très importants comme l'art, la culture, la foi, pourquoi certains événements se produisent, d'autres pas, et pourquoi tout existait depuis le début.

Ma voix se brise. Sans savoir pourquoi, je songe soudain à mon père qui, après la 3e Vague, traînait un chariot rouge bondé de livres et à son sermon comme quoi il nous fallait préserver la culture et le savoir, puis reconstruire la civilisation une fois que nous nous serions débarrassés de ce petit problème extraterrestre. Quelle tristesse ! Quelle dérision : dans les rues désertes, voir un homme atteint de calvitie, aux épaules tombantes, traîner derrière lui un chariot rempli de livres récupérés. Pendant que les autres stockaient des boîtes de conserve, des armes et du matériel pour sécuriser leurs maisons contre les pillards, mon père avait décrété que la meilleure chose à faire durant cette invasion d'aliens était d'amasser de quoi lire.

— Il peut l'apprendre une seconde fois, hasarda Evan. Tu n'as qu'à lui enseigner.

Je fis tout mon possible pour ne pas le gifler de nouveau. À une certaine époque, je pensais être la dernière personne vivante sur Terre, ce qui faisait de moi l'*humanité.* Evan n'est pas le seul à avoir contracté une dette impossible à rembourser. Je suis l'humanité, lui, c'est Eux, et après ce qu'ils nous ont fait, l'humanité devrait leur briser les os. Tous les os.

— Ce n'est pas le sujet. Le truc, c'est que je ne comprends pas pourquoi vous vous y prenez de cette façon. Vous auriez pu nous tuer tous, jusqu'au dernier d'entre nous, sans vous montrer aussi cruels. Tu sais ce que j'ai découvert ce soir, mis à part le fait que mon petit frère me déteste ? Il n'a pas juste oublié son alphabet, il ne se souvient carrément pas de notre mère. Il a oublié le visage de sa mère !

Là, je perdis les pédales. Je serrai sur moi cette stupide veste des Pinheads, et je me mis à hurler, et peu m'importait qu'Evan me voie craquer, car si quelqu'un devait le voir, c'était bien lui, ce sniper qui tuait à distance, confortablement installé dans sa ferme tandis qu'à trois cents kilomètres au-dessus de sa tête, le ravitailleur lâchait trois vagues dévastatrices de plus en plus puissantes. Cinq cent mille victimes lors de la première attaque, des millions à la deuxième, des milliards à la troisième. Et pendant que le monde brûlait, Evan Walker faisait rôtir du cerf, se promenait tranquillement dans les bois, ou s'allongeait sur son canapé à côté d'un bon feu pour limer ses ongles déjà parfaits.

Il fallait qu'il voie la souffrance humaine de près. Ça faisait trop longtemps qu'il était comme le ravitailleur, à se tenir au-dessus de l'horreur, intouchable et lointain ; il fallait qu'il la voie, qu'il la touche, qu'il la presse contre son nez parfait et la sente.

Comme cela avait été le cas pour Sammy. J'eus envie de retourner à l'intérieur, de foncer à la salle de bains, d'extraire Sammy de la baignoire, et de le traîner ici, nu, sous le porche, où Evan Walker pourrait compter ses maigres côtes, effleurer ses poignets minuscules et ses tempes creuses, examiner les blessures et les cicatrices du petit corps qu'il avait torturé, l'enfant dont il avait vidé le cerveau de tout souvenir, et dont il avait empli le cœur de haine et d'une rage inutile.

Evan commença à se lever – sûrement pour me prendre dans ses bras, pour caresser mes cheveux, sécher mes larmes et me murmurer que tout allait bien se passer, parce que c'est son mode opératoire –, mais il sembla avoir une meilleure idée, et se rassit.

— Je te l'ai dit, Cassie, chuchota-t-il. Je ne voulais pas que les choses se passent ainsi. Je me suis battu pour ça.

— Jusqu'à ce que tu sois d'accord. Qu'est-ce que ça veut dire, *je ne voulais pas que les choses se passent ainsi* ?

Il gigota. La balancelle craqua. De nouveau, ses yeux se portèrent sur la route déserte.

— Nous aurions pu vivre parmi vous pour l'éternité, Cassie. Cachés, invisibles. Nous aurions pu nous insérer dans des personnalités leaders de votre société. Nous aurions pu partager nos connaissances, développer vos potentiels, accélérer votre évolution. Nous aurions même pu vous donner cette chose que vous avez toujours désirée et jamais obtenue.

— Quoi ?

Je reniflai bruyamment. Je n'avais pas de mouchoir, et peu m'importait d'être grossière. L'Arrivée avait modifié la définition de la grossièreté.

— La paix, répondit-il.

— Vous auriez pu. Auriez pu.

Il acquiesça d'un hochement de tête.

— Quand cette option a été rejetée, j'ai proposé quelque chose de… plus rapide.

— Plus rapide ?

— Un astéroïde. Vous n'aviez pas la technologie pour l'arrêter, et même si cela avait été le cas, vous n'en auriez pas eu le temps. C'était une solution simple, mais impropre. Votre monde n'aurait pas été habitable pendant un bon millier d'années.

— Quelle importance ? Vous n'êtes que des consciences, des êtres immortels comme les dieux. Qu'est-ce qu'un siècle pour vous ?

Apparemment, la réponse à cette question était très compliquée. Ou alors il n'avait pas envie de me la donner.

Il resta un instant silencieux puis reprit :

— Durant dix mille ans, nous avions la chose dont vous aviez toujours rêvé sans jamais l'obtenir. Pendant dix mille ans.

Il eut un rire amer, avant d'ajouter :

— Une existence sans douleur, sans faim, sans aucun besoin physique. Mais l'immortalité a un prix. Sans corps, nous perdons les choses qui vont avec. Des choses comme l'autonomie et la bienveillance. La compassion.

Il écarta les mains, comme pour me montrer qu'elles étaient vides.

— Sam n'est pas le seul à avoir oublié son alphabet.

— Je te déteste ! criai-je.

Il secoua la tête.

— Non, c'est faux.

— Je veux te détester.

— J'espère que tu échoueras.

— Ne te mens pas à toi-même, Evan. Tu ne m'aimes pas – tu aimes l'idée de moi. Tu confonds tout ! Tu aimes ce que je représente.

Il pencha la tête. Ses yeux bruns brillaient plus que les étoiles.

— Que représentes-tu, Cassie ?

— Ce que tu penses avoir perdu. Ce que tu pensais ne jamais pouvoir obtenir. Je ne suis pas cela ; je suis juste moi.

— Et qu'es-tu ?

Je savais ce qu'il voulait dire. Et, bien sûr, je n'avais aucune idée de ce qu'il voulait dire. C'était comme ça, cette chose entre nous, cette chose sur laquelle aucun de nous ne pouvait mettre le doigt, le lien sacré, indestructible, entre l'amour et la peur. Evan représente l'amour. Et moi, je suis la peur.

7

À LA SECONDE OÙ JE RENTRAI, Ben était prêt à bondir. Je sus qu'il était prêt à bondir parce qu'à la seconde où je rentrai, il bondit.

— Tout va bien ? s'enquit-il.

J'essuyai les larmes sur mes joues et lâchai un rire amer. *Bien sûr, Parish, mis à part cette connerie d'apocalypse extraterrestre, tout va bien.*

— Plus il s'explique, moins je comprends.

— Je t'avais dit que quelque chose clochait avec ce mec, répondit-il, faisant très attention à ne pas dire : *Je te l'avais bien dit* – enfin, pas vraiment, c'était comme s'il le disait, en fait.

— Qu'est-ce que tu ferais si tu n'avais pas eu de corps pendant dix mille ans, et que tu en avais soudainement un ? demandai-je.

Il pencha la tête et retint un sourire.

— J'irais sûrement aux toilettes.

Dumbo et Megan avaient disparu. Nous étions seuls. Ben se tenait près de la cheminée, une lumière dorée dansait sur son visage qui s'était étoffé durant les six semaines passées ici, dans la maison sécurisée où Grâce vivait précédemment. Du repos, de la nourriture, de l'eau fraîche, des antibiotiques, et Ben avait à peu près retrouvé sa figure d'avant l'Invasion. Pas complètement, cependant. Son regard était toujours hanté. Il y avait une méfiance en lui, comme chez un lapin qui traverserait une prairie survolée de faucons.

Il n'était pas le seul à se comporter ainsi. Après que nous nous étions réfugiés dans cette maison, il m'avait fallu deux bonnes semaines pour trouver le courage de me regarder dans le miroir. Quelle curieuse expérience ! C'était comme rencontrer tout à coup quelqu'un que vous n'aviez pas vu depuis le collège – vous reconnaissez la personne, mais ce que vous remarquez surtout, c'est à quel point elle a changé. Son visage ne correspond pas au souvenir que vous avez d'elle et, pendant une seconde, vous êtes complètement perturbé. C'est ce qui m'est arrivé quand je me suis trouvée face au miroir. J'ai vu quelqu'un qui ne collait pas au souvenir que j'avais de moi, surtout mon nez, qui penchait à présent sérieusement sur la droite – merci, Grâce –, mais peu importait, finalement. Mon nez était peut-être brisé, mais le sien avait été pulvérisé – tout comme le reste de sa personne.

— Comment va Sam ?

D'un mouvement de tête, Ben désigna l'arrière de la maison.

— Bien. Il traîne avec Megan et Dumbo.

— Il me déteste.

— Bien sûr que non.

— Bien sûr que si, il me l'a dit.

— Les gamins disent des choses qu'ils ne pensent pas.

— Pas seulement les gamins.

Il hocha la tête, et jeta un coup d'œil par-dessus mon épaule, vers la porte d'entrée.

— Ringer avait raison, Cassie. Tout cela n'a pas de sens. Il kidnappe un corps humain afin de pouvoir tuer tous les autres corps humains qui n'ont pas encore été kidnappés. Puis, un beau jour, il décide qu'il préfère assassiner ceux de son espèce, afin de sauver tous les corps humains encore non kidnappés. Et là, il ne veut pas seulement tuer un ou deux spécimens de son espèce par-ci par-là. Non. Il veut les tuer *tous*. Il veut détruire *tous* les siens, sa civilisation entière, et pour quoi ? Pour une fille. Une fille !

Ce n'était pas le bon truc à dire ! Ben le savait aussi bien que moi. Néanmoins, juste au cas où il n'ait pas tout pigé, je précisai, avec une lenteur extrême :

— Écoute, Parish, c'est peut-être un tout petit peu plus compliqué que ça. Il y a aussi une part humaine en lui.

Oh, bordel, Cassie ! Quel est le problème avec toi ? Un instant tu es furieuse contre lui, l'instant d'après tu le défends !

Son expression se durcit.

— Je me fiche de sa part humaine. Je sais que tu ne l'apprécies pas vraiment, mais Ringer est une fille plutôt intelligente, et elle a fait une bonne remarque : s'ils n'ont pas besoin de corps, ils n'ont pas besoin d'une planète. Et s'ils n'ont pas besoin d'une planète, pourquoi s'en prennent-ils à la nôtre ?

— Je l'ignore. Pourquoi tu ne demandes pas à Ringer, vu qu'elle est si maligne ?

Parish prit une profonde inspiration, et déclara :

— C'est ce que je compte faire.

Il me fallut une seconde pour comprendre ce que cela signifiait. Puis une autre pour réaliser qu'il était sérieux. Et enfin une troisième à cause des deux premières. J'eus besoin de m'asseoir.

— J'ai beaucoup réfléchi, reprit-il avant de s'interrompre, comme s'il devait minimiser ses paroles – à cause de moi, comme si j'étais du genre à m'énerver, par exemple. Cassie, je sais ce que tu vas dire, mais avant que tu le dises, écoute-moi jusqu'au bout. Écoute-moi, c'est tout, d'accord ? Si Walker dit la vérité, il ne nous reste que quatre jours avant que la capsule arrive et qu'il se barre pour faire son truc. C'est bien plus qu'il m'en faut pour aller là-bas et revenir.

— Aller là-bas et revenir d'où, Ben ?

— Je n'irai pas tout seul. J'emmène Dumbo.

— Où ? insistai-je.

Soudain, je compris.

— Dans les grottes !

Il hocha la tête très vite, soulagé que j'aie pigé toute seule.

— Ça me rend dingue, Cassie. Je ne peux pas m'empêcher de penser à elles. Peut-être que Teacup a rattrapé Ringer – ou peut-être pas. Cup est peut-être morte. Ringer aussi. Oh, putain, si ça se trouve, elles sont mortes toutes les deux – ou pas. *Peut-être* qu'elles ont réussi à aller jusqu'aux grottes, qu'ensuite Ringer a voulu nous rejoindre à l'hôtel, sauf qu'il n'y avait pas de *nous* à rejoindre parce qu'il n'y avait plus d'hôtel. De toute façon, vivantes ou mortes, elles sont là-bas… quelque part. Et si elles sont encore en vie, elles n'ont aucune idée de ce qui se passe. Elles vont mourir, à moins que quelqu'un ne parte à leur recherche.

De nouveau, il prit une profonde inspiration.

— Va les chercher, Ben. Comme tu l'as fait pour Sam. Comme tu ne l'as pas fait pour…

— Oui. Non. Oh, merde.

Son visage s'empourpra, mais pas à cause de la proximité du feu. Il savait ce que je m'apprêtais à dire.

— Ça n'a rien à voir avec ma sœur.

— Tu t'es enfui et, depuis ce jour-là, tu essaies de revenir en arrière.

Il s'approcha de moi. Comme il s'était écarté du feu de cheminée, son visage plongea dans l'ombre.

— Tu ne sais absolument rien de cette histoire. Et ça, ça t'énerve grave, parce que Cassie Sullivan est censée tout savoir, hein ?

— Qu'est-ce que tu attends de moi, Ben ? Je ne suis ni ta mère ni ton officier supérieur ou qui que ce soit chargé de te donner des ordres. Fais ce que tu veux !

Je me levai. Puis je me rassis. Il n'y avait nulle part où aller. Certes, je pouvais me rendre à la cuisine et me préparer un sandwich, sauf qu'il n'y avait pas de pain, ni de pastrami ou de fromage. Je n'ai pas encore eu l'occasion de vérifier, mais je suis quasiment sûre qu'au paradis, il y a un Subway à chaque coin de rue. Et des magasins Godiva aussi. Le lendemain de notre arrivée, j'ai trouvé la planque de Grâce : quarante-six boîtes de chocolats Godiva ! Non pas que je les aie comptées.

— Je passe une journée de merde, Ben. Mon petit frère me déteste, mon *bodyguard* personnel mi-alien mi-humain m'avoue qu'il ignore tout de la compassion, et à présent, le mec dont j'étais amoureuse au lycée m'annonce qu'il va s'embarquer dans une mission suicide pour sauver deux personnes qui sont probablement déjà mortes. En plus, je meurs d'envie d'un sandwich que je ne pourrai plus jamais manger. Depuis l'Arrivée, j'ai eu plus d'envies qu'une femme enceinte de triplés – de trucs que je ne pourrai plus jamais savourer. Des cônes de glace au chocolat. De la pizza. De la crème chantilly en bombe. Oh, et les gâteaux à la cannelle que ma mère préparait tous les samedis matin. Des frites du McDo. Du bacon. Non, en fait, du bacon, ça, je peux toujours en manger. Il me suffit de trouver un cochon, de l'abattre, de le dépecer, de saler sa chair, puis de le faire frire. Tu vois, penser au bacon – le bacon potentiel – me donne de l'espoir. Tout n'est pas perdu si on peut encore se régaler de bacon.

Sérieusement.

Ben m'observa d'un air intrigué.

— Désolé, je n'aurais pas dû te balancer tout ça comme ça !

Il s'approcha et s'assit juste un petit peu trop près de moi. Combien de fois avais-je fantasmé sur un tel scénario : Ben Parish chez mes parents, installé à côté de moi sur le canapé. On aurait regardé des films d'horreur jusqu'à une heure du matin, un plaid sur nos jambes, un gros bol de pop-corn sur ses genoux. Ça se serait passé un samedi soir, et il aurait raté six soirées d'enfer avec des gens bien plus cool que moi, mais il n'aurait pas voulu être ailleurs. Le plaisir de ma compagnie lui aurait suffi.

Et voilà, il était bel et bien là, juste à côté de moi. Sauf qu'il n'y avait aucune soirée d'enfer dans le coin, pas de TV, ni de plaid, et pas de putain de pop-corn. Avant, il y avait deux Ben – le vrai Ben, celui qui ignorait mon existence, et le Ben imaginaire, qui me nourrissait de pop-corn de ses doigts pleins de beurre. À présent, il y en avait trois. Les deux premiers, plus celui qui se tenait un petit peu trop près de moi, vêtu d'un sweat noir trop serré, les joues ornées d'une chouette barbe de trois jours qui lui donnait l'allure d'un rockeur indé qui aurait fait une pause dans sa loge entre deux morceaux. Ça faisait beaucoup de Ben à gérer dans mon crâne. Je ferais mieux de leur octroyer des noms différents pour m'y retrouver : Ben, l'ancien Ben, et celui qui aurait pu être Ben.

— J'ai compris, dis-je. Mais pourquoi veux-tu partir maintenant ? Pourquoi ne pas attendre ? Si Evan réussit à…

Il secoua la tête.

— Qu'il réussisse ou non ne fera pas de différence. Le danger, ce ne sont pas les aliens là-haut, mais les humains ici-bas. Il faut que je retrouve Ringer et Teacup avant que la 5e Vague leur tombe dessus.

Il prit ma main dans la sienne, alors une petite voix s'éleva en moi : *Ben.* Cette petite voix appartenait à la lycéenne qui refusait de mourir, celle au nez bardé de taches de rousseur, la fille introvertie qui savait tout, maladroite malgré ses leçons de danse, de karaté, et les encouragements de ses parents ; qui trimbalait tout un sac de secrets, ces secrets mélodramatiques, absurdes et banals de l'adolescence.

Qu'est-ce qui clochait avec elle ? Pourquoi n'avait-elle pas déjà disparu ? Non seulement je me trimbalais trop de Ben dans la tête, mais il y avait aussi trop de Cassie. Trois Ben, deux Cassie, plusieurs Sam et, bien sûr, la dualité littérale d'Evan Walker. Ça faisait un paquet de potes à gérer ! Mais plus personne n'était lui-même. Nos véritables personnalités scintillaient comme un mirage voué à toujours rester hors d'atteinte.

Ben effleura mes joues, ses doigts comme une plume. Et de nouveau cette petite voix dans ma tête : *Ben.*

Puis ma véritable voix, qui s'élève :

— Tu vas mourir, Parish.

— Je le sais bien, dit-il, le sourire aux lèvres. Et ça se passera comme ça doit se passer. Pas à *leur* façon, à la *mienne.*

La porte d'entrée craqua sur ses vieux gonds et une voix retentit – une de plus :

— Elle a raison, Parish. Tu ferais mieux d'attendre.

Ben s'écarta de moi. Evan était adossé contre l'embrasure de la porte.

— Personne ne t'a demandé ton avis, répliqua Ben.

— Le ravitailleur est essentiel pour la prochaine phase, lâcha Evan avec lenteur et de façon distincte, comme s'il s'adressait à un fou ou à un crétin. La seule solution pour mettre un terme à tout ça, c'est de le faire sauter.

— Je me fous de ce que tu as l'intention de faire sauter, rétorqua Ben.

Il se détourna. Il semblait ne plus supporter la vision d'Evan.

— Et je me fiche complètement de mettre un terme à tout ça. Peut-être que c'est dur à comprendre pour un mec comme toi qui as le complexe du Sauveur, mais moi, je n'ai pas l'intention de sauver le monde. Juste deux personnes.

Il se leva, passa devant moi et se dirigea vers le couloir. Evan se mit à crier pour le retenir et, en entendant ses propos, Ben se figea.

— L'équinoxe du printemps est dans quatre jours. Si je ne rejoins pas ce ravitailleur pour le faire sauter, chaque ville de la Terre sera détruite.

Putain de merde. Je me tournai vers Ben, qui se tourna vers moi, et ensemble, nous nous tournâmes vers Evan.

— Qu'est-ce que tu veux dire par *détruite* ? commençai-je.

— Explosée, répondit Evan. C'est la dernière étape avant le déclenchement de la 5e Vague.

Ben l'observait en secouant lentement la tête, horrifié, dégoûté, fou de rage.

— Pourquoi ?

— Parce que ce sera plus facile pour terminer le nettoyage. Et pour éliminer chaque humain encore en vie.

— Mais pourquoi maintenant ? insista Ben.

— Les Silencieux vont retourner à bord du ravitailleur – c'est plus sûr. Pour nous, je veux dire. C'est plus sûr pour nous.

Je détournai le regard. J'avais envie de vomir. J'aurais dû être habituée, pourtant. Chaque fois que je pensais que ça ne pouvait pas empirer, ça empirait.

8

ZOMBIE

Je fais signe à Dumbo de m'accompagner hors de la pièce. Nugget – Sullivan peut bien dire ce qu'elle veut, il sera toujours Nugget pour moi – décide de nous suivre dans le couloir. Je lui ordonne de reculer. Je ferme la porte et me tourne vers Dumbo.

— Attrape ton matériel. On se casse.

Mon soldat écarquille les yeux.

— Quand ?

— Tout de suite.

Il déglutit, et jette un regard vers le salon.

— Juste toi et moi, sergent ?

Je sais pourquoi il se fait du souci.

— Je vais bien, Dumbo.

Je touche l'endroit où Ringer m'a tiré dessus.

— Je ne suis pas OK à 100 %, mais je dirais à 86,5 %, donc c'est bon.

La douleur me vrille le flanc quand j'attrape mon sac à dos sur l'étagère du placard. OK, retirez 1,5 %, ce qui nous donne 85 %. Et alors ? On est toujours plus près de 100 que de 20, non ? De toute façon, qui est encore efficace à 100 % à ce moment de la partie ? Même le gentil méchant alien s'est cassé la cheville.

Je fouille dans mon sac, même s'il n'y a pas grand-chose à fouiller. Il faut que je prenne des bouteilles d'eau et de quoi manger dans la cuisine. Un couteau pourrait aussi être utile. Je vérifie dans ma petite poche extérieure. Vide. Merde. Où est-il ? Je sais que je l'ai rangé là. Où est-il passé ?

Je suis agenouillé sur le parquet de la chambre, en train d'inspecter mes affaires pour la troisième fois, quand Dumbo entre dans la pièce.

— Sergent ?

— Il était là. Il était *juste* là.

Je lève les yeux vers lui. Quelque chose dans mon expression le fait tressaillir.

— Quelqu'un a dû me le prendre. Bordel, qui pourrait me l'avoir piqué, Dumbo ?

— Piqué quoi ?

Je tapote mes poches. Merde. Il est là, pile où je l'avais mis. Le collier de ma petite sœur, celui qui a fini entre mes mains, la nuit où je l'ai laissée mourir.

— OK, c'est bon.

Je me redresse, attrape mon sac à dos par terre, et mon fusil sur le lit. Dumbo me regarde avec attention, mais je le remarque à peine. Ça fait des mois qu'il se comporte comme une mère poule avec moi.

— Je croyais qu'on devait partir demain soir, dit-il.

— Si elles ne sont pas entre ici et l'hôtel – ou plus exactement à l'ancien emplacement de l'hôtel –, on devra passer par Urbana – deux fois. Et je n'ai pas l'intention de me trouver près d'Urbana quand ces connards vont se le faire à la Dubuque.

— Dubuque ?

Toute colère s'évanouit de son visage.

Oh mon Dieu, encore Dubuque !

Je fais passer mon sac à dos sur une épaule, et mon fusil sur l'autre.

— Buzz l'Éclair vient juste de nous apprendre qu'ils vont faire sauter les villes…

Il lui faut une seconde pour s'imprégner de l'information.

— Quelles villes ?

— Toutes.

Dumbo en reste bouche bée. Il me suit dans le couloir, jusqu'à la cuisine. Des bouteilles d'eau, des paquets de bœuf séché qui n'ont pas encore été ouverts, des crackers, une poignée de barres protéinées. Je divise les provisions entre nous. Il faut qu'on se magne avant que le radar de Nugget se déclenche et que le gamin vienne se scotcher à mes jambes.

— Toutes les villes ? répète Dumbo qui a retrouvé sa langue.

Il fronce les sourcils et ajoute :

— Mais Ringer a dit qu'ils n'allaient pas faire exploser les villes.

— Eh bien, elle se trompait. Ou alors Walker ment. Il nous a raconté des conneries comme quoi il fallait attendre que les Silencieux soient extraits de la Terre. Tu sais ce que j'ai décidé, soldat ? Pas question de perdre plus de temps à propos de choses que j'ignore.

Il secoue la tête. Il a toujours du mal à accepter la nouvelle.

— Chaque ville sur Terre ? insiste-t-il.

— Jusqu'au dernier putain de feu de circulation.

— Mais comment ?

— Grâce au ravitailleur. Dans quatre jours, il se fera un joli petit circuit autour de la planète, et lâchera des bombes en chemin. À moins que Walker puisse le faire exploser avant que ça arrive, mais je n'y crois pas trop.

— Pourquoi ?

— Parce que je n'ai pas vraiment confiance en Walker.

— Je ne comprends toujours pas, Zombie. Pourquoi ils ont attendu jusqu'à maintenant pour lâcher les bombes ?

Dumbo tremble des pieds à la tête. Sa voix aussi. Il est en train de perdre les pédales. Je pose mes mains sur ses épaules et l'oblige à me regarder.

— Je te l'ai dit. Ils vont extraire les Silencieux. Ils vont envoyer des capsules de sauvetage pour récupérer les derniers, sauf les officiers comme Vosch. Une fois qu'ils auront évacué et que les villes auront disparu, les survivants n'auront plus d'endroits où se cacher. Ils seront des cibles faciles pour les pauvres crétins à qui ils ont fait un lavage de cerveau afin qu'ils terminent le boulot : la 5e Vague. Tu as pigé ?

Il secoue la tête de droite à gauche.

— Je m'en fiche. J'irai où tu iras, sergent.

Une ombre bouge derrière lui. Une ombre qui a la forme de Nugget. Merde. J'ai été trop long.

— Zombie ?

Je pousse un soupir.

— Dumbo, laisse-nous un instant.

Pour toute réponse, il quitte la cuisine en marmonnant un seul mot :

— Dubuque !

À présent, il n'y a plus que Nugget et moi. Je n'avais aucune envie de ce tête-à-tête, mais on ne peut pas échapper à tout, n'est-ce pas ? Enfin, pas vraiment. *Tout* n'est qu'un cercle, c'est ce que Ringer a essayé de me dire. Peu importe jusqu'où vous courez, ou à quelle vitesse vous courez, tôt ou tard vous vous retrouvez à votre point de départ. Ça m'a rendu dingue que Sullivan ressorte l'histoire de ma sœur, mais nous savions tous les deux qu'elle avait raison. Sissy était morte. Sissy ne mourrait jamais. Je la chercherais pour l'éternité. Et elle ne cesserait de disparaître, sa chaîne d'argent se brisant dans ma main.

— Où sont les soldats Teacup et Ringer ? je demande à Nugget.

Il lève son visage fraîchement savonné vers le mien et esquisse une moue.

— Je ne sais pas.

— Moi non plus. Alors Dumbo et moi on va partir les chercher.

— Je viens avec vous.

— Négatif, soldat. J'ai besoin que tu restes ici pour veiller sur ta sœur.

— Elle n'a pas besoin de moi. Elle l'a, *lui.*

Inutile d'essayer de le contredire. Il est trop malin pour moi.

— Dans ce cas, tu te chargeras de Megan.

— Mais tu as dit qu'on ne se séparerait pas, quoi qu'il arrive.

Je pose un genou à terre devant lui. Ses yeux brillent de larmes, mais il ne pleure pas. C'est un petit gars solide, bien plus mûr que son âge réel.

— Je ne serai parti que quelques jours.

Déjà-vu : Ringer a quasiment dit la même chose avant son départ.

— Tu me le promets ?

Et ça aussi, c'est pratiquement ce que je lui avais demandé. Mais Ringer n'a rien promis ; elle est trop intelligente pour cela. Pas comme moi.

— Est-ce que j'ai déjà brisé une de mes promesses jusqu'à présent ?

Je lui prends la main, et dépose le pendentif de Sissy dans sa paume.

— Garde ça pour moi, je lui ordonne.

Il fixe le métal brillant dans sa main.

— Qu'est-ce que c'est ?

— Un morceau de la chaîne.

— Quelle chaîne ?

— Celle qui tient tout ensemble.

Il secoue la tête, déconcerté.

Il n'est pas le seul. J'ignore pourquoi j'ai dit ça, et ce que cela signifie. Ce collier bon marché, je pensais l'avoir gardé pour me rappeler mon échec, me souvenir de toutes les choses qui nous ont été arrachées, mais peut-être qu'il y a une autre raison, une raison que je n'arrive pas à formuler, parce que je n'ai pas les mots pour cela. Peut-être qu'ils n'existent pas.

9

Il me suit dans le salon.

— Ben, tu n'y as pas réfléchi sérieusement, déclare Walker.

Il se trouve pile là où je l'ai laissé, près de la porte d'entrée.

Je l'ignore.

— Soit elles sont dans les grottes, soit elles n'y sont pas, je dis à Sullivan, pelotonnée près du feu de cheminée. Si elles sont là-bas, nous les ramènerons. Si elles n'y sont pas, nous ne les ramènerons pas.

Ha ! Ha !

— Ça fait six semaines qu'on se terre ici, fait remarquer Walker. En n'importe quelle autre circonstance, on serait morts. La seule raison pour laquelle on ne l'est pas, c'est parce qu'on a neutralisé l'agent qui patrouillait ce secteur.

— Grâce, traduit Cassie pour moi. Pour te rendre aux cavernes, tu devras traverser trois…

— Deux, la corrige Walker.

Elle lève les yeux au ciel genre : *On s'en fout !*

— Deux secteurs patrouillés par des Silencieux comme lui, continue-t-elle.

Elle jette un coup d'œil à Walker.

— Enfin, pas exactement comme lui. Pas des gentils Silencieux. De très méchants Silencieux doués pour nous réduire au silence.

— Il se pourrait que tu aies de la chance et que tu réussisses à en duper un, à passer sans te faire voir de lui, lâche Walker. Mais pas deux.

— Mais si tu attends un peu, tu n'auras plus besoin de te méfier d'eux.

À présent Cassie est à côté de moi. Elle a posé sa main sur mon bras pour mieux me convaincre.

— Ils vont tous regagner le ravitailleur. Ensuite, Evan fera son truc, et alors tu pourras…

Sa voix s'évanouit. Elle n'a plus assez de souffle pour essayer de m'embobiner.

Je ne la regarde pas. Je fixe Walker. Je sais ce qu'il va dire. Je le sais parce qu'à sa place, je dirais la même chose : s'il est impossible que Dumbo et moi réussissions à gagner les grottes, il est impossible que Ringer et Teacup aient pu y parvenir.

— Tu ne connais pas Ringer, je dis à Walker. Si quelqu'un avait bien une chance de réussir, c'est elle.

Walker hoche la tête. Mais en fait, il acquiesce à ma première phrase, pas à la seconde.

— Après notre Éveil, nous avons été renforcés par une technologie qui nous a rendus quasiment indestructibles, explique-t-il. Nous avons été transformés en machines à tuer, Ben.

Et là, il prend une profonde inspiration et finalement, il dit exactement ce qu'il pense, ce connard :

— Il n'y a aucune chance qu'elles aient pu survivre dans ces conditions. Pas contre nous. Vos copines sont mortes.

Je m'en fiche. Je partirai quand même. Qu'il aille se faire foutre. Qu'ils aillent tous se faire foutre. Je suis resté assis trop longtemps comme ça, à attendre que le monde meure.

Ringer n'a pas tenu sa promesse. Je vais la tenir pour elle.

10

RINGER

DES SENTINELLES M'ACCUEILLENT AUX GRILLES. Je suis aussitôt escortée à la tour de guet qui surplombe le terrain d'atterrissage – un autre cercle complété –, où Vosch m'attend. C'est comme s'il n'avait pas bougé d'un pouce durant ces quarante derniers jours.

— Zombie est vivant, dis-je.

En baissant les yeux, je remarquai que je me tenais dans la tache de sang indiquant l'endroit où Razor était tombé. À quelques mètres de là, à côté de la console, Teacup s'était écroulée sous la balle de Razor. *Teacup.*

Vosch haussa les épaules.

— J'ignore qui est cette personne.

— OK, peut-être pas Zombie, mais quelqu'un qui me connaît est toujours en vie.

Il ne répondit rien. *C'est sûrement Sullivan,* pensai-je. *Ce serait bien ma chance, tiens !*

— Vous savez que je ne peux pas m'approcher de Walker sans qu'une personne en qui il a confiance se porte garante de moi.

Il croisa ses longs bras musclés sur son torse et baissa la tête vers moi, me fixant de ses yeux qui brillent comme ceux d'un rapace.

— Tu n'as jamais répondu à ma question. Suis-je humain ?

Je répliquai sans hésiter :

— Oui.

Il sourit.

— Et crois-tu toujours que cela signifie qu'il n'y a pas d'espoir ?

Il n'attendit pas ma réponse.

— Je suis l'espoir du monde. Le sort de l'humanité repose sur moi.

— Quel terrible fardeau cela doit être !

— Ah ! Te voilà facétieuse !

— Ils avaient besoin de gens comme vous. D'organisateurs et de dirigeants qui connaissaient la raison de leur venue, leur but.

Il hocha la tête. Son visage irradiait de satisfaction. Mes réponses lui plaisaient – il était content de m'avoir sélectionnée.

— Ils n'avaient pas le choix, Marika. Ce qui signifiait, évidemment, que *nous* n'avions pas le choix. Quel que soit le scénario, nous étions condamnés à nous détruire, et à anéantir notre demeure. La seule solution, c'était une intervention radicale. Détruire le village humain pour le sauver.

— Anéantir sept milliards d'entre nous ne vous a pas suffi.

— Bien sûr que non. Sinon, ils auraient lancé le gros rocher. Non, la meilleure solution, c'était l'enfant dans le blé.

Mon estomac se révulse à ce souvenir. Le gamin qui surgit d'entre les rangs de blé desséchés. Le groupe de survivants qui lui offrent refuge. La confiance, l'ultime confiance, qui explose dans l'éclair d'une gigantesque lumière verte.

Le jour où je l'ai rencontré, j'ai eu droit à son discours. Comme chaque recrue. La dernière bataille sur Terre n'aura pas lieu dans une plaine, dans le désert ou au sommet d'une montagne. J'effleure ma poitrine.

— C'est là que se trouve le champ de bataille.

— Oui. Sinon le cycle se répéterait simplement.

— C'est pour cela que Walker est si important.

— Le programme implanté en lui a échoué. Pour des raisons qui devraient te sembler évidentes, il nous faut comprendre pourquoi. Il n'y a qu'une façon d'accomplir cela.

Il appuya sur un bouton de la console. Derrière moi, une porte s'ouvrit. Une femme vêtue d'un uniforme aux insignes de lieutenant pénétra dans la pièce. Elle souriait. Ses dents, très larges, étaient toutes de taille parfaitement égale. Elle avait les yeux gris, et des cheveux d'un blond roux serrés en un chignon étroit. Je la détestai aussitôt, viscéralement.

— Lieutenant, veuillez escorter le soldat Ringer à l'infirmerie pour son bilan de prédéploiement. Je vous retrouverai dans la Briefing Room Bravo à quatre heures.

Il tourna les talons. Pour l'instant, il en avait terminé avec moi.

Une fois dans l'ascenseur, la femme me demanda :

— Comment te sens-tu ?

— Allez vous faire foutre.

Elle continua à sourire, comme si je lui avais répondu : *Très bien, merci, et vous ?*

— Je suis le lieutenant Pierce. Mais tu peux m'appeler Constance.

La sonnette de l'ascenseur tinta. Les portes s'ouvrirent. Le lieutenant me donna un coup de poing dans la nuque. Aussitôt, ma vision se brouilla ; je vacillai.

— Ça, c'est pour Claire, dit-elle. Tu te souviens sûrement d'elle.

Je repris mes esprits et la frappai au menton. L'arrière de sa tête heurta le mur avec un *crac* satisfaisant. Alors, je la frappai au ventre de toute la puissance de mes muscles renforcés. Elle s'évanouit à mes pieds.

— Ça, c'est pour les sept milliards d'humains. Vous vous souvenez sûrement d'eux.

11

À L'INFIRMERIE, on m'examina de façon méthodique et approfondie. Les médecins voulurent s'assurer que le douzième système était parfaitement opérationnel. Ensuite, un garçon de salle me servit un plateau débordant de nourriture. Je me jetai dessus. Sur la nourriture, pas sur le garçon. Cela faisait plus d'un mois que je n'avais pas eu un repas décent. Quand le plateau fut vide, le garçon m'en proposa un autre. Là aussi, je dévorai tout.

On m'apporta également mon vieil uniforme. Je me déshabillai, puis je fis ma toilette du mieux possible au lavabo. La puanteur de quarante jours sans me laver flottait autour de moi, et j'en étais gênée. Il n'y avait pas de brosse à dents, alors je me contentai de me frotter les dents du doigt. Est-ce que le douzième système protégeait aussi mon émail ? J'enfilai mes vêtements, et laçai mes bottes, bien serré. Voilà. Je me sentais mieux. Mieux que l'ancienne Ringer, cette parfaite ignorante, naïve, Ringer sans pouvoir qui, cette nuit-là, avait laissé Zombie avec une promesse muette : *Je reviendrai. Si je le peux, je reviendrai.*

La porte s'ouvrit en grand. Constance. Elle avait retiré son uniforme de lieutenant et portait à présent un jean et un sweat à capuche défraîchi.

— J'ai l'impression que nous sommes parties du mauvais pied, affirma-t-elle.

— Allez vous faire foutre.

— Nous sommes partenaires, désormais, insista-t-elle avec douceur. De vraies copines. On devrait s'entendre.

Je la suivis dans trois volées d'escaliers jusqu'au bunker en sous-sol, le long d'un enchevêtrement de couloirs aux murs gris ponctués de portes sans aucune signalétique, sous des spots fluorescents diffusant une lueur constante, qui me rappelaient les heures en compagnie de Razor, quand mon corps luttait contre le douzième système. Nous passions notre temps à jouer à l'échecball[1], à inventer des codes secrets et à organiser notre évasion, évasion qui me ramènerait ici, sous cette lumière spectrale, une autre boucle bouclée par l'incertitude et la peur.

Constance était à une marche devant moi. Nos pas résonnaient dans le vide. J'entendais son souffle. *Ce*

1. Voir tome 2. (*N.d.T.*)

serait si facile de vous tuer maintenant, songeai-je, avant de repousser cette pensée. Le moment viendrait, mais plus tard.

Elle ouvrit une porte, identique à la cinquantaine de portes sans signalétique que nous avions dépassées, et je la suivis dans la salle de conférence. Un écran trônait contre un mur. Une longue table devant cet écran. Une petite boîte en métal au centre de cette table.

Vosch était assis derrière la table. À notre entrée, il se leva. Les lumières diminuèrent, et l'écran fut éclairé par la vue aérienne d'une route qui traversait des champs vallonnés, déserts. Au milieu de l'écran, le toit rectangulaire d'une maison. Sur la gauche, un point solitaire chatoyant – il désignait quelqu'un à un poste d'observation. Une poignée d'autres points rougeoyants à l'intérieur de la maison. J'en comptai cinq : Dumbo, Poundcake, Sullivan, Nugget, Walker, et un de plus, Zombie.

Salut, Zombie.

— D'après un vol de reconnaissance, il y a six semaines, expliqua Vosch. Approximativement à soixante-dix kilomètres au sud-est d'Urbana.

L'écran demeura noir un instant, puis il se ralluma : le même ruban de route, le même rectangle sombre de la maison, mais moins de points à l'intérieur. Il en manquait deux.

— Cette vue date d'hier soir.

La caméra fit un zoom arrière. Des bois, des champs, d'autres groupes de rectangles noirs, des taches sombres sur un paysage grisâtre, le monde vide, abandonné, sans vie. Le ruban noir de la route glissa hors de l'écran. Puis je les vis : deux points scintillant en direction du nord-ouest. Deux personnes se déplaçaient.

— Où vont-ils ? demandai-je, quasiment sûre de connaître déjà la réponse.

Vosch haussa les épaules.

— Impossible d'en être certains, mais on dirait bien qu'ils viennent par ici.

L'image se figea. Vosch désigna un point en haut de l'écran, et me lança un regard entendu.

Je fermai les yeux. Je revis Zombie vêtu de cet horrible sweat-shirt jaune, appuyé contre le comptoir d'accueil du vieil hôtel, cette stupide brochure entre les mains, et moi en train de dire : *Je vais faire un repérage et je reviens dans quelques jours.*

— Ils se dirigent vers les cavernes, lâchai-je. Ils me cherchent.

— Oui, c'est ce que je pense, acquiesça Vosch. Et c'est bien toi qu'ils vont trouver.

Les lumières revinrent.

— On va te déposer là-bas ce soir, bien avant leur arrivée. Le lieutenant Pierce a pour mission l'acquisition des cibles. Ta seule responsabilité est de l'amener à distance de frappe. Une fois la mission accomplie, le lieutenant Pierce et Walker seront extraits et retourneront à la base.

— Et ensuite ? insistai-je.

Vosch écarquilla les yeux. Il s'attendait à ce que je sache.

— Toi et tes copains serez libres de partir.

— Pour aller où ?

Un petit sourire.

— Où le vent vous emmènera. Mais je suggère que vous vous en teniez à la campagne. Les environs d'Urbana ne sont pas sûrs.

Il fit un signe de tête à Constance qui me frôla en se dirigeant vers la porte. Je la regardai quitter la pièce.

Vosch me fit alors signe d'approcher.

— Marika. Viens ici.

Je ne bougeai pas d'un pouce.

— Pourquoi m'envoyez-vous avec elle ?

À peine eus-je prononcé ces mots que je répondis à ma propre question :

— Vous ne comptez pas nous laisser partir. Une fois que vous aurez retrouvé Walker, vous nous tuerez tous.

Vosch haussa les sourcils.

— Pourquoi diable voudrais-je vous tuer ? Le monde serait bien moins intéressant sans vous.

Il détourna vite le regard et se mordilla la lèvre inférieure, comme s'il en avait trop dit.

D'un large geste du bras, il me désigna la boîte sur la table.

— Puisque nous ne nous reverrons pas, j'ai pensé que ce serait une bonne idée.

— Qu'est-ce que c'est ?

— Un cadeau de départ.

— Je ne veux rien de vous.

Ce n'était pas exactement la première réponse qui m'était venue à l'esprit. Non, la première, c'était : *Vous pouvez vous le coller au cul.*

Le sourire aux lèvres, il fit glisser la boîte vers moi.

Je soulevai le couvercle. J'ignorais à quoi m'attendre. Peut-être à un échiquier de voyage – un souvenir de tous ces délicieux moments passés ensemble. À l'intérieur du coffret, posée sur un coussin en mousse, trônait une gélule verte enchâssée dans du plastique transparent.

— Le monde est une horloge, dit-il. Et l'heure viendra bientôt où le choix entre la vie et la mort ne sera plus difficile, Marika.

— Qu'est-ce que c'est que ça ?

— Le gamin dans le champ de blé avait dans la gorge une autre version de cette capsule. Celle-ci est six fois plus puissante. Quand on l'active, elle pulvérise instantanément tout ce qui se trouve dans un rayon de cinq kilomètres autour d'elle. Il te suffit de te la mettre dans la bouche, de la mordre pour briser l'opercule, et ensuite tu n'as plus qu'à inspirer.

Je secouai la tête.

— Je n'en veux pas.

Ses yeux étincelèrent. Il s'attendait à ce que je refuse.

— Dans quatre jours, nos bienfaiteurs lâcheront des bombes depuis le ravitailleur. Elles détruiront toutes les villes encore debout sur Terre. Tu comprends, Marika ? L'empreinte de l'humanité est sur le point d'être effacée. Ce que nous avons construit en dix millénaires sera rasé en un seul jour. Puis nous lancerons les soldats de la 5e Vague sur les survivants, et la guerre commencera. La dernière guerre, Marika. La guerre sans fin. La guerre qui continuera encore et encore jusqu'à ce que la dernière balle soit tirée, et ensuite elle se poursuivra avec des combattants armés seulement de pierres et de bâtons.

Mon expression interloquée dut titiller sa patience, car sa voix se durcit :

— Quelle est la leçon du gamin dans le champ de blé ?

— On ne peut faire confiance à aucun étranger, répondis-je en fixant la gélule verte sur son petit coussin, pas même à un enfant.

— Et que se passe-t-il lorsqu'on ne peut faire confiance à personne ? Qu'advient-il de nous quand chaque inconnu risque d'être un Autre ?

— Sans confiance, il n'y a pas de fraternité. Et sans fraternité, pas de progrès. L'histoire s'arrête.

— Exactement ! lança-t-il avec fierté. Je savais que tu comprendrais. La réponse au problème humain est la mort de ce qui nous rend humains.

Il leva le bras, la main tendue vers moi, comme s'il s'apprêtait à me toucher, mais il interrompit soudain son geste. Depuis notre rencontre, c'était la première fois que je le voyais troublé. Si je ne l'avais pas mieux connu, j'aurais pu croire qu'il était effrayé.

Effrayé, Vosch ? Non, c'était une idée vraiment ridicule.

Il laissa retomber sa main, et se détourna.

12

La carlingue du C-160[1] luisait dans la lumière du couchant. Il faisait froid sur la piste d'atterrissage, mais les rayons du soleil dansaient sur mes joues. Quatre jours

1. Avion de transport militaire. (*N.d.T.*)

avant l'équinoxe de printemps. Quatre jours avant que le ravitailleur lâche son chargement. Quatre jours avant la fin.

À côté de moi, Constance inventoriait une dernière fois son matériel pendant que l'équipe au sol effectuait les dernières vérifications sur l'avion. J'avais mon arme de poing, mon fusil, mon couteau, et la petite gélule verte.

J'avais accepté le cadeau de séparation.

Je comprenais pourquoi il avait insisté pour me le donner. Je savais aussi ce que cette offre signifiait : il va tenir sa promesse. Une fois que Constance aura mis la main sur Walker, nous serons libres.

De toute façon, quel risque représentions-nous vraiment ? Nous n'avions aucun endroit où nous cacher. Il peut se passer des mois avant que nous soyons confrontés au choix ultime : mourir selon leurs termes ou selon les nôtres. Et quand nous serons acculés ou capturés, à court d'options, mis à part les deux susmentionnées, j'aurai son cadeau. J'aurai le choix.

Je baissai les yeux vers Constance qui fouillait dans son sac à dos. Sur sa nuque dansait la lumière dorée du soleil couchant. Je m'imaginai saisir mon couteau et l'enfoncer jusqu'au manche dans sa peau soyeuse. Mais la haine n'était pas la réponse, je le savais. Constance était autant victime que moi, comme les sept milliards de morts, comme l'enfant courant à travers un océan de blé. En fait, Walker et elle, et les milliers d'Infestés par le programme des Silencieux, étaient les plus pitoyables victimes de toute cette sordide opération.

Au moins, quand je mourrai, ce sera avec les yeux grands ouverts. Je terminerai ma vie en sachant la vérité.

Elle leva la tête vers moi. Je n'en étais pas certaine, mais elle s'attendait sûrement à ce que je lui dise de nouveau d'aller se faire foutre.

Ce ne fut pas le cas.

— Vous le connaissez ? demandai-je. Evan Walker. Vous vous connaissez tous, n'est-ce pas ? Vous avez passé dix millénaires ensemble là-haut. (D'un geste de la tête, je désignai l'énorme capsule verte dans le ciel.) Vous saviez qu'il était devenu une sorte de loup solitaire ?

Constance me fit un large sourire – encore ses grosses dents –, mais ne répondit pas.

— OK, tout ça, c'est des conneries, dis-je. Vous croyez en une vérité qui n'est que mensonges. Votre personnalité, vos souvenirs, tout est faux ! Avant votre naissance, ils vous ont implanté dans le cerveau un programme qui s'est déclenché à votre puberté. Sûrement à cause d'une réaction chimique provoquée par les hormones.

Elle hocha la tête, toujours avec ce grand sourire plein de dents.

— Je suis certaine que c'est une idée réconfortante. Vous avez été infestée avec un programme qui a littéralement reconnecté votre cerveau pour que vous vous « souveniez » d'événements qui n'ont jamais eu lieu. Vous n'êtes pas une conscience extraterrestre arrivée ici pour éradiquer l'humanité et coloniser la Terre. Vous êtes humaine. Comme moi. Comme Vosch. Comme tout le monde.

— Je ne suis pas du tout comme toi, rétorqua-t-elle.

— Vous croyez sûrement qu'à un moment ou un autre, vous regagnerez le ravitailleur, et que vous laisserez la 5e Vague terminer le génocide humain, mais ça ne se passera pas comme ça. C'est *vous* qui vous retrouverez en train de combattre l'armée que vous avez créée, jusqu'à ce que plus personne n'ait de balle et que l'histoire s'arrête. La confiance conduit à la fraternité qui conduit au progrès, et il n'y aura plus de progrès. Ce ne sera pas un nouvel âge de pierre, mais un perpétuel âge de pierre.

Constance enfila son sac à dos et se redressa.

— C'est une théorie fascinante. Elle me plaît beaucoup.

Je poussai un soupir. Impossible de lui faire entendre raison. Néanmoins, comment l'en blâmer ? Si elle m'avait dit : *Ton père n'était ni un artiste ni un alcoolique, c'était un pasteur baptiste abstinent,* je ne l'aurais pas crue. *Cogito ergo sum.* Plus que la somme de nos expériences, nos souvenirs sont la preuve ultime de la réalité.

Les moteurs de l'avion se mirent en route. Je tressaillis en les entendant. Je venais de passer quarante jours dans la nature sans un rappel du monde mécanisé. L'odeur des gaz qui déferla sur moi et l'air vibrant contre ma peau déclenchèrent une pointe de nostalgie au fond de mon cœur, parce que cela aussi allait disparaître. La bataille finale n'avait pas encore commencé, mais la guerre était déjà terminée.

Comme lassé de sa journée, le soleil s'évanouit à l'horizon. Le gros œil vert scintilla dans le ciel sombre. Constance et moi grimpâmes à bord de l'avion et, une fois installées côte à côte, nous bouclâmes nos ceintures de sécurité.

La porte se referma avec un long sifflement. Une seconde plus tard, nous roulions vers la piste de décollage. Je jetai un coup d'œil à Constance : elle avait toujours le sourire rivé aux lèvres et ses yeux noirs étaient aussi dénués d'expression que ceux d'un requin.

Je lui agrippai soudain l'avant-bras, et malgré l'épaisseur de sa parka, je sentis la haine bouillir en elle. La haine, la rage, le dégoût, et alors, je sus : en dépit des ordres qu'elle avait reçus et de toutes les promesses de Vosch, une fois qu'elle aurait acquis sa cible et n'aurait plus besoin de nous, elle nous tuerait, Zombie, moi, et tous les autres. Il y avait trop de risques à nous laisser vivre. Ce qui signifiait que je devais la tuer.

L'avion décolla, s'éleva rapidement dans les airs. Mon estomac protesta ; la nausée m'envahit. Bizarre. Je n'avais jamais eu mal au cœur avant.

Je m'adossai contre la cloison et fermai les yeux. Répondant à mon souhait, le hub bloqua mon ouïe et mes sens tactiles. Dans le silence bénéfique qui s'ensuivit, je soupesai mes options.

Constance devait mourir, mais la tuer aggraverait le problème Evan. Vosch pourrait très bien envoyer un deuxième soldat, mais il aurait perdu tout avantage tactique. Si je tuais Constance, il pourrait très bien décider de tous nous descendre avec un Hellfire[1].

À moins qu'il n'ait pas besoin de tuer Walker.

À moins que Walker soit déjà mort.

---

1. Missile à guidage laser ou radar. (*N.d.T.*)

Je sentis un goût aigre dans ma bouche. Je déglutis, résistant à l'envie de vomir.

Vosch devait soumettre Walker à Wonderland[1]. C'était la seule façon pour lui de découvrir pourquoi Evan s'était rebellé contre son programme – si le défaut se trouvait bien en Walker, ou dans le programme, ou dans une bizarre combinaison des deux. Une faille fondamentale dans le programme pourrait créer un paradigme insoutenable.

Mais si Walker était mort, Vosch serait incapable d'identifier le défaut du système, et ainsi toute son opération risquait d'échouer : il est impossible de déclencher une guerre, surtout si vaste, si tout le monde est du même bord. Ce qui avait « raté » chez Walker pouvait tout aussi bien « rater » chez les autres Silencieux. Vosch devait absolument savoir pourquoi le programme d'Evan avait failli.

Pas question que cela arrive. Pas question que Vosch obtienne ce qu'il veut.

Lui refuser ce dont il avait besoin était peut-être le dernier espoir qui nous restait.

Et pour cela, il n'y avait qu'une solution.

Evan Walker devait mourir.

1. Voir tome 1. (*N.d.T.*)

13

SAM

ZOMBIE, SUR LA ROUTE, QUI RÉTRÉCIT.

Sous la lueur des étoiles, Zombie et Dumbo qui avancent sur la route déserte, et dont les silhouettes s'évanouissent.

Sam prend la chaîne d'argent dans sa poche et la tient bien serrée au creux de sa main.

— *Tu me le promets ?*

— *Est-ce que j'ai déjà brisé une de mes promesses jusqu'à présent ?*

L'obscurité qui se referme autour de Zombie comme la gueule d'un monstre jusqu'à ce qu'il n'y ait plus de Zombie, juste le monstre, juste l'obscurité.

Sam plaque son autre main contre la vitre froide. Le jour où le bus l'avait emmené à Camp Haven, il avait regardé Cassie plantée sur la route poussiéreuse. Elle serrait Nounours contre elle, et elle avait rétréci jusqu'à disparaître, avalée par la poussière, comme Zombie est avalé par le noir.

Derrière lui, Cassie s'en prend à Evan Walker avec colère :

— Pourquoi tu ne l'as pas retenu ?

— J'ai essayé.

— Pas beaucoup.

— Mis à part lui briser les jambes, je ne vois pas ce que j'aurais pu faire d'autre.

Lorsque Sam retire sa main, la vitre en garde le souvenir, comme celle du bus, à l'époque – une trace floue là où sa main s'est posée.

— Quand tu as perdu Sam, est-ce que quelqu'un aurait pu t'empêcher de partir à sa recherche ? demande Evan Walker avant de quitter la pièce.

Sam voit le reflet du visage de sa sœur dans la vitre. Comme tout le monde depuis leur arrivée, Cassie a changé. Elle n'est plus la même Cassie qui disparaissait sur la route poussiéreuse. Son nez est un peu tordu, comme quand on s'appuie trop fort sur le hublot de l'avion.

— Sam, il est tard, dit-elle. Tu veux dormir dans ma chambre, ce soir ?

Il secoue la tête.

— Non, je dois surveiller Megan. Ce sont les ordres de Zombie.

Elle commence à répondre quelque chose, mais s'interrompt. Puis elle se reprend :

— OK. Je reviens dans une minute pour dire tes prières avec toi.

— Je ne prierai pas.

— Sam, il faut que tu pries.

— J'ai prié pour maman, et elle est morte. J'ai prié pour papa, et il est mort lui aussi. Quand tu pries pour les gens, ils meurent.

— Ce n'est pas à cause de cela qu'ils meurent, Sam.

Elle tend la main vers lui. Il s'écarte.

— Je ne prierai plus jamais pour personne !

Dans sa chambre, Megan est assise sur le lit. Elle tient Nounours entre ses bras.

— Zombie est parti, annonce-t-il.

— Il est allé où ? chuchote-t-elle.

Elle ne peut pas parler plus fort. Cassie et Evan Walker ont cassé quelque chose dans sa gorge lorsqu'ils ont retiré la gélule-bombe.

— En reconnaissance, pour retrouver Ringer et Teacup.

Megan reste muette. Elle ignore qui sont Ringer et Teacup. Elle caresse un peu trop fort la tête de Nounours, qui semble attendre un baiser.

— Attention ! glapit Sam. Ne lui fais pas mal à la tête.

La fenêtre de la chambre est barricadée de planches. Impossible de voir à l'extérieur. La nuit, une fois la lampe éteinte, le noir est si lourd qu'on a l'impression qu'il vous écrase. Du plafond pendent des câbles et quelques sphères. Zombie a dit qu'elles représentaient Jupiter et Neptune. C'est la chambre où Evan Walker a essayé de tuer la méchante Grâce avec l'un des câbles du mobile. Il y a des taches de sang sur le tapis et des éclaboussures écarlates sur les murs. C'est comme dans la chambre de sa mère, quand elle a eu la Peste Rouge et que son nez ne cessait de saigner. Elle saignait du nez et de la bouche, et à la fin du sang coulait aussi de ses yeux et même de ses oreilles. Sam se souvient de tout ce sang ; mais il est incapable de se rappeler le visage de sa mère.

— Je croyais qu'on devait tous rester ici jusqu'à ce qu'Evan fasse exploser le ravitailleur, murmure Megan.

Sam ouvre la porte du placard. À côté des vêtements et des chaussures qui sentent un peu la peste, il y a des jeux de société, des figurines, et une grande collection de véhicules Hot Wheels. Un jour, Cassie est entrée dans la chambre et l'a vu jouer par terre avec les affaires du garçon mort. Elle l'a regardé alors qu'il était assis sur la grosse tache de sang au milieu du sol. Il avait construit un camp, et il y avait son ancienne escouade, l'escouade 53. Ils avaient une jeep, un avion, et ils étaient en mission pour infiltrer un bastion infesté. Sauf que les Infestés les avaient vus arriver, que leurs drones avaient lâché des bombes et que tout le monde était blessé, mis à part Sam. Alors Zombie lui avait dit : *C'est à toi de jouer, soldat. Tu es le seul à pouvoir nous sauver.* Sa sœur l'avait contemplé pendant plusieurs minutes, puis, sans aucune raison, elle avait laissé couler quelques larmes. Il ignorait qu'elle l'observait. Il n'avait pas compris pourquoi elle pleurait, et en avait éprouvé de la gêne. Aujourd'hui, il était un soldat, et non plus un bébé qui s'amusait avec des figurines. Depuis qu'il avait vu Cassie pleurer, il avait cessé de jouer.

Il hésite à s'avancer dans le placard. Megan le fixe depuis le lit. Elle ignore son secret. Comme tout le monde. Mais Zombie lui a donné un ordre, il doit le suivre. Zombie est le commandant.

— Si Evan fait exploser le ravitailleur, comment il va éviter d'exploser lui aussi ? demande Megan.

Sam lui jette un coup d'œil par-dessus son épaule avant de s'engouffrer dans la penderie.

— Je ne sais pas, mais j'espère qu'il réussira.

Zombie a déclaré qu'il ne faisait pas confiance à Evan Walker. C'est un Infesté, et peu importe qu'il les ait aidés. L'ennemi est l'ennemi, et on ne peut pas faire confiance aux traîtres, a ajouté Zombie. Cassie, elle, prétend qu'Evan Walker n'est pas son petit ami, mais

Sam a bien vu la façon dont elle le regardait, et il a aussi entendu la façon dont elle lui parlait, alors il ne la croit pas quand elle affirme qu'ils peuvent lui faire confiance, ou que grâce à lui tout va bien se passer. Il avait fait confiance aux soldats de Camp Haven, et en fait c'étaient des ennemis. À l'intérieur du placard, il s'agenouille à côté d'une pile de vêtements entassés contre le mur. Personne ne sait ce qu'il cache ici, pas même Zombie.

La première fois qu'ils sont entrés dans la maison, ils ont vérifié chaque pièce. Une fois terminé, il ne restait plus que la cave, mais Zombie ne voulait pas qu'il y aille. Le sergent s'y est rendu avec Dumbo et Evan Walker, et quand ils sont remontés, ils avaient les bras chargés d'armes. Des fusils, des pistolets, des explosifs et un autre gros fusil en forme de tube avec un support pour l'épaule. Zombie a dit que c'était un FIM Stinger. Avec ça, on peut faire exploser des hélicoptères et des avions en plein ciel. Puis il a annoncé à Sam que la cave était un terrain défendu ; Sam n'était pas autorisé à y descendre ni à toucher aux armes. Pourtant, il était un soldat, comme Dumbo et Zombie. Ce n'était pas juste !

Sam fouille sous la pile de vêtements et en sort le pistolet. Un Beretta M9. *Trop cool.*

— Qu'est-ce que tu fais là-dedans ? demande Megan en tirant sur l'oreille de Nounours.

Elle ne devrait pas faire ça. Il le lui a dit un bon millier de fois. Depuis qu'ils se sont installés dans la maison, Dumbo a déjà dû recoudre l'oreille de Nounours deux fois. Il laisse cependant Megan jouer avec Nounours, même si Nounours a toujours été à lui, aussi loin qu'il s'en souvienne. Mais pourquoi persiste-t-elle à lui écraser la tête, à tirer sur son oreille, et à lui donner un nom différent ? D'ailleurs, ils se sont disputés à ce sujet.

— *Il s'appelle Nounours,* lui avait-il dit ce jour-là.

— *Ce n'est pas un nom. Nounours, c'est ce qu'il est. Moi, je l'appelle Capitaine.*

— *Tu ne peux pas faire ça !*

Megan avait haussé les épaules.

— *Si.*

— *Il est à moi !*

— *Alors, reprends-le. Je m'en fiche.*

Il avait secoué la tête. Il ne voulait plus de Nounours. Aujourd'hui, il n'était plus un bébé, mais un soldat. Tout ce qu'il désirait, c'est qu'elle appelle Nounours par son vrai nom.

— *Toi, tu étais Sam et maintenant tu as un nom différent,* avait rétorqué Megan.

— *Ce n'est pas la même chose ! Nounours ne fait pas partie de l'escouade.*

Elle n'avait pas cessé pour autant. Même lorsqu'elle avait découvert qu'il détestait ce nom, elle avait continué à appeler Nounours Capitaine, juste pour l'agacer.

Gardant le dos tourné, il glisse le Beretta dans sa ceinture et tire son grand sweat-shirt rouge sur son ventre pour cacher la bosse.

— Sam ? Capitaine aimerait savoir ce que tu fabriques là-dedans.

Cette nuit-là, il avait demandé à Zombie s'il pouvait avoir l'un des revolvers.

Il y en avait des douzaines. *On a une putain d'armurerie en bas,* avait annoncé Zombie. Mais il lui avait aussi dit non. Cassie était avec eux. Il avait donc attendu qu'elle quitte la pièce pour redemander à Zombie s'il pouvait avoir une arme. Ce n'était pas juste que tout le monde en ait une sauf Megan et lui, mais Megan ne comptait pas. C'était une civile. Elle n'avait pas été entraînée comme lui.

Ils l'avaient fait voyager en bus et l'avaient cachée jusqu'à ce qu'il soit temps d'implanter la gélule-bombe dans sa gorge. Elle n'était pas seule, avait-elle expliqué. Beaucoup d'enfants voyageaient dans des bus comme le sien. Des centaines d'enfants, et Evan leur avait appris que chacun d'entre eux était utilisé pour duper des survivants. L'enfant était amené par les airs ou par la route dans des lieux où l'ennemi savait que des gens se cachaient. Ces gens prenaient l'enfant avec eux pour le sauver. Ensuite, ils mouraient.

Et Cassie prétendait qu'il fallait se fier à Evan Walker !

Le pistolet sous son sweat-shirt est froid contre sa peau nue. C'est une sensation agréable. Il n'a pas peur de l'arme. D'ailleurs, il n'a peur de rien. Ses ordres sont de veiller sur Megan, mais Zombie n'a confié à personne la tâche de surveiller Evan Walker. Alors, il s'en chargera.

À Camp Haven, les soldats avaient dit qu'ils le protégeraient. Qu'il était en parfaite sécurité. Que tout irait bien. Ils avaient menti. Ils avaient menti sur tout, car tout le monde ment. Chacun fait des promesses qu'il ne peut tenir. Même papa et maman avaient menti. Quand le ravitailleur était arrivé, ils avaient dit qu'ils ne l'abandonneraient jamais, pourtant c'était ce qu'ils avaient fait.

Ils avaient promis que tout irait bien, mais ce n'était pas le cas.

Il se glisse dans le lit en face de celui de Megan et fixe les câbles nus et les deux sphères de métal poussiéreuses qui pendent du plafond. Megan l'observe, la bouche légèrement entrouverte, Nounours serré contre sa poitrine.

Il tourne la tête vers le mur. Pas question que Megan le voie pleurer.

Désormais, il n'est plus un bébé, mais un soldat.

Aujourd'hui, il est impossible de dire qui est humain et qui ne l'est pas. Evan Walker avait l'air d'un humain, mais il ne l'était pas, pas à l'intérieur, là où c'est important. On ne peut même plus faire confiance à des personnes comme Megan, qui sont humaines – peut-être –, parce qu'on ne peut savoir ce que l'ennemi leur a fait. Zombie, Cassie, Dumbo… eux non plus, il ne peut pas vraiment leur faire confiance. Ils pourraient très bien être comme Evan Walker.

Dans l'obscurité étouffante, sous le mobile cassé, les battements de son cœur s'accélèrent. Peut-être qu'ils le dupent tous, en fait. Même Zombie. Même Cassie.

Sa gorge se serre. Il a du mal à respirer. *Tu dois dire tes prières*, a insisté Cassie. Il avait l'habitude de les prononcer chaque soir, mais la seule réponse que Dieu lui a jamais donnée, c'était non. *Mon Dieu, laisse maman vivre, s'il te plaît.* Non. *Mon Dieu, fais en sorte que papa revienne, s'il te plaît.* Non. Dieu non plus, on ne peut pas lui faire confiance. C'est un menteur, lui aussi. Il dessine des arcs-en-ciel, comme pour promettre qu'il ne tuera plus jamais personne, puis il autorise les Autres à venir et à tuer tout le monde. Tous les gens qui sont morts doivent bien avoir prié, eux aussi, et pourtant Dieu a dit non, non, non sept milliards de fois. Sept milliards de non. Non, non, et encore non.

Le métal froid du Beretta sur sa peau nue. Ce froid comme une main fraîche sur son front. Megan qui respire par la bouche, lui rappelant les bombes déclenchées par le souffle humain.

Ils ne s'arrêteront pas, pense-t-il. *Ils ne s'arrêteront pas tant que tout le monde ne sera pas mort. Dieu laisse cela arriver parce qu'il veut que cela arrive. Et personne ne peut gagner contre lui, puisqu'il est Dieu.*

La respiration de Megan se fait moins forte. Les larmes de Sam sèchent. Il flotte dans un immense espace vide. Il n'y a rien, ni personne, juste un espace vide qui s'étend à l'infini.

Peut-être que c'est déjà arrivé, songe-t-il. *Peut-être qu'il n'y a déjà plus aucun humain. Peut-être qu'ils sont déjà tous infestés.*

Ce qui signifie qu'il est le dernier. Le dernier humain sur Terre.

Il plaque ses mains sur le pistolet. Ça le rassure. Megan a Nounours, lui le Beretta.

Si c'est une ruse, si ce sont tous des aliens déguisés, il ne les laissera pas gagner. En cas de besoin, il les tuera tous. Puis il s'installera dans la capsule de sauvetage, il montera jusqu'au ravitailleur et le fera exploser. Ils auront perdu – le dernier humain mourra –, mais au moins les Autres ne gagneront pas.

Dieu a dit non. Il peut en faire autant.

II

LE DEUXIÈME JOUR

14

ZOMBIE

Il nous faut moins d'une heure pour atteindre la pancarte qui indique les limites de la ville : Urbana. J'attire Dumbo à l'écart de la route avant d'aller plus loin. Ça fait un moment que je me demande si je dois lui dire ou non, mais je n'ai pas vraiment le choix. Il doit savoir.

— Tu sais ce qu'est Walker ? je chuchote.

Il hoche la tête. Ses yeux s'égarent à gauche, à droite, puis se posent sur mon visage.

— C'est un putain d'alien.

— Exact. Il a été téléchargé dans le corps de Walker quand il était gamin. Il y en a certains, comme Vosch, qui dirigent les bases militaires, et d'autres, comme Walker, qui sont des agents solitaires à qui ils ont assigné des territoires et qui doivent éliminer les survivants.

Le regard de Dumbo quitte mon visage pour plonger dans le noir.

— Des snipers ?

— Nous allons traverser deux de ces territoires. L'un s'étend entre Urbana et les cavernes. L'autre commence juste au-delà de cette pancarte.

D'un revers de main, il s'essuie la bouche. Puis il se tire sur l'oreille.

— OK.

— Ils sont gonflés à bloc. Je ne sais pas exactement comment, mais avec une sorte de technologie qui les renforce. Ça leur donne des méga-pouvoirs, une force et une vitesse extraordinaires, et ça exacerbe leurs sens aussi. Enfin, ce genre de trucs. Si on se magne et qu'on ne fait pas de bruit, tout devrait bien se passer.

Je me penche vers lui. Il doit absolument comprendre. C'est très important.

— Si quelque chose m'arrive, tu annules la mission, Dumbo. Tu retournes à la maison sécurisée.

Il secoue la tête.

— Pas question que je t'abandonne, sergent.

— Oh que si ! Et c'est un ordre, soldat, au cas où tu te poserais la question.

— Toi, tu m'abandonnerais ?

— Un peu que je t'abandonnerais !

Je lui tapote l'épaule. Il m'observe en silence tandis que je sors la lentille oculaire de mon sac à dos et que je l'enfile. Sa tête s'illumine à travers la lentille, grosse boule d'un feu vert. Je surveille les alentours à la recherche d'autres points verts révélateurs pendant qu'il enfile sa propre lentille.

— Une dernière chose, Dumbo, je chuchote. Nous n'avons aucun ami.

— Qu'est-ce que tu veux dire, sergent ?

Je déglutis. Ma bouche est sèche. J'aimerais qu'il y ait une autre solution. Ça me rend malade, mais ce n'est pas moi qui ai inventé ce jeu. J'essaie juste de rester en vie assez longtemps pour jouer mon coup.

— Les Infestés s'illuminent en vert. Tout ce qui s'allume, on le dégomme. Sans hésitation. Sans exception. Compris ?

— Ça ne peut pas marcher, Zombie. Et si jamais c'est Ringer ou Teacup ?

Merde. Je n'avais pas pensé à ça. Je n'ai pas non plus songé aux options de Ringer, identiques aux miennes. Tirer d'abord et se poser des questions plus tard ? Ou tirer seulement si on fait feu sur vous ? Je crois savoir pour laquelle elle opterait. C'est Ringer, après tout.

Une petite voix chuchote dans ma tête : *À deux, ça double les risques. Renvoie Dumbo.* Cette voix de la raison qui a toujours ressemblé à celle de Ringer. Celle qui vous donne des arguments contre lesquels vous ne pouvez pas discuter, comme quand l'on vous dit que le granit est dur ou que l'eau est mouillée.

Dumbo secoue la tête. On a traversé toute cette merde ensemble ; il me connaît.

— Deux paires d'yeux valent mieux qu'une, sergent. On va faire comme tu as dit. Se magner en silence, et avec de la chance, on les remarquera avant qu'ils nous voient.

Il me fait ce que je suppose être un sourire rassurant. Je lui réponds d'un hochement de tête que j'espère confiant. Et c'est parti.

À pas redoublés, dans les entrailles incendiées d'Urbana, droit vers la rue principale jonchée de débris, infestée de rats et débordante d'eaux usées. Des voitures calcinées, des câbles électriques à terre, des ordures empilées contre les maisons par l'eau et le vent, des déchets qui recouvrent les jardins et les parkings, ou accrochés aux branches nues des arbres. Des sacs en plastique, des journaux, des vêtements, des chaussures, des jouets, des chaises brisées, des matelas, des postes de télévision. C'est comme si un géant intergalactique avait attrapé la planète à deux mains et l'avait secouée de toutes ses forces. Qui sait ? Peut-être que si j'étais un chef suprême alien, je ferais exploser toutes les villes, moi aussi, juste pour me débarrasser de cet immense bordel.

On aurait certainement dû virer de bord, passer par les petites routes de campagne – je suis sûr que Ringer aurait privilégié ce choix –, mais si Teacup et elle se trouvent quelque part, c'est dans les cavernes, et c'est la route la plus courte pour nous y rendre.

Vite, et en silence, je songe, tandis que nous dévalons le trottoir à toute allure, nos yeux scrutant les lieux de gauche à droite, puis de droite à gauche. *Vite, et en silence.*

À quatre pâtés de maisons de là, nous tombons sur une barricade d'un mètre quatre-vingts qui bloque la rue, un fouillis de voitures, de branches entremêlées, de meubles cassés, le tout décoré de drapeaux américains fanés. Tout cela a dû être jeté entre la 2e et la 3e Vague, quand les gens se sont rendu compte que leurs semblables – des humains comme eux ! – représentaient une menace bien plus grave que le ravitailleur extraterrestre qui trônait à des kilomètres au-dessus de nos têtes. C'est dingue de constater à quelle vitesse nous sommes tombés dans l'anarchie dès que les Autres ont coupé le courant. Comme il leur a été facile de semer le trouble, la peur, la méfiance. Et avec quel empressement nous nous sommes englués là-dedans ! On pourrait penser qu'avoir un ennemi commun nous aurait obligés à mettre de côté nos différences pour nous allier contre la menace de plus en plus puissante. Au lieu de cela, nous avons construit des barricades. Nous avons stocké de la nourriture et des armes. Nous nous sommes détournés de l'inconnu, de celui qui n'était pas d'ici, celui dont on ne reconnaissait pas le visage. Deux semaines après l'invasion, les bases de la civilisation s'effritaient déjà. Deux mois plus tard, elles s'effondraient comme un immeuble implose, s'écroulant tandis que les corps s'empilaient.

Durant notre trajet vers Urbana, nous en avions vu aussi. Des piles d'os calcinés, et des cadavres emballés tête-bêche dans des draps en loques ou des vieilles couvertures, allongés à ciel ouvert comme s'ils étaient tombés du ciel, seuls ou en groupe de dix ou plus. Il y en avait à perte de vue – ce n'était rien qu'une autre part du bordel humain, du dégueulis urbain.

Dumbo ne cesse de scruter l'obscurité à la recherche de points verts. Droite, gauche. Gauche, droite.

— Quelle merde ! chuchote-t-il.

Malgré le froid, des gouttes de sueur brillent sur son front. Il frissonne comme s'il avait de la fièvre. Une fois de l'autre côté de la barricade, je propose une pause. De l'eau. Une barre protéinée. J'ai du mal à me passer de ces trucs. J'en ai trouvé une caisse entière dans la maison sécurisée, et maintenant je n'en ai jamais assez. Il y a une sorte de creux dans le mur improvisé, nous

nous y réfugions, face au nord vers Main Street. Il n'y a pas de vent. Le ciel est clair, truffé d'étoiles. La fin de l'hiver, la nature qui s'éveille au printemps : vous le sentez en vous, jusqu'au plus profond de vos os, car c'est un phénomène plus vieux que vos sens. Le printemps. Avant que je devienne Zombie, cette époque de l'année annonçait le bal de promotion, le bachotage, les discussions anxieuses dans les couloirs entre les cours parce que l'épreuve du diplôme approchait – une autre sorte d'apocalypse après laquelle rien ne serait plus pareil.

— Tu es déjà venu à Urbana, Dumbo ?

Il secoue la tête.

— Je suis de Pittsburgh.

— Ah bon ?

Je ne lui ai jamais demandé. C'était la règle non écrite au camp : il était interdit d'évoquer son passé.

— Dans ce cas, vive les Steelers[1].

— Non.

Il mord dans sa barre protéinée, en prend une grosse bouchée qu'il mâche avec lenteur.

— Moi j'étais un fan des Packers[2].

— J'ai joué, tu sais.

— *Quarterback ?*

— *Wide receiver.*

— Mon frère jouait au baseball. Arrêt-court.

— Pas toi ?

— J'ai arrêté la Little League quand j'avais dix ans.

— Comment ça se fait ?

1. Équipe de baseball de Pittsburgh. (*N.d.T.*)
2. Équipe de baseball de Kansas City. (*N.d.T.*)

— J'étais nul. Mais je déchire en e-sport.

— E-sport ?

— Oui, tu sais, comme *Call of Duty*.

— Oh, tu es un *gamer*.

— J'étais quasiment MLG.

— Oh ! MLG, super !

J'ignore complètement de quoi il parle.

— Niveau max, Prestige 12.

— Waouh, vraiment ?

Je hoche la tête, l'air impressionné. Sauf que je n'y pige rien.

— Tu n'as aucune idée de ce que je te raconte, n'est-ce pas ?

Il froisse le papier d'emballage de sa barre protéinée. Après avoir jeté un coup d'œil aux ordures qui envahissent chaque centimètre carré d'Urbana, il glisse le papier dans sa poche.

— Il y a un truc qui me perturbe, sergent.

Il se tourne vers moi. Son œil, celui qui n'est pas caché par la lentille oculaire, brille d'anxiété.

— Je t'écoute.

— Si j'ai tout compris, bien avant que leur ravitailleur se pointe, ils se sont téléchargés dans des bébés et ils ne se sont « réveillés » qu'à leur adolescence.

J'acquiesce d'un hochement de tête.

— C'est ce que Walker a raconté.

— C'était mon anniversaire la semaine dernière. J'ai eu treize ans.

— Vraiment ? Bon sang, Dumbo, pourquoi tu ne me l'as pas dit ? Je t'aurais préparé un gâteau.

Il n'esquisse même pas un sourire.

— Et si jamais l'un d'Eux s'est inséré en moi, sergent ? Peut-être qu'il va se réveiller dans mon cerveau et prendre le contrôle de moi ?

— Tu n'es pas sérieux, soldat ? C'est carrément dingue de dire un truc pareil !

— Qu'est-ce que tu en sais ? Comment tu peux en être sûr, Zombie ? Et si jamais ça arrive, que je te tue, que je retourne à la maison sécurisée et que je les dégomme tous…

Il est en train de perdre les pédales. Je lui attrape le bras et l'oblige à me regarder.

— Écoute-moi bien, espèce de taré aux grandes oreilles. Si jamais tu crises comme Dorothée[1], je te botte le cul et je t'expédie jusqu'à Dubuque.

— S'il te plaît, arrête avec Dubuque.

— Il n'y a aucun alien qui dort en toi, Dumbo.

— OK, mais si jamais tu te trompes, tu t'en occuperas, d'accord ?

Je sais à quoi il fait allusion, mais je fais semblant de ne pas comprendre.

— Hein ?

— Tu devras t'en charger, Zombie, me supplie-t-il. Il faudra que tu tues cet enfoiré de salopard.

Eh bien, joyeux putain d'anniversaire, Dumbo ! Cette conversation m'a flanqué la frousse.

— OK, marché conclu, je dis. Si jamais un alien se réveille en toi, je te ferai exploser le crâne.

Il lâche un soupir de soulagement.

— Merci, sergent.

---

1. Voir tome 1. (*N.d.T.*)

Je me lève et lui tends la main pour l'aider à faire de même. D'un mouvement brusque, il me pousse soudain sur le côté. Il lève son fusil et le pointe vers la concession automobile à un demi-pâté d'immeubles plus bas. À mon tour, je pointe mon fusil, ferme mon œil droit et scrute les environs à travers ma lentille oculaire. Rien.

Dumbo secoue la tête.

— Je croyais avoir vu quelque chose, chuchote-t-il. J'ai dû me gourer.

Nous restons immobiles un moment. Tout est si calme. On pourrait penser que la ville serait envahie de chiens aboyant à tue-tête, de chats sauvages brailleurs, ou qu'on entendrait au moins une chouette hululer, mais il n'y a rien de tout cela. Est-elle uniquement dans ma tête, cette désagréable impression d'être observés ? Qu'il y a quelqu'un – ou quelque chose –, que je ne peux voir, mais qui nous surveille ? Je jette un coup d'œil à Dumbo. Il a l'air carrément effrayé.

À présent, tous nos sens en alerte, nous nous déplaçons jusqu'au trottoir opposé. Collés au mur du dépôt-vente qui fait face à la concession, nous avançons sans nous arrêter jusqu'au carrefour suivant. Vérification à droite, à gauche, puis droit devant jusqu'au centre-ville, à trois blocs d'immeubles de là. Les ombres géantes des habitations désertées se dessinent sous le ciel étoilé.

Nous traversons le carrefour au pas de course, puis nous nous arrêtons de l'autre côté, dos plaqué au mur, attendant – quoi, je l'ignore. Nous filons, dépassant des portes et des vitres brisées. Le bruit du verre craquant sous nos semelles paraît plus fort qu'un bang supersonique. Un autre groupe d'immeubles, puis nous répétons la manœuvre : à gauche au coin, droit en travers de la rue principale, avant de nous replier vers la sécurité toute relative de l'immeuble suivant.

Nous courons encore une cinquantaine de mètres. Soudain, Dumbo me tire par la manche et m'entraîne vers une porte vitrée brisée, puis dans l'obscurité de ce que je pense être une boutique. Des cailloux crissent sous nos pieds. Non, pas des cailloux. L'odeur n'est pas très forte, elle est à peine discernable sous celle désormais familière des eaux usées, et la senteur de lait avarié de la peste, mais nous nous baissons tous les deux en même temps pour en ramasser. Une pointe de nostalgie nous envahit. Du café.

Dumbo se faufile à l'avant du comptoir, qui fait face à la porte. Je lui lance un regard genre : *Qu'est-ce qui se passe ?*

— J'adorais les Starbucks, soupire-t-il.

Comme si cela expliquait tout.

Je m'assieds à côté de lui. Peut-être a-t-il besoin de faire une pause. Nous restons silencieux. Les minutes défilent.

— On a intérêt à avoir quitté cette ville quand l'aube se pointera, je déclare au bout d'un moment.

Dumbo hoche la tête, sans bouger.

— Il y a du monde dehors, affirme-t-il.

— Tu les as vus ?

— Non, mais je les sens. Tu comprends ? *Je les sens.*

Je réfléchis un instant à ce qu'il vient de dire. Il doit être victime de paranoïa.

— On pourrait essayer de les attirer, je suggère, pour plaisanter.

— Ou les distraire, répond-il en jetant un coup d'œil autour de nous. On n'a qu'à faire sauter quelque chose.

Il fouille dans son sac à dos et en retire une grenade.

— Non, Dumbo. Ce n'est pas une bonne idée.

Je lui prends la grenade des mains. Ses doigts sont plus froids que le métal.

— Ils vont se glisser à côté de nous, proteste-t-il. On ne les verra même pas venir.

— Ça sera peut-être mieux comme ça, qui sait ? je réplique, un sourire aux lèvres.

Il ne me rend pas mon sourire. Dumbo a toujours été le mec le plus calme de l'équipe, c'est sûrement pour ça qu'ils l'ont choisi pour être le médecin du groupe. Rien ne le décontenançait jamais. En tout cas, pas jusqu'à présent.

— Sergent, j'ai une idée.

Il s'approche de moi. Je sens le chocolat de la barre de céréales dans son haleine.

— Tu restes ici. Moi je pars en avant – mais dans une direction différente. Une fois que je les aurai attirés, tu pourras filer vers le nord et…

Je l'interromps aussitôt :

— C'est une mauvaise idée, soldat. Une très, très mauvaise idée.

Il ne m'écoute pas.

— Mais comme ça, au moins l'un de nous deux s'en sortira.

— Oublie ton idée foireuse. On va s'en sortir tous les deux.

Il secoue la tête. Sa voix se brise :

— Je ne crois pas, sergent.

Il retire sa lentille oculaire et me fixe durant un très long et très inconfortable moment. Il semble effrayé. On dirait qu'il a vu un fantôme. Il se redresse subitement sur ses pieds et se jette sur moi, bras tendus en avant comme pour m'étrangler de toutes ses forces.

D'instinct, je lève les mains pour parer son attaque. Oh, merde ! Merde. Cet enfoiré aux larges oreilles avait raison. Ce truc s'est réveillé. Ce putain d'alien de merde s'est réveillé en lui.

Je l'attrape par la veste. Soudain, sa tête se renverse en arrière dans un grand craquement. Son corps se raidit, puis s'affaisse.

Une seconde plus tard, j'entends le bruit du fusil du sniper, un genre de fusil à lunette laser, celui qui a tiré la balle qui m'était destinée. La balle que Dumbo a prise pour moi sans aucune hésitation, parce que je suis le commandant, celui que l'ennemi, dans son infinie sagesse, a chargé de nous garder en vie.

15

Je l'attrape par les épaules et le traîne derrière le comptoir. Nous sommes hors de la ligne de tir, mais tout de même acculés. Je n'ai guère de temps. J'allonge Dumbo sur le ventre, je lui arrache sa veste et les deux chemises qu'il porte en dessous pour examiner sa blessure. Il a un trou de la taille d'une pièce de vingt-cinq cents au milieu du dos. La balle doit être restée dans son corps, sinon j'aurais été touché moi aussi. Sa poitrine se soulève. Il respire. Je m'allonge à côté de lui, et lui chuchote :

— Dis-moi ce que je dois faire, Dumbo. Dis-moi.

Il ne répond rien. Peut-être a-t-il besoin de toute son énergie rien que pour respirer.

Zombie, tu ne peux pas rester ici. De nouveau, cette voix calme, identique à celle de Ringer. *Laisse-le tomber.*

Bien sûr. Laisser tomber les gens, c'est mon truc. Mon mode opératoire. J'ai laissé tomber ma sœur. J'ai laissé tomber Poundcake. Je les ai plantés là, et j'ai continué ma route.

Pas question de refaire la même connerie.

Je rampe devant le comptoir, attrape le sac de Dumbo et reviens vers lui. Il s'est mis en position fœtale, les genoux pressés sur la poitrine. Ses paupières frémissent comme quand vous faites un cauchemar. Je fouille dans son kit médical, cherchant la gaze. Je dois bourrer sa blessure. C'est tout ce que j'ai retenu de ma seule leçon de secours de guerre à Camp Haven. Si je ne fais pas ça très vite, il pourrait se vider de son sang en moins de trois minutes.

L'autre chose dont je me souviens de ce cours : ça fait un mal de chien. Si mal que la première chose que vous êtes censé faire c'est de mettre l'arme du blessé hors de sa portée.

Je retire donc son pistolet de son étui et le coince dans mon dos, sous ma ceinture.

Il doit y avoir une petite tige de métal dans la trousse médicale – on s'en sert pour insérer la gaze dans la blessure –, mais impossible de la trouver.

Oublie ça, Zombie. Tu manques de temps.

De mon doigt, je pousse la gaze dans le trou qui déchire son dos. Dumbo se redresse en hurlant. D'instinct, il tente de s'échapper, s'agrippe au pied du comptoir. Je pose ma main libre sur sa nuque pour l'immobiliser.

— Ça va aller, Dumbo. Ça va aller..., je lui chuchote tandis que mon doigt s'enfonce dans sa plaie, poussant la gaze.

Tu dois mettre plus de gaze. Si jamais la balle a tranché une artère...

Je retire mon doigt. Il hurle de plus belle.

Je lui attrape le menton et l'oblige à fermer la bouche. J'enfonce un autre paquet de gaze dans la blessure. Dumbo se tortille en tous sens et sanglote. Je m'allonge derrière lui et plaque ma jambe sur sa taille pour l'immobiliser.

— Encore un peu, Dumbo, je chuchote. C'est bientôt fini...

Puis c'est effectivement fini. La gaze déborde de la blessure ; je ne peux pas en mettre plus. Je découpe un pansement avec mes dents et le colle sur la gaze. Alors, je roule sur le dos, et j'inspire profondément. À côté de moi, Dumbo continue de pleurer, ses sanglots se transformant en gémissements. Il frissonne. Il est en état de choc.

Je récupère son sac pour y chercher un remède contre la douleur. Dumbo est sur la mauvaise pente, il est en train de mourir. J'en suis quasiment certain, mais au moins, je peux l'aider à ce que ça se passe plus facilement. Je sors une seringue de morphine que je lui injecte dans la hanche. L'effet est presque immédiat. Ses muscles se détendent, sa respiration ralentit.

— Tu vois ? Ça ne fait pas si mal, dis-je. Je ne vais pas tarder à revenir te chercher, Dumbo. Je vais trouver ce connard, et ensuite je reviens.

Et voilà, Zombie, tu recommences !

Cette promesse ressemble à une sentence de mort, la grille d'une cellule que l'on claque, une pierre autour de mon cou destinée à m'entraîner vers le fond.

16

JE CONTOURNE LE COMPTOIR pour récupérer mon fusil. Fusil, arme de poing, couteau, et quelques grenades. Plus une chose, l'arme essentielle de tout mon arsenal : un cœur lourd de rage. Je vais faire exploser l'enfoiré qui lui a tiré dessus et l'expédier dans la ville préférée de Dumbo.

À quatre pattes, je file dans le couloir vers la porte de sortie. Dans la rue, dans le froid, sous la lumière des étoiles. Je suis seul pour la première fois depuis que ma famille a été exterminée – mais cette fois, je ne fuis pas. Pas question de répéter les mêmes conneries.

Je prends vers l'est. Au pâté d'immeubles suivant, je tourne vers le nord, en parallèle avec Main Street. D'ici quelques blocs, je reviendrai sur mes pas, je gagnerai Main Street par une artère parallèle, puis je surprendrai le tireur par l'arrière. En espérant qu'il n'aura pas déjà traversé la rue pour finir son boulot.

Ce n'est peut-être pas le Silencieux en patrouille, mais un civil qui a intégré la première leçon de la guerre ultime : éliminer tous ceux que l'on ne connaît pas.

Non que cela fasse une grosse différence.

Un jour, Cassie m'a raconté qu'elle avait trouvé un soldat allongé dans une épicerie alors qu'elle cherchait de quoi se nourrir. Elle l'a tué. Elle était persuadée qu'il avait une arme à la main, mais en fait c'était un crucifix. Ça l'a anéantie. Elle ressassait cette histoire à n'en plus finir. Le mec avait sûrement cru qu'il était le plus grand chanceux de la Terre. Il avait été séparé de son unité, gravement blessé, incapable de faire autre chose qu'attendre les secours qui n'arriveraient probablement jamais, et tout à coup, cette fille surgie de nulle part était apparue ; il était sauvé. Sauf que la fille en question avait déchargé son fusil sur lui.

— *Ce n'est pas de ta faute, Sullivan,* je lui avais dit. *Tu n'avais pas le choix.*

— *Ça, c'est des conneries !* m'avait-elle rembarré.

Elle avait tendance à rembarrer tout le monde. Pas seulement moi.

— *C'est le mensonge auquel ils veulent que nous croyions, Parish.*

Retour au présent. Sur Main Street. Une pause au coin. Je jette un coup d'œil vers le café. Juste en face, il y a un immeuble à trois étages dont les fenêtres du rez-de-chaussée sont barricadées. Celles des étages supérieurs sont brisées. Rien ne brille dans les vitres ou sur le toit ; aucune lumière verte à travers ma lentille oculaire. Je reste immobile quelques secondes, observant l'entrée. Je connais la manœuvre. Cet immeuble doit être sécurisé. On a fait ça des milliers de fois au camp, mais nous étions sept pour l'opération : Flint, Oompa, Ringer, Teacup, Poundcake, Dumbo – il n'en reste plus qu'un, maintenant. Moi.

Recroquevillé sur moi-même, je franchis Main Street au pas de course. Chaque centimètre carré de mon corps me picote, attendant l'impact de la balle du sniper. Qui a eu la brillante idée de vouloir traverser Urbana ? Qui a mis ce mec à la tête des opérations ? *Continue à te déplacer, reste concentré, vérifie ces fenêtres là-bas, et ces portes.* La rue est jonchée de détritus et d'éclats de verre. Elle est glissante à cause des résidus provenant des canalisations d'égouts brisées, des conduites d'eau. Des flaques graisseuses brillent à la lueur des étoiles. Encore un pâté de maisons, puis je coupe en bifurquant vers le sud. L'immeuble est droit devant moi, au bout de ce bloc. Je m'oblige à ralentir. Devrais-je annuler la mission ? Ne pas chercher à retrouver Ringer et Teacup ? Ramener Dumbo en sécurité à la maison de Grâce ? Ou le laisser ici et le récupérer en revenant des cavernes ?

Je suis arrivé à l'extrémité du bloc d'immeubles. Il est temps de me décider. Une fois dans le bâtiment, je ne pourrai plus faire marche arrière. Je franchis ce qui était une baie vitrée et pénètre dans le hall d'une banque. Un tapis de documents couvre le sol : des récépissés de dépôt, des brochures, de vieux magazines, une ancienne banderole *(Nos taux d'intérêt les plus bas !)* et des billets de différentes valeurs – j'aperçois des billets de cent au milieu de ceux de cinq et de dix. Voilà une chose que l'Invasion m'a enseignée à propos de l'argent : ce n'était pas la racine du mal. Ce tapis trempé, déjà pourrissant, glisse sous mes bottes. Je balaie des yeux le moindre recoin de la salle en moins de trente secondes.

C'est bon.

La porte qui mène à l'escalier se trouve juste en face de l'ascenseur. Je l'ouvre. Je n'ai aucune visibilité, mais pas question de prendre le risque d'allumer ma torche. Autant crier mon nom, ou hurler : *Hé, mon pote, je suis là !* Une fois dans la cage d'escalier, la porte se referme doucement derrière moi, m'emprisonnant dans une obscurité complète. Une marche, pause, je tends l'oreille, une autre marche, nouvelle pause. L'immeuble gémit comme une vieille demeure. L'hiver rude, les tuyaux cassés dans les murs, l'eau qui s'insinue dans le mortier, se répand, gèle et brise la structure. Si les Autres n'avaient pas l'intention de lâcher des bombes dans quatre jours, Urbana s'écroulerait sur elle-même. Dans une centaine d'années, vous pourrez tenir l'intégralité de la ville dans la paume de votre main.

Premier palier, deuxième étage. Je continue ma progression, une main sur la rampe de métal. Marche, pause, marche. Je vais commencer par le toit et redescendre. Je ne crois pas qu'il se cache là-haut ; Dumbo et moi, nous avons été bloqués derrière le comptoir, et l'angle de tir depuis le toit jusqu'au café est beaucoup trop étroit. À mon avis, le sniper a dû s'installer au deuxième étage, mais je vais procéder avec méthode. Réfléchir à chaque geste avant de bouger.

Je la sens à mi-chemin vers le deuxième étage, sur le palier, juste là au coin de l'escalier : la puanteur de la mort. Impossible de se tromper. Je marche sur quelque chose de petit et de mou. Sûrement un rat crevé. Dans cet endroit clos et exigu, la puanteur est oppressante. Mes yeux me brûlent, mon estomac remonte dans ma gorge. Voilà une autre bonne raison de faire exploser les villes : c'est la façon la plus rapide de se débarrasser de l'odeur.

Devant moi, un fin rayon de lumière brille sous la porte. Merde.

Je plaque mon oreille contre la porte. Je n'entends que le silence. Même si ça paraît évident, je ne suis pas très sûr de ce que je dois faire. La porte a peut-être été piégée. À moins que la lumière ne soit une ruse – destinée à m'attirer dans une embuscade. Ou alors la porte a été bricolée de façon à faire du bruit quand on l'ouvre. Pas besoin d'être un Silencieux. N'importe qui prendrait cette précaution.

Je pose la main sur la poignée. Métal froid. Je joue avec ma lunette oculaire, temporisant. *Tu n'as pas à l'ouvrir en douceur, Parish – tu l'exploses.*

Cela dit, le pire n'est pas de l'exploser. Le pire, c'est la seconde juste avant.

J'ouvre la porte en grand, je pivote brusquement sur ma gauche, je file dans le couloir et me retourne sur la droite. Aucun piège ne se referme sur moi ou ne signale ma présence. La porte se referme avec douceur derrière moi sur ses gonds parfaitement huilés. Mon doigt chatouille la détente alors qu'une ombre se dessine sur le mur, une ombre attachée à une petite créature poilue à la queue rayée.

Un chat.

L'animal disparaît vers une porte ouverte à mi-chemin du couloir d'où émerge la lumière que j'ai perçue depuis la cage d'escalier. Tandis que je me dirige vers cette lumière, l'odeur de pourriture est couverte par d'autres senteurs fort différentes : de la soupe, peut-être un ragoût de bœuf, et celle, fort reconnaissable, d'une litière sale. J'entends une voix haut perchée fredonner :

Quand par les bois et la forêt profonde j'erre,
Et que j'entends les oiseaux gazouiller dans les branches...

J'ai déjà entendu cette chanson. Très souvent. Je me souviens même du refrain :

De tout mon être s'élève alors un chant :
Dieu tout-puissant, que tu es grand !

Cette voix m'en évoque une autre, fluette et éraillée par les années, chantant avec la fière détermination que seule procure une foi inébranlable. Combien de dimanches me suis-je tenu à côté de ma grand-mère pendant qu'elle entonnait ce cantique ? Je maudissais en silence mon col trop serré, mes chaussures inconfortables, et je rêvais tout éveillé à ma dernière petite amie, ou blasphémais (dans ma tête) en transformant les paroles en *Dieu tout-puissant, que ton cul est grand !*

Entendre cette chanson ouvre la porte du passé par laquelle les souvenirs affluent. Le parfum de grand-mère. Ses jambes maigres dans ses bas blancs, et ses chaussures noires à bout carré. La poudre fine qui s'insinuait dans ses rides, au coin de sa bouche et de ses yeux sombres, chargés de bonté. Ses articulations abîmées par l'arthrite, et sa façon de tenir le volant de sa vieille Mercury, comme un nageur en perdition s'accroche à un sauveteur. Les cookies au chocolat tout juste sortis du four, et les tartes aux pommes alignées en rangs sur le comptoir tandis que, dans l'autre pièce, j'entends sa voix vibrer d'excitation pendant qu'elle écoute les derniers ragots rapportés par une amie de son cercle de prière.

Je m'arrête tout près de la porte et sors l'une des grenades paralysantes. Je glisse mon doigt dans la goupille. Mes mains tremblent. Un filet de sueur coule dans mon dos. Voilà ce qu'ils font de vous, comment ils vous font perdre l'esprit. Le passé vous revient en pleine face, vous serre la gorge : ces souvenirs de tout ce que vous teniez pour acquis, ces choses que vous avez perdues en un clin d'œil, même ces choses idiotes dont vous ignoriez qu'elles pouvaient vous émouvoir, comme la voix chevrotante d'une vieille femme qui vous appelle pour que vous veniez manger un cookie chaud et boire un bon verre de lait glacé.

De tout mon être s'élève alors un chant...

Je dégoupille la grenade et la lance à travers la porte ouverte. Une lumière aveuglante, les miaulements terrifiés des chats, et une voix humaine hurlant de douleur.

D'un bond, je franchis le seuil. Je remarque aussitôt la silhouette recroquevillée à l'autre extrémité de la pièce, le visage caché derrière le tourbillon de points verts causé par ma lentille oculaire. *Descends-la, Zombie. Un seul coup et ce sera fini.*

Mais je ne presse pas la gâchette. J'ignore ce qui m'en empêche. Peut-être les chats, les douzaines de chats qui bondissent de toutes parts, sautent sur les meubles ou se cachent dessous. Peut-être sa chanson qui me rappelle ma grand-mère et toutes ces choses perdues. Peut-être l'histoire de Sullivan et de son soldat au crucifix planqué dans un coin, sans défense et condamné. Ou peut-être le simple fait que la lumière des lampes à kérosène dispersées autour de la pièce qui me montre que la femme n'est pas armée. Au lieu d'un fusil de sniper, elle se cramponne à une cuillère en bois.

— Je vous en prie, ne me tuez pas ! glapit la vieille dame recourbée sur elle-même, les mains levées devant son visage.

Je scanne la pièce du regard à toute allure. Personne dans les coins, et il n'y a qu'une seule entrée, celle par laquelle je suis venu. La fenêtre qui fait face à Main Street est dissimulée sous d'épais draps noirs. Je m'en approche et écarte le tissu de la pointe de mon fusil. La fenêtre est calfeutrée. Pas étonnant que je n'aie pas pu voir la lumière depuis la rue. Cet obstacle m'indique aussi que cet endroit n'est pas la tanière du sniper.

— Je vous en prie, gémit la dame. Je vous en prie, ne me faites pas de mal.

Le halo vert qui entoure sa tête me dérange ; je retire ma lentille oculaire. Près de la fenêtre se trouve une petite table sur laquelle un ragoût mijote sur un réchaud à gaz. À côté, il y a une bible ouverte au vingt-troisième psaume. Un peu plus loin, un canapé où s'entassent des couvertures et des coussins. Deux chaises. Un bureau. Un arbre en plastique dans un pot. D'immenses piles de magazines et de journaux. Ce n'est pas celui du sniper, mais c'est bien dans un nid que j'ai atterri.

Elle a dû se réfugier ici quand la 3e Vague a déferlé sur la ville. Ce qui amène une question importante : comment a-t-elle pu rester ici si longtemps sans que le Silencieux la trouve ?

— Où est-il ? je demande.

Même à mes propres oreilles, ma voix semble trop faible et trop jeune, comme si j'avais fait un saut en arrière dans le temps.

— Où est le tireur ? j'insiste.

— Le tireur ? répète-t-elle.

Ses cheveux gris sont enfouis sous un bonnet en tricot, mais quelques mèches s'en sont échappées et tombent des deux côtés de son visage. Elle porte un bas de jogging noir, et plusieurs épaisseurs de pulls. J'avance vers elle – elle recule un peu plus loin dans le coin, plaquant la cuillère contre sa poitrine. Des poils de chat dansent dans l'air. J'éternue.

— À vos souhaits, lâche-t-elle sans réfléchir.

— Vous avez dû l'entendre, dis-je, évoquant le coup de feu qui a blessé Dumbo. Vous devez savoir qu'il est là.

— Il n'y a personne ici ! glapit-elle. Juste moi et mes bébés. S'il vous plaît, ne faites pas de mal à mes bébés !

Il me faut une seconde pour comprendre qu'elle parle de ses chats. Je me déplace dans la pièce, le long de l'étroit passage entre les piles de vieux magazines, un œil sur elle, l'autre à la recherche d'armes. Il y a une bonne centaine d'endroits pour cacher un flingue dans tout ce bazar. Je fouille à travers la montagne de couvertures sur le canapé. Je vérifie sous le bureau, j'ouvre plusieurs tiroirs, puis je regarde derrière la plante en plastique. Un chat vient se glisser entre mes jambes. Je me rapproche de la vieille femme et lui ordonne de se lever.

— Allez-vous me tuer ? murmure-t-elle.

Je devrais. Je sais que je devrais. Le risque, c'est de la laisser vivre. La balle que Dumbo a reçue à ma place provient bien de cet immeuble. Mais d'où exactement ? Je fais passer mon fusil sur mon épaule, sors mon revolver et lui ordonne de nouveau de se lever. C'est un moment pénible pour nous deux – elle parce qu'elle a du mal à se lever, moi parce que je dois résister à l'envie de l'aider. Elle vacille soudain, mains sur la poitrine. Cette satanée cuillère qu'elle tient serrée contre elle m'inquiète brusquement.

— Posez votre cuillère.

— Vous voulez que je pose ma cuillère ?

— Posez-la.

— Ce n'est qu'une cuillère…

— Posez cette putain de cuillère !

Elle pose enfin la putain de cuillère. Je lui ordonne de se positionner face au mur et de mettre ses mains sur sa tête. Elle ravale un sanglot. Je me place juste derrière elle, plaque une main sur les siennes – elles sont aussi froides que celles d'un cadavre – et la fouille de haut en bas. *OK, Zombie, elle est clean. Et maintenant, quoi ? Il est temps de te décider.*

Peut-être qu'elle n'a pas entendu le coup de feu. Qui sait ? Après tout, c'est une vieille femme. Elle a certainement une mauvaise ouïe. Le Silencieux sait sûrement qu'elle se terre ici, mais il ne se soucie pas d'elle, car ce n'est qu'une femme âgée qui s'occupe de ses chats – quelle menace représente-t-elle pour lui ?

— Qui d'autre se trouve ici ? je lui demande.

— Personne, personne, je vous jure, personne ! Je n'ai pas vu âme qui vive depuis des mois. Il n'y a que moi et mes bébés. Que moi et mes bébés... !

— Retournez-vous. Gardez les mains sur la tête.

Elle se retourne. À présent, je contemple des yeux vert vif presque perdus au milieu des plis de cette peau fripée. Les différentes couches de vêtements qu'elle porte dissimulent sa maigreur, mais on remarque les signes de dénutrition sur son visage : les pommettes qui saillent, les tempes creuses, les yeux ourlés de cernes. Sa bouche pend un petit peu vers le bas – elle n'a plus de dents.

Oh mon Dieu. La dernière génération humaine a été transformée en machine à tuer, et d'ici le printemps, la 5e Vague déferlera sur Terre et massacrera tout le monde sur son passage, y compris des mecs blessés cachés au fond d'une épicerie et cramponnés à leur crucifix, et des vieilles femmes entourées de chats, agrippées à leur cuillère en bois.

Appuie sur la gâchette, Zombie. Un jour ou l'autre, la chance vous lâche. Si tu ne la tues pas, quelqu'un d'autre le fera.

Je lève mon revolver à hauteur de ses yeux.

17

Elle tombe à genoux à mes pieds et lève ses mains vides vers moi, sans rien dire, parce qu'il n'y a rien à dire : elle sait que la mort n'est plus très loin.

Ils m'ont entraîné pour cela, m'y ont préparé ; ils m'ont empli de haine, mais je n'ai jamais tué personne – malgré tout le temps écoulé depuis leur Arrivée. Cassie Sullivan a plus de sang sur les mains que moi.

La première fois est la plus dure, m'a-t-elle affirmé. *Quand j'ai tué ce dernier soldat à Camp Haven, je n'éprouvais plus rien. J'ai carrément oublié son visage.*

— Mon copain est blessé, dis-je.

Ma voix se brise :

— Soit c'est vous qui lui avez tiré dessus, soit c'est quelqu'un que vous connaissez. Jouez franc jeu avec moi.

— Il y a des semaines que je ne suis pas sortie. Je ne quitte plus cette pièce. C'est dangereux, dehors, chuchote-t-elle. Je reste toujours ici avec mes bébés, et j'attends…

— Vous attendez ? Qu'est-ce que vous attendez ?

Elle essaie de gagner du temps. Moi aussi. Je n'ai pas envie de me tromper – ni d'avoir raison. Je n'ai pas envie de franchir la ligne et de devenir celui que les Autres ont fait de moi. Je n'ai pas envie de tuer un être humain – innocent ou pas.

— L'agneau de Dieu, répond-elle. Il arrive, vous savez. Il peut surgir n'importe quand à partir d'aujourd'hui, et le blé se séparera de la balle, le bouc du mouton, et il viendra pour juger les vivants et les morts.

— Oh, c'est certain ! Tout le monde sait cela.

Elle l'a deviné avant moi : je ne vais pas appuyer sur la gâchette. J'en suis incapable. Un petit sourire, comme celui d'un enfant, s'étire sur les ruines de son visage, tel le soleil qui se lève à l'horizon. Je trébuche en arrière et heurte la table près de la fenêtre. Le ragoût déborde de la casserole, et le réchaud à gaz en dessous siffle avec fureur.

— Mon ragoût ! crie-t-elle en avançant péniblement.

Je recule, l'arme toujours pointée sur elle, mais ce n'est qu'une fausse menace, nous le savons tous les deux. La vieille dame ramasse la cuillère par terre et se dirige vers son réchaud. Le bruit de l'ustensile en bois contre le métal de la casserole attire une douzaine de chats, qui sortent prestement de leurs cachettes. Mon estomac gémit. À part une barre protéinée, je n'ai rien mangé ces douze dernières heures.

Grand-Mère Inconnue me lance un regard complice et me demande si je veux goûter.

— Je n'ai pas le temps. Je dois aller récupérer mon copain.

Ses yeux s'emplissent soudain de larmes.

— Vous n'avez même pas cinq minutes à m'accorder ? Cela fait si longtemps que je suis seule.

Elle touille son ragoût.

— Je n'ai plus de conserves depuis le mois dernier, mais bon, on se débrouille.

Hein ?

De nouveau, elle me jette un regard par-dessus son épaule. Un sourire timide.

— Vous pourriez amener votre ami ici. J'ai des médicaments, et nous prierons ensemble pour lui. Le Seigneur prend soin de ceux qui s'adressent à lui le cœur pur.

J'ai les lèvres sèches, mais l'eau me vient à la bouche. Les pulsations de mon sang résonnent à mes oreilles. Un chat se frotte contre ma cheville, ayant visiblement décidé que je n'étais pas le méchant de l'histoire, après tout.

— Ce ne serait pas une bonne idée, je réponds. Cet endroit n'est pas sûr.

Elle me lance un regard étonné.

— Parce qu'il y a encore des endroits sûrs ?

Je retiens un rire. Elle est vieille, mais drôle. Intelligente. Courageuse. Et elle a gardé la foi. Il lui en a fallu, pour survivre aussi longtemps. L'espace d'un instant, j'envisage d'accepter son offre, de laisser Dumbo ici avec elle pendant que je file aux cavernes pour retrouver Ringer et Teacup. Ce serait peut-être sa meilleure chance – non, sa seule chance.

Je m'éclaircis la gorge.

— Vous disiez que vous n'aviez plus de boîtes de conserve ? Alors qu'est-ce qu'il y a dans ce ragoût ?

Elle porte la cuillère à ses lèvres, ferme les yeux et goûte un peu de bouillon. Le chat à mes pieds lève la tête vers moi et me fixe de ses grands yeux jaunes.

Je devine alors ce qu'elle va me répondre une nanoseconde avant qu'elle le dise :

— Du chat.

D'un geste vif, elle me jette le liquide brûlant au visage. Je trébuche en arrière contre une pile de magazines et perds l'équilibre. Elle bondit sur moi avant même que j'aie touché le sol, agrippe ma veste et me projette à travers la pièce comme un gamin lance une peluche. Quand j'atterris sur le mur opposé, mon fusil tombe de mon épaule. Allongé sur le côté, je pointe mon revolver vers la masse indistincte qui se précipite vers moi.

Elle est trop rapide, ou je suis trop lent – elle fait valser mon revolver loin de ma main. Ses doigts se referment autour de ma gorge. Elle me remet brutalement sur pied, plaque ma tête contre le mur et approche son visage du mien, ses yeux verts brillant de malice.

— Tu ne devrais pas être là, siffle-t-elle. C'est trop tôt.

Ma vision se brouille. *Trop tôt ?* Soudain, je comprends : elle a vu la lentille oculaire. Elle croit que je fais partie de la 5e Vague, qui ne sera pas lancée avant une bonne semaine, après qu'elle aura regagné le ravitailleur, après qu'Urbana et toutes les villes sur Terre auront été détruites.

Je viens de trouver le Silencieux d'Urbana.

18

— CHANGEMENT DE PLAN, je halète.

Elle me laisse juste le minimum d'air. Ses doigts de glace me serrent si fort, je sens une telle puissance en elle que je suis sûr qu'elle pourrait me briser le cou d'un simple geste. Ce serait dommage. Dommage pour Dumbo, pour Ringer et Teacup, et surtout pour moi. La seule chose qui me permet de rester en vie, c'est sa surprise de me voir ici, à des kilomètres de la base la plus proche, dans un endroit qui n'existera bientôt plus.

Tout est de ta faute, Zombie. Tu as eu la chance de la neutraliser, mais tu ne l'as pas saisie.

Que dire ? Elle me faisait penser à ma grand-mère.

En entendant ma réponse, Grand-Mère Silencieuse penche la tête de côté, comme un rapace qui observerait une proie appétissante.

— Changement de plan ? C'est impossible.

— Les renforts aériens ont déjà été appelés, je dis, espérant gagner du temps. Vous n'avez pas entendu l'avion ?

Chaque seconde où je la prends au dépourvu est une seconde de vie gagnée. D'un autre côté, lui annoncer que des bombardiers sont en route est peut-être le chemin le plus court vers la mort la plus rapide.

— Je ne te crois pas. Tu n'es qu'un sale menteur.

Mon fusil est à un mètre de moi. Tout près. Trop loin. La façon dont elle penche la tête quand elle m'observe m'évoque de nouveau un oiseau, un putain de corbeau aux yeux verts, et soudain je la sens – l'intrusion violente d'une conscience qui m'envahit, *sa* conscience, qui pénètre en moi comme une perceuse dans du bois tendre. J'ai l'impression d'être à la fois écrasé et éventré. Aucune partie de moi ne lui demeure cachée. Aucune.

C'est comme Wonderland, sauf que ce ne sont pas mes souvenirs qu'elle extrait, c'est moi.

— Tant de peine, murmure-t-elle. Tant de pertes.

Ses doigts se resserrent sur ma gorge.

— Qui cherches-tu ?

Comme je refuse de répondre, elle serre un peu plus fort. Je n'ai quasiment plus d'air. Des étoiles noires se mettent à danser devant mes yeux. Du lointain, j'entends ma sœur m'appeler. *Oh mon Dieu, Sullivan, tu avais raison.* Cette sorcière n'aurait pas pu m'appliquer une prise d'étranglement si je n'avais pas répondu à cet appel. C'est ma sœur qui m'a amené ici – pas Teacup, ni Ringer.

Du bout des doigts, j'effleure la crosse du fusil. La vieille bouffeuse de chats me rit au visage – souffle aigre et bouche édentée –, tronçonnant mon âme, mâchonnant ma vie tandis qu'elle l'extirpe de moi.

J'entends toujours ma sœur, mais à présent je vois aussi Dumbo roulé en boule derrière le comptoir de ce café, m'appelant de ses yeux désespérés parce qu'il n'a plus la force de parler.

J'irai où tu iras, sergent.

Je l'ai abandonné, comme j'ai abandonné ma sœur, seul et sans défense. Mon Dieu, j'ai même pris son pistolet.

Bordel. Le flingue.

19

Mon premier tir est à bout portant. Droit dans son ventre flasque rempli de chair de chat.

Malgré la balle, mon adversaire ne lâche pas prise. Elle s'agrippe à ma gorge, et continue à serrer. Je réplique à ma façon : un deuxième tir qui atterrit tout près de son cœur. Ses yeux chassieux s'écarquillent légèrement. Enfin, je parviens à insérer mon bras entre nous deux et à la repousser. Ses doigts noueux glissent sur ma gorge, et j'inspire une longue goulée de l'air le plus aigre et infesté de squames que j'aie jamais inspiré. Néanmoins, Grand-Mère Silencieuse n'est pas à terre. Elle se prépare juste pour le deuxième round.

Elle m'assène un coup. Je roule sur ma droite. Sa tête cogne le mur. Je fais de nouveau feu. La balle a beau lui défoncer la cage thoracique, la sorcière s'écarte du mur et rampe vers moi, toussant, crachant des paquets de glaires ensanglantées. La force qui anime ce vieux corps a plus de dix mille ans et contient plus de rage que l'océan ne contient d'eau. De plus, son organisme a été renforcé par une puissante technologie – *Pff ! Qu'est-ce qu'une balle ou deux ? Viens un peu par là, mon garçon !* Quoi qu'il en soit, je ne crois pas que ce soit la technologie qui l'anime.

Mais la haine.

Je recule. Elle avance. Mes chevilles heurtent une pile de journaux. Je tombe à terre dans un grand bruit.

Ses griffes se plantent dans ma botte. Mes mains – qui tiennent le pistolet – sont enfin couvertes de son sang.

Elle arque son dos comme celui d'un chat qui s'étire sur le rebord d'une fenêtre. Sa bouche s'entrouvre, mais aucun son n'en sort, seulement du sang. Elle fait un dernier mouvement brusque en avant. Son front cogne alors le canon de mon arme juste au moment où je presse la détente.

20

JE RAMASSE MON FUSIL – au diable le pistolet – et bondis hors de la pièce. Couloir, escalier, hall de la banque, rue. Enfin de retour au café, je me précipite derrière le comptoir.

Tu as intérêt à être en vie, espèce d'enfoiré aux grandes oreilles !

Il l'est. Pouls faible, souffle rauque, peau grisâtre, mais en vie.

Et maintenant ? Qu'est-ce que je fais ?

Retourner à la maison sécurisée ? C'est l'option la plus sûre, celle qui présente le minimum de risques. Celle que Ringer recommanderait, et c'est elle l'experte, question risques. J'ignore ce que je trouverai dans les grottes, *si jamais* nous y parvenons : il ne faut pas oublier qu'il y a un autre Silencieux là-dehors. Selon toute probabilité, Ringer et Teacup sont déjà mortes, ce qui signifie que je ne me dirige pas seulement vers ma propre exécution, mais que j'entraîne Dumbo vers la sienne.

À moins que je le laisse ici et que je le récupère sur le chemin du retour, *si j'ai la chance de revenir.* Ce serait mieux pour lui, et pour moi. À présent, Dumbo est un fardeau, un handicap.

Donc, finalement, je vais l'abandonner ici. *Hé, Dumbo, je sais que tu as pris une balle pour moi, et tout ça, mais maintenant tu dois te débrouiller seul, mon pote. Moi, je me barre d'ici.* N'est-ce pas comme cela que Ben Parish fonctionne ?

Bordel, Zombie, décide-toi ! Dumbo connaissait les risques, mais il t'a quand même accompagné. C'est lui qui a choisi de prendre la balle à ta place. Si tu fais marche arrière, il aura été blessé pour rien. S'il doit mourir, au moins que sa mort serve à quelque chose.

Je vérifie son bandage histoire de m'assurer qu'il n'a pas perdu plus de sang. Avec douceur, je soulève sa tête et glisse son sac à dos dessous, en guise d'oreiller. Je prends la dernière seringue de morphine dans la trousse médicale et la lui injecte dans l'avant-bras.

Puis je m'allonge à côté de lui, et je chuchote :

— Ne t'inquiète pas, Dumbo, je reviens.

D'une main, je lui effleure les cheveux.

— Je l'ai eue. Cette salope d'Infestée qui t'a tiré dessus. Je lui ai flanqué une balle juste entre les yeux.

Son front est chaud sous ma main.

— Je ne peux pas rester plus longtemps ici, Dumbo. Mais je reviendrai te chercher. Soit je reviendrai, soit je mourrai en essayant. Cela dit, je mourrai sûrement, alors ne te fais pas trop d'illusions.

Je détourne les yeux et regarde ailleurs. Mais il n'y a rien à regarder. Je suis complètement à la ramasse, sur le point de perdre les pédales. Je passe d'une mort brutale à une autre. J'ai l'impression que quelque chose en moi est sur le point de craquer.

Je prends sa main dans la mienne.

— Bon, écoute-moi, espèce de crétin aux oreilles d'éléphant. Je vais retrouver Teacup et Ringer, et on reviendra te chercher. Ensuite, on retournera tous les quatre à la maison, et tout ira bien. Pigé ? Tu m'entends, soldat ? Tu n'as pas le droit de mourir. Compris ? C'est un ordre. *Tu n'as pas le droit de mourir.*

Ses yeux s'agitent sous ses paupières. Peut-être qu'il rêve. Peut-être qu'il est assis dans sa chambre et qu'il joue à *Call of Duty*. Je l'espère.

Alors je l'abandonne, allongé au milieu de grains de café, de nappes en papier et de pièces de monnaie éparpillées.

Dumbo est seul maintenant, tout comme moi. Je plonge dans le cœur sombre d'Urbana. L'escouade 53 a disparu. Elle a été décimée. Certains sont morts, d'autres ont disparu, ou sont en train de mourir, ou de fuir.

Repose en paix, escouade 53.

21

CASSIE

Il faut que je mette de l'ordre là-dedans. Maintenant. Genre illico. *Là-dedans* désignant ma tête.

Quatre heures du matin. Épuisée d'avoir mangé trop de chocolats (merci, Grâce) et de trop d'Evan Walker. Ou pas assez. C'est une *private joke*, si tant est que l'on puisse en faire dans son journal intime. Je parlerai d'intimité plus tard. Ha ! une autre bonne blague ! Vous savez que vous êtes vraiment dans une sale panade quand la seule personne que vous êtes capable de faire rire, c'est vous-même.

La maison est calme. Il n'y a même pas un souffle de vent sur les fenêtres barricadées, seulement le silence du vide, comme si le monde avait cessé de respirer et que j'étais la dernière personne sur Terre. De nouveau.

Bordel, j'aimerais vraiment pouvoir parler à quelqu'un.

Ben et Dumbo sont partis. Tout ce qu'il me reste, c'est Sam, Megan, et Evan. Deux sont endormis dans leur chambre. L'autre (l'Autre ! Ha ! je suis vraiment pitoyable !) est de garde, et c'est quelqu'un avec qui plus je discute, plus je m'embrouille. Depuis un mois maintenant, c'est comme s'il s'étiolait. Il est là, mais il n'est plus là. Il parle, mais il ne dit rien. *Bordel, Evan, où es-tu passé ?* Je crois que j'en ai une petite idée, et ça n'arrange pas mes sentiments pour lui.

Pas plus que l'odeur de sa lotion après-rasage qui flotte dans la pièce. Après le départ de Ben, Evan s'est rasé. Il s'est lavé les cheveux, et s'est récuré le corps pour en éliminer une semaine de crasse. Il s'est même coupé les ongles et a pris soin de ses cuticules négligées. Quand il est apparu dans cette pièce, il ressemblait à l'ancien Evan, le premier Evan, l'Evan que je croyais entièrement humain.

Cet Evan me manque, celui qui m'a extraite de mon linceul de glace et m'a réchauffée, qui m'a préparé des hamburgers, faisait semblant d'être quelqu'un qu'il n'était pas, et cachait celui qu'il était.

L'Evan calme, fort, solide, à qui je pouvais me fier. Pas cet Autre-Evan, l'Evan torturé, hanté, en conflit avec lui-même, qui interrompt ses phrases comme s'il avait peur d'en dire trop, l'Evan qui est déjà parti, déjà *là-haut*, à trois cents kilomètres d'altitude, sans espoir de retour sur Terre. Pas *leur* Evan. *Mon* Evan. Le mec parfait, imparfait. Pourquoi avons-nous toujours les Evan que nous méritons et non pas ceux que nous voulons ?

22

JE ME DEMANDE POURQUOI je me donne la peine d'écrire ça. Personne ne le lira jamais – et si tu le fais, toi, Evan, *je te tuerai.*

Je pourrais aussi bien m'adresser à Nounours. Ça a toujours été facile de lui parler. Nous avons eu de longues heures de conversations, de *bonnes* conversations, durant les semaines où il n'y avait que lui et moi planqués dans les bois. Nounours m'écoute immanquablement avec attention. Il ne parle jamais, pas plus qu'il ne m'interrompt ni ne me plante au milieu d'une discussion. Il n'émet jamais d'objections, et ne me débite aucun mensonge. *J'irai toujours où tu iras*, voilà le mantra de cette peluche.

Nounours est la preuve que le véritable amour n'a pas besoin d'être compliqué – ni même réciproque.

Evan, au cas où tu lirais ceci : je t'échange contre un ours en peluche.

Non que nous ayons déjà formé un couple, Evan et moi.

Je n'ai jamais été ce genre de fille qui rêve tout éveillée au jour prochain de son mariage, ou qui espère rencontrer l'homme parfait pour élever avec lui les 3,2 enfants des statistiques, en banlieue. Quand je pensais à mon avenir, cela incluait en général une grande ville et une belle carrière, ou alors une vie enchanteresse dans un chalet au milieu d'une région boisée, comme le Vermont, à écrire des livres et à faire de longues balades avec un chien que j'appellerais Périclès – ou tout autre nom grec –, histoire de montrer ma vaste culture. Ou bien je serais un médecin qui guérirait des enfants gravement malades en Afrique. Oui, j'aurais un métier important. Une carrière valorisante, et qui sait, peut-être qu'un beau jour quelqu'un remarquerait mon travail, et on m'offrirait une plaque ou une récompense, ou bien on donnerait mon nom à une rue. *Sullivan Avenue. Rue de Cassiopée.* Les mecs ne faisaient pas vraiment partie de mes rêves.

Une fois à l'université, je coucherais avec un garçon. Pas après une soirée de beuverie, ni avec le premier qui me l'aurait demandé, juste pour dire : *Hé, j'ai couché avec un mec !* comme les gens qui testent la nourriture exotique, genre : *Hé, j'ai mangé des sauterelles grillées.* Ça se passerait avec un garçon pour qui j'éprouverais certains sentiments. Pas forcément de l'amour, mais il y aurait au moins entre nous du respect mutuel et de la tendresse. Et bien sûr, il serait mignon. Pourquoi coucher avec quelqu'un qui ne fait pas chavirer vos sens ? Pourtant, c'est ce que bien des gens font. Ou en tout cas ce qu'ils avaient l'habitude de faire. Non, à mon avis, ils continuent.

Pourquoi diable est-ce que je pense au sexe ?

OK, c'est hypocrite. Un mensonge. Bon sang, Cassie, si tu n'es pas capable d'être honnête dans ton propre journal, quand le seras-tu ? Au lieu d'écrire la vérité, tu fais des plaisanteries vaseuses et tu racontes n'importe quoi, comme si dans un million d'années quelqu'un allait lire ça et que cela te gênait d'avance.

Sérieusement.

Au moins, ce soir, quand il est venu, il a d'abord frappé. Evan a toujours tenu aux limites. Il frappe à la porte, puis il entre en plusieurs étapes : la tête, les épaules, le torse, les jambes. Il reste dans l'embrasure durant une minute, style : *C'est bon, je peux entrer ?* J'ai aussitôt remarqué le changement : fraîchement rasé, les cheveux encore mouillés, il portait un jean propre et un T-shirt avec une inscription : Ohio.

Evan Walker a de beaux biceps. Ce n'est pas très important de mentionner cela, vu que c'est un muscle que tout le monde possède. Mais j'avais juste envie de l'écrire.

Je m'attendais à le voir avec son air embarrassé – style : *Ah, zut !* Il arborait souvent cette expression là-bas, dans sa vieille ferme. Au lieu de cela, j'ai eu droit aux sourcils froncés, à la bouche légèrement tournée vers le bas, et aux yeux troublés d'un poète qui contemplerait le vide, ce qu'il était sûrement – pas un poète, mais un observateur du vide.

Je lui fis de la place sur le lit. Il n'y avait pas d'autre endroit où s'asseoir. Même si nous n'avions jamais commis l'*acte*, j'avais l'impression que nous étions deux vieux amants contraints de se revoir pour la pénible négociation de séparation des biens : qui conserve l'argenterie et comment allons-nous diviser les souvenirs de tous nos voyages ?

Je perçus alors la délicieuse senteur de sa lotion après-rasage Ralph Lauren.

J'ignore pourquoi Grâce gardait autant de produits réservés aux hommes. Peut-être appartenaient-ils aux précédents propriétaires de la maison, et elle ne s'était jamais donné la peine de les jeter ? À moins qu'elle ait couché avec ses victimes avant de leur faire exploser la tête, d'arracher leur cœur, ou de les dévorer vivantes comme une veuve noire arachnéenne.

Evan s'était coupé le menton en se rasant ; il y avait une légère goutte de cet astringent blanc sur la petite entaille, défaut mineur dans son visage sinon parfait d'un autre monde. C'était comme un soulagement. Les gens parfaits et sans aucun défaut m'ennuient un max.

— Je suis allé voir les gamins, annonça-t-il.

— Et ?

— Tout va bien, ils dorment.

— Qui est de garde ?

Il me fixa durant quelques secondes inconfortables. Puis il baissa les yeux sur ses mains. Je fis de même. Il présentait si bien lors de notre première rencontre que j'avais eu l'impression de me trouver face à la personne la plus narcissique de la planète. *Ça me donne l'illusion d'être plus humain*, m'avait-il dit, à propos de sa tendance à être toujours nickel. Plus tard, quand j'avais découvert qu'il n'était pas humain, je crois que j'avais compris ce qu'il essayait de découvrir. Encore plus tard – et par *encore plus tard*, je veux dire maintenant –, j'avais compris que la propreté n'est pas forcément l'image de la netteté de l'âme, mais qu'elle est absolument indissociable du fait d'être humain.

— Ça ira, chuchota-t-il.

— Non, ça n'ira pas. Ben et Dumbo vont mourir. Toi aussi, tu vas mourir.

— Non, je ne vais pas mourir.

Il n'évoqua ni Ben ni Dumbo.

— Et comment comptes-tu quitter le ravitailleur quand tu auras posé les bombes ?

— Par le même chemin qu'à l'aller.

— La dernière fois que tu as voyagé dans une de vos capsules, tu t'es brisé plusieurs os et tu as failli mourir, je lui rappelle.

Il esquissa un sourire.

— C'est l'un de mes loisirs préférés : être sur le point de mourir.

Je détournai le regard de ses mains. Ses mains qui me retenaient quand je tombais, me réchauffaient quand j'avais froid, me nourrissaient quand j'avais faim, me guérissaient quand j'étais blessée, me lavaient quand j'étais couverte de débris de la forêt et de sang. *Tu vas détruire toute ta civilisation, et pour quoi ? Pour une fille.* On pourrait penser qu'un tel sacrifice me donnerait l'occasion de me sentir un peu spéciale. Mais ce n'était pas le cas. C'était même plutôt bizarre. Comme si l'un d'entre nous était dingue, mais que le plus dingue n'était pas moi.

Je ne voyais aucun élément romantique dans ce génocide, mais peut-être était-ce dû à mon absence d'expérience amoureuse. Détruirais-je l'humanité pour sauver Evan ? Probablement pas.

Évidemment, il existe différentes formes d'amour. Tuerais-je chaque être sur Terre pour sauver Sam ? Mmm… Difficile de répondre à cette question.

— Quand tu étais presque mort… tu étais protégé, en quelque sorte, n'est-ce pas ? Cette technologie qui fait de toi un super-humain – tu as dit qu'elle était tombée en panne lorsque tu essayais de rejoindre l'hôtel. Donc, cette fois, tu ne pourras pas compter dessus.

Il haussa les épaules. Il eut de nouveau cette attitude embarrassée. Cela me rappela tout ce que j'ai découvert depuis nos premiers jours à la ferme, et je fis mon possible pour résister à l'envie de le gifler.

— Evan, ce que tu vas faire, ce n'est pas pour moi, ou… ce n'est pas *juste* pour moi, tu le comprends, n'est-ce pas ?

— Il n'y a pas d'autre moyen d'arrêter tout cela.

Le voilà qui reprend son air de poète tourmenté.

— Tu avais pourtant évoqué autre chose, juste avant la dernière fois où tu as failli mourir. Tu te souviens ? Désamorcer la bombe dans la gorge de Megan pour mieux la faire sauter.

— Difficile à faire sans la bombe.

— Grâce n'en a pas un stock caché quelque part dans la maison ?

Non, au lieu de cela, elle avait gardé une bonne réserve de lotions après-rasage. Que voulez-vous, ce sont les priorités post-apocalyptiques.

— La mission de Grâce n'était pas de faire sauter quoi que ce soit. Son but, c'était de tuer des gens.

— Et de coucher avec.

Je n'avais pas l'intention de sortir ça – mais de toute façon, je n'ai jamais l'intention de dire 80 % de ce que je dis.

Quoi qu'il en soit, quelle importance s'ils avaient couché ensemble ? C'est quand même idiot de s'en soucier alors que le sort de la planète est en jeu. C'est stupide. Absolument dérisoire. Les mains qui m'ont tenue, tenant Grâce. Le corps qui m'a réchauffée, réchauffant le sien. Les lèvres qui ont effleuré les miennes, effleurant les siennes. Ça n'a pas d'importance, je m'en fiche, Grâce est morte. Si seulement je n'avais jamais prononcé cette phrase !

— Grâce a menti. Nous n'avons jamais…

— Je m'en fiche, Evan. Ça n'a aucune importance. Grâce était une machine à tuer absolument superbe. Quel homme aurait pu résister à ses charmes ?

Il posa sa main sur la mienne.

— Je te le dirais si nous l'avions fait.

Quel menteur ! Je pourrais remplir le Grand Canyon de toutes ces choses qu'il a refusé de m'avouer. Je retirai ma main, et fixai ses yeux couleur chocolat fondant.

— Tu n'es qu'un menteur.

Il me surprit en acquiesçant d'un hochement de tête.

— Oui. Mais pas à ce sujet.

Oui ?

— Sur quoi est-ce que tu m'as menti ?

Il secoua la tête. *Stupide humaine !*

— Sur ma véritable personnalité.

— Et qui es-tu exactement ? Tu m'as dit *ce* que tu étais, mais jamais *qui* tu es. Qui es-tu, Evan Walker ? D'où viens-tu ? À quoi ressemblais-tu avant de ne ressembler à rien ? Et à quoi ressemblait ta planète ? À la nôtre ? Est-ce qu'il y avait des plantes, des arbres, des rochers, des villes ? Qu'est-ce que tu faisais pour t'amuser ? Y avait-il de la musique ? La musique est universelle, comme les mathématiques. Est-ce que tu peux me chanter une chanson ? Chante-moi une chanson extraterrestre, Evan. Raconte-moi comment c'était de grandir là-bas. Es-tu allé à l'école, ou tes connaissances ont-elles été téléchargées dans ton cerveau ? À quoi ressemblaient tes parents ? Est-ce qu'ils travaillaient, comme les parents humains ? Avais-tu des frères et des sœurs ? Est-ce que tu faisais du sport ? Commence par n'importe quoi, mais raconte-moi.

Il esquissa un petit sourire indulgent.

— Oui, nous faisions du sport.

— Je n'aime pas le sport. Commence plutôt par la musique.

— Nous avions aussi de la musique.

— Je t'écoute.

Je croisai les bras sur ma poitrine et j'attendis.

Il ouvrit la bouche. Puis la referma. Allait-il rire ou pleurer ?

— Ce n'est pas aussi simple, Cassie.

— Je ne te demande pas une performance digne d'un véritable artiste. Moi aussi, je chante faux, mais ça ne m'a jamais empêchée d'essayer d'imiter Beyoncé.

— Qui ça ?

— Oh, je t'en prie. Tu dois bien savoir qui c'est.

Il secoua la tête. Après tout, il n'a peut-être pas grandi dans une ferme, mais sous un rocher. En même temps, ce serait plutôt curieux pour un être supérieur vieux de dix mille ans d'être au courant des dernières nouveautés de la pop, mais on parle quand même de Beyoncé, là ! Ce mec était encore plus bizarre que je ne le croyais.

— Tout est différent. Sur le plan structurel, je veux dire, lâcha-t-il.

D'un geste, il désigna sa bouche, et tira la langue.

— Je ne peux même pas prononcer mon propre nom.

— Dans ce cas, fredonne-moi quelque chose. Ou siffle. Est-ce que tu pouvais siffler, ou bien tu n'avais pas de lèvres ?

— Rien de tout cela n'a plus d'importance, Cassie.

— Tu te goures. Ça en a beaucoup. Ton passé fait de toi ce que tu es, Evan.

Des larmes brillèrent dans ses yeux.

— Mon Dieu, Cassie, j'espère que non.

Il leva ses mains fraîchement savonnées, aux ongles parfaits, vers moi. Ses mains qui tenaient l'arme qui a massacré des innocents avant d'être sur le point de me tuer.

— Si le passé représente ce que nous sommes…

Il était peut-être sur le point de me faire remarquer que nous avons tous commis des actes dont nous ne sommes pas fiers, mais c'était trop flippant. Même pour moi.

Bon sang, Cassie. Tu étais obligée de lui faire penser à tout ça ? J'étais si obsédée par le passé que j'en oubliais ce que je savais : pour sauver ceux qu'il était venu exterminer, Evan Walker le Silencieux avait prévu de détruire à jamais toute une civilisation – la sienne.

Non, Ben Parish. Il ne fait pas cela pour une fille. Mais pour le passé auquel il ne peut échapper. Pour les sept milliards. Y compris ta petite sœur.

Avant que je comprenne ce qui se passait, ou même comment cela était arrivé, je l'enlaçai. Mes mains le caressaient, des mains qui ne l'avaient jamais réconforté, jamais sauvé, jamais trouvé quand il était perdu. Depuis l'instant où il m'avait récupérée dans cette immensité de neige, j'avais été son fardeau, sa mission, sa croix. La douleur de Cassie, la peur de Cassie, la colère de Cassie, le désespoir de Cassie. Voilà les clous qui l'avaient crucifié.

J'effleurai ses cheveux trempés. Je lui frottai le dos. Je plaquai son doux visage au délicieux parfum contre mon cou et sentis ses larmes chaudes sur ma peau. Il chuchota quelque chose qui sonnait comme « Éphémère ».

Garce sans cœur aurait été plus approprié.

— Je suis désolée, Evan. Je suis tellement désolée.

Je baissai la tête ; il leva la sienne. J'embrassai sa joue humide. *Ton chagrin, ta peur, ta colère, ton désespoir. Donne-les-moi, Evan. Je vais les porter quelque temps.*

Il tendit le bras vers moi et, du bout des doigts, effleura mes lèvres mouillées de ses larmes.

— *La dernière personne sur Terre,* murmura-t-il. Tu te souviens d'avoir écrit ça ?

J'acquiesçai d'un hochement de tête.

— C'était stupide.

Il secoua la tête.

— Quand j'ai lu cette phrase – *La dernière personne sur Terre*... Je crois que c'est ce qui a tout déclenché, parce que j'éprouvais la même chose.

Je ne cessais de tripoter son vieux T-shirt.

— Tu ne reviendras pas, dis-je, car lui ne pouvait pas le dire.

Il me caressa les cheveux. Je frémis. *Ne fais pas ça, crétin. Ne me touche pas comme si tu n'allais plus jamais me toucher. Ne me regarde pas comme si tu n'allais plus jamais me voir.* Je fermai les yeux. Nos lèvres se rencontrèrent.

La dernière personne sur Terre. Les yeux clos, je la vois se promener en forêt, dans le Vermont, une région où elle n'est jamais allée et n'ira jamais, sur un chemin tapissé de feuilles rouge et or. Un chien, nommé Périclès, gambade devant elle. Cette fille – non, cette femme – a tout ce qu'elle a toujours voulu. Elle a voyagé dans le monde entier, écrit des livres, eu des amants et brisé des cœurs. Elle ne s'est pas contentée de vivre sa vie. Elle l'a façonnée comme elle le désirait.

Le souffle chaud d'Evan à mon oreille. Telle une lionne affamée, je griffe son torse, j'enfonce mes ongles dans sa peau. *Toute résistance est inutile, Walker.* Jamais je ne me promènerai sur ce chemin teinté d'or, pas plus que je n'aurai de chien nommé Périclès ou que je voyagerai dans le monde entier. Il n'y aura jamais de prix couronnant ma carrière, de rue qui porte mon nom, et le monde ne sera pas transformé par mon existence. Ma vie n'est qu'un catalogue de choses non faites et qui ne le seront jamais. Les Autres m'ont volé tous mes futurs souvenirs, mais ils ne me prendront pas celui-ci.

Mes mains parcourent son corps, territoire inconnu que j'appellerai désormais pays d'Evan. Collines et vallées, plaines désertes et vallons boisés, un paysage marqué des cicatrices de la bataille, sillonné de crevasses et de perspectives inattendues. Et moi, je suis Cassie la conquistador. Plus je conquiers de territoires, plus j'en veux.

Son torse se soulève : séisme souterrain qui surgit à la surface comme la vague d'un tsunami. Ses yeux se remplissent d'une émotion qui ressemble à la peur.

— Cassie…

— Tais-toi.

Ses doigts s'emmêlent dans mes cheveux.

— On ne devrait pas faire ça.

Je retiens un rire. *La liste des « à ne pas faire » est terriblement longue, Evan.* Je griffe son ventre de mes dents. Sous ma langue, sa peau frémit.

On ne devrait pas. Non, on ne devrait probablement pas. Certains désirs ne peuvent jamais être satisfaits. Certaines découvertes avilissent la quête.

— Ce n'est pas le moment..., halète-t-il.

Je pose ma joue sur son ventre et écarte une mèche de cheveux de mes yeux.

— Quand est-ce que ce sera le bon moment, Evan ?

Ses mains capturent mes doigts vagabonds, et les emprisonnent.

— Tu as dit que tu m'aimais, je chuchote.

Bordel, Evan Walker, pourquoi as-tu dit un truc aussi stupide ? Personne ne vous explique jamais à quel point la rage est proche du désir. À dire vrai, l'espace entre les molécules est plus large.

— Tu n'es qu'un menteur, un menteur de la pire espèce, du genre qui se ment à lui-même. Tu n'es pas amoureux de moi. Tu es amoureux d'une idée.

Il détourna les yeux. C'est comme ça que je sus que j'avais visé juste.

— Quelle idée ?

— Tu le sais très bien.

Je me levai et retirai mon T-shirt. Je baissai les yeux vers lui, le mettant au défi de me regarder. *Regarde-moi, Evan. Regarde-moi. Pas la dernière personne sur Terre, celle qui tenait encore debout en hommage à tous ceux que tu as tués sur l'autoroute. Je ne suis pas l'Éphémère ; je suis Cassie, une fille ordinaire venant d'un endroit ordinaire qui a été assez stupide, ou assez malchanceuse, pour vivre assez longtemps afin que tu la trouves. Je ne suis ni ton fardeau, ni ta mission, ni ta croix.*

Je ne suis pas l'humanité.

Il tourna son visage vers moi, comme s'il capitulait. Parfait. Je fis glisser mon jean sur mes hanches et le repoussai d'un geste du pied. J'étais incapable de me rappeler un moment où j'aurais été aussi en colère – ou si triste – ou si… J'avais envie de le frapper, de le caresser, de le serrer contre moi. Je voulais qu'il meure. Je voulais mourir. Mais plus que tout, je n'étais absolument pas gênée, et ce n'était pas seulement parce qu'il m'avait déjà vue nue.

Cette fois-là, je n'avais pas eu le choix. J'étais inconsciente, quasi morte. Aujourd'hui, j'étais éveillée, et tout à fait consciente.

Comme j'aurais aimé qu'il y ait une multitude de lampes pour m'éclairer. J'aurais voulu un énorme spot et une loupe géante afin qu'il puisse examiner chaque centimètre imparfait de ma parfaite humanité.

— Ce n'est pas le temps qui compte, Evan, je lui rappelle, mais ce que nous en faisons.

23

RINGER

À DIX MILLE CINQ CENTS MÈTRES D'ALTITUDE, il est difficile de dire ce qui paraît le plus petit : la Terre en dessous de vous, ou la personne au-dessus de la planète, qui file vers le bas.

Plein nord et à quelques kilomètres des cavernes, Constance dégrafe son harnais et attrape son parachute dans le casier au-dessus de nos têtes. Dernière vérification avant de sauter. Nous nous élancerons de cette hauteur pour éviter d'être remarquées depuis le sol. C'est très risqué, mais pas plus que de sauter de mille cinq cents mètres sans parachute.

Constance a dû entendre parler de mon fameux saut depuis l'hélicoptère sans pilote, car elle dit :

— Ce sera plus facile que la dernière fois, n'est-ce pas ?

Je lui réponds d'aller se faire foutre, elle me sourit. Tant mieux. Je ne tiens pas à éprouver une quelconque sympathie pour elle. Sinon, il me sera difficile de la tuer.

Enfin, plus difficile. Car j'ai toujours l'intention de lui ôter la vie.

— Trente secondes ! crie la voix du pilote dans nos oreilles.

Constance vérifie mon parachute. Je vérifie le sien. La porte latérale s'ouvre. Nous jetons nos casques audio sur les sièges. Nos mains gantées agrippent le câble. Nous nous dirigeons vers la gueule hurlante du vide, le vent glacial fouettant nos visages. Soudain, le C-160 se met à tanguer, secoué par une turbulence. Mon estomac se crispe. J'ai dû combattre mon envie de vomir pendant presque tout le vol. Autant que je fasse cela maintenant, plutôt que durant ma chute. Ainsi, je pourrai dégueuler directement sur le visage de Constance.

Pourquoi le hub n'a-t-il pas verrouillé mon système digestif ? C'est bizarre, j'ai l'impression qu'un vieil ami me laisse tomber.

Une seconde après Constance, je saute dans la gueule noire d'une nuit sans lune. Nous ne déploierons nos parachutes que bien après avoir atteint notre vitesse finale. Grâce à ma vision renforcée, je vois parfaitement le lieutenant, à quinze mètres en dessous de moi, un peu sur ma gauche. Le temps ralentit tandis que ma vitesse s'accélère ; j'ignore si c'est à cause du hub, ou s'il s'agit d'une réaction naturelle quand on tombe à cent cinquante kilomètres-heure. Je n'entends plus l'avion. Seul le vent m'entoure.

Six mille mètres d'altitude. Cinq mille. Trois mille. Je perçois une autoroute, des champs vallonnés, des groupes d'arbres aux branches nues. Plus je m'approche, plus ils semblent foncer vers moi. Mille cinq cents mètres. Mille. La distance minimale avec le sol pour un déploiement en toute sécurité est de deux cent cinquante mètres, mais c'est quand même un peu risqué.

Constance tire sur sa corde un petit peu avant. Moi je suis juste en dessous – le sol se précipite vers moi comme le museau d'un TGV.

Mon parachute s'ouvre.

Je plie les genoux au moment de l'impact, bascule l'épaule vers le sol, roule deux fois sur moi-même, puis m'immobilise sur le dos, emmêlée dans les cordes. Constance se rue sur moi avant que j'aie le temps de reprendre mon souffle, et me libère en quelques coups de couteau. Elle me tend la main pour m'aider à me relever, me fait un signe victorieux du pouce, traverse le champ en direction des deux silos plantés près de la barrière rouge. À un jet de pierre se dresse la ferme, toute blanche.

Maison blanche, barrière rouge, petite route de campagne : nous n'aurions pas pu tomber dans un coin plus typique de l'Amérique. Et devinez un peu comment s'appelle le hameau dans lequel se trouvent les cavernes : West Liberty.

Je rejoins Constance vers le silo où elle s'affaire à retirer sa combinaison. En dessous, elle porte un jean et un sweat à capuche. Elle n'a aucune arme, mis à part le couteau enfoui dans un étui accroché à sa jambe.

— À cinq cents mètres au sud-ouest d'ici, souffle-t-elle. L'entrée des cavernes. Nous avons quelques heures d'avance sur eux.

Eux : Zombie et celui ou celle qui a été assez dingue pour l'accompagner afin de nous retrouver, Teacup et moi. Sûrement Poundcake. Mon cœur se serre : je vais devoir leur révéler ce qui est arrivé à Teacup.

— Tu restes ici et tu attends mon signal, poursuit Constance.

Je secoue la tête.

— Non, je viens avec vous.

Elle me fait ce sourire idiot.

— Chérie, je suis sûre que tu préférerais rester ici.

— Pourquoi ?

— Sinon notre couverture ne tiendra pas.

L'étau autour de mon estomac se resserre un peu plus. Les survivants. Constance a l'intention de tuer tous ceux qu'elle trouvera planqués dans ces cavernes, ce qui doit représenter pas mal de monde. Des douzaines, peut-être des centaines de personnes. Ça risque d'être dur, cependant. Ces gens sont sûrement très bien armés, et méfiants envers les inconnus – vu tout ce qui s'est passé depuis leur Arrivée, il est difficile d'imaginer que quelqu'un ne soit pas au courant de la 4e Vague. Finalement, je n'aurai peut-être pas besoin de tuer Constance. Ces personnes s'en chargeront pour moi.

C'est une idée agréable. Irréelle, mais agréable. Ma pensée suivante n'est pas très plaisante non plus, alors je bredouille la première chose qui me vient à l'esprit :

— Inutile de nous rendre aux cavernes. Nous pouvons intercepter Zombie avant qu'il arrive là-bas.

Constance secoue la tête.

— Ce ne sont pas les ordres.

— Vos ordres consistent à trouver Zombie.

Pas question de transiger. Autrement, des victimes innocentes mourront. Je n'ai rien contre le fait de tuer des gens – j'ai bien l'intention de *tuer* Constance et Evan Walker –, mais ce massacre d'innocents peut être évité.

— Je sais que ça te tracasse, Marika. C'est pourquoi j'irai seule.

— C'est un risque idiot.

— Mais toi, tu tires des conclusions sans connaître tous les faits, rétorque-t-elle.

Ça, c'est le problème depuis le départ – depuis le commencement de l'histoire de l'humanité, en fait.

Ma main se porte sur mon arme. Constance le remarque. Son sourire illumine la nuit.

— Tu sais ce qui arrivera si tu fais ça, me prévient-elle avec douceur, un peu comme une grande sœur qui veillerait sur moi. Tes amis – ceux pour lesquels tu es revenue –, combien de vies valent leurs vies ? Si une centaine de personnes devait mourir afin qu'ils puissent vivre… ou un millier, ou dix mille, ou dix millions… quand est-ce que tu dirais assez ?

Je connais cet argument. C'est celui de Vosch. Le leur. Que sont sept milliards de vies quand l'existence elle-même est en jeu ? Ma gorge me brûle. Une vague acide remonte dans ma bouche.

— C'est un mauvais choix, je réponds.

Un dernier essai, une supplique :

— Vous n'avez pas à tuer tout le monde pour atteindre Walker.

Elle hausse les épaules. À l'évidence, je ne parviens pas à la convaincre.

— Si je ne le fais pas, aucune de nous ne vivra assez longtemps pour avoir cette chance.

Elle lève le menton et détourne légèrement la tête.

— Frappe-moi.

D'un geste vif, elle se tapote la joue droite.

— Ici.

Pourquoi pas, après tout ? Mon coup la fait vaciller sur ses talons. Elle secoue la tête avec impatience, et tend l'autre joue.

— Encore. Plus fort, cette fois, Marika. *Fort.*

Je la cogne plus fort. Suffisamment pour lui briser un os. Son œil gauche commence illico à gonfler, mais elle ne ressent aucune douleur. Pas plus que moi.

— Merci, dit-elle, ravie.

— Pas de problème. Je suis à votre entière disposition pour ce genre de truc.

Elle lâche un petit rire. En d'autres circonstances, je pourrais jurer qu'elle m'apprécie, qu'elle me trouve sympathique. Soudain, elle disparaît si vite que seule une vision renforcée comme la mienne est capable de la suivre, tandis qu'elle file à travers le champ jusqu'à la route qui mène aux cavernes, puis coupe par les bois, côté nord-ouest.

Dès qu'elle est hors de vue, je me laisse tomber à terre, tremblante, l'estomac en vrac. Je commence franchement à me demander s'il n'y a pas une faille dans le douzième système. Je me sens comme une merde.

Je m'adosse au métal froid du silo et ferme les yeux. L'obscurité sous mes paupières tourne autour d'un centre invisible – la singularité avant la création de l'univers. Je vois Teacup qui tombe loin de moi, et j'entends l'écho du coup tiré par l'arme de Razor qui résonne dans cet espace intemporel. Teacup chute sans que je puisse la retenir, mais elle sera toujours *ma* Teacup.

Razor se trouve là, lui aussi, dans le centre absolu de ce rien absolu, le sang de la blessure qu'il s'est infligée encore frais sur son bras. *VQP*. Il savait que sacrifier Teacup lui coûterait sa propre vie. Je suis sûre que durant la nuit que nous avons passée ensemble, il avait déjà décidé de la tuer – parce que la tuer était le seul moyen de me libérer.

Me libérer pour quoi, Razor ? Endurer pour conquérir quoi ?

Les yeux toujours clos, je sors mon couteau de combat de l'étui accroché à ma cheville. J'imagine Razor dans l'embrasure de la porte de l'entrepôt ; la lueur dorée du bûcher funéraire à l'extérieur qui descend sur ses traits fins ; ses yeux perdus dans l'obscurité tandis qu'il relève ses manches. Le couteau dans sa main, ce jour-là. Le couteau dans ma main, aujourd'hui. Il a dû grimacer quand la pointe a entaillé sa peau. Pas moi.

Je ne ressens rien. Je suis noyée dans le grand rien, la réponse au pourquoi de Vosch. Je peux sentir l'odeur du sang de Razor. Mais pas le mien, parce que rien ne coule à la surface de ma blessure ; des milliers de drones microscopiques ont étanché le flot.

V : comment conquérir ce qui ne peut être conquis ?

Q : qui peut gagner quand plus personne ne peut plus rien endurer ?

P : qu'advient-il quand tout espoir a disparu ?

Hors de la singularité, une voix s'élève :

— Ma chère enfant, pourquoi pleures-tu ?

J'ouvre les yeux.

Devant moi se tient un prêtre.

24

En tout cas, il est vêtu comme un prêtre.

Pantalon noir. Chemise noire. Col blanc, jauni par la sueur, tacheté de rouille. Il se tient juste hors de portée, cet homme de petite taille qui se dégarnit, au visage grassouillet, enfantin. Il remarque le couteau dans ma main et lève aussitôt les siennes.

— Je ne suis pas armé.

Sa voix haut perchée est aussi juvénile que ses traits.

Je lâche mon couteau et sors mon revolver.

— À genoux ! Les mains sur la tête !

Il obéit sur-le-champ. Je jette un coup d'œil vers la route. *Qu'est-il arrivé à Constance ?*

— Je ne voulais pas t'effrayer, dit-il. Ça fait des mois que je n'ai vu personne. Tu es avec les militaires, n'est-ce pas ?

— Fermez-la ! Pas un mot !

— Bien sûr ! Je… désolé.

Il referme la bouche. Ses joues sont rouges de peur, ou peut-être d'embarras. Je passe derrière lui. Il reste parfaitement immobile pendant que, d'une main, je vérifie son torse.

— D'où venez-vous ? je demande.

— De Pennsylvanie…

— Non. D'où est-ce que vous arrivez, maintenant ?

— Je vis dans les cavernes.

— Avec qui ?

— Personne ! Je te l'ai dit, je n'ai pas vu âme qui vive depuis des mois. Depuis novembre…

Il y a un objet en métal dur dans sa poche droite. Je le sors. Un crucifix. Il a connu des jours meilleurs. La patine dorée est abîmée ; le visage du christ est si usé qu'il n'est plus qu'une bosse lisse. Je songe au soldat au crucifix de Sullivan, le mec blessé terré à côté d'armoires réfrigérées.

— S'il te plaît, gémit-il, ne me le prends pas.

Je jette le crucifix dans l'herbe sèche entre les silos et la barrière. Où diable est Constance ? Comment se fait-il que ce type ne soit pas tombé sur elle ? Et, plus important, comment l'ai-je laissé arriver jusqu'à moi ?

— Où est votre manteau ?

— Mon manteau ?

Je passe devant lui et lève mon arme au niveau de son front.

— Il gèle. Vous n'avez pas froid ?

— Oh. Oh !

Il lâche un rire nerveux. Ses dents sont comme le reste de sa personne : négligées, sales.

— J'ai complètement oublié de le prendre. J'étais si excité quand j'ai entendu l'avion – j'ai cru que les secours étaient enfin arrivés.

Son sourire s'évanouit.

— Tu es là pour me secourir, n'est-ce pas ?

Mon doigt tripote la gâchette. *Parfois, tu es au mauvais endroit au mauvais moment et ce qui arrive n'est la faute de personne*, j'ai dit à Sullivan quand elle m'a raconté son histoire de soldat au crucifix.

— Puis-je te demander quel âge tu as ? Tu me parais trop jeune pour être soldat.

— Je ne suis pas un soldat, je dis.

Car c'est le cas.

Je suis le prochain pas dans l'évolution de l'humanité.

Je lui réponds en toute honnêteté :

— Je suis un Silencieux.

25

Il bondit vers moi, une explosion de rose pâle – son visage – et de noir – ses vêtements. L'éclair de ses dents minuscules – et le revolver tombe de ma main. Le souffle brise mon poignet. Le coup suivant me projette à deux mètres en arrière, droit dans le silo. Le métal crisse et se referme autour de moi comme un taco. À présent, je comprends mieux les paroles de Constance : *Tu tires des conclusions sans connaître tous les faits.*

Elle ne se rendait pas dans ces cavernes pour neutraliser des survivants, mais pour réduire un Silencieux au silence.

Merci, Constance. Vous auriez pu me mettre au courant.

Le fait de ne pas mourir sous l'impact me sauve la vie. Le faux prêtre s'arrête, et penche curieusement la tête vers moi, à la manière d'un oiseau. Je devrais être morte, ou au moins inconsciente. Comment se fait-il que je tienne encore debout ?

— Eh bien ! C'est… étrange.

Durant plusieurs secondes, aucun de nous ne bouge. J'ai déjoué son plan. *Essaie de gagner du temps, Ringer. Attends que Constance revienne.*

Si Constance revient.

Elle est peut-être morte.

— Je ne suis pas l'une d'entre vous, je dis, en me dégageant de ma prison de métal. Vosch m'a offert le douzième système.

Son expression perplexe ne change pas, mais ses épaules se crispent. C'est la seule explication qui ait un sens, pourtant elle ne fait aucun sens.

— De plus en plus étrange ! murmure-t-il. Pourquoi le commandant augmenterait-il la puissance d'une humaine ?

L'heure des mensonges est arrivée. L'ennemi m'a enseigné que de grandes choses peuvent être accomplies grâce au plus petit des mensonges.

— Il s'est retourné contre vous. Il nous a donné le douzième système, à nous tous.

Il secoue la tête et sourit. Il sait que je raconte des conneries.

— Et nous sommes venus pour vous, je continue. Avant que la capsule de sauvetage vous ramène au ravitailleur.

Mon fusil est par terre, à un mètre de son pied. J'ignore où mon revolver a atterri. Le couteau est tout près, quasiment à mi-chemin entre nous deux. À l'évidence, le prêtre s'attend à ce que j'essaie de m'en emparer.

OK, mon mensonge ne semble pas fonctionner. Je vais tenter de dire la vérité, mais qui sait où cela me mènera ?

— Je perds peut-être mon temps à vous dire ceci, mais vous devez savoir que vous êtes aussi humain que moi. Ils se sont servis de vous, comme de tout le monde. Tout ce que vous croyez savoir à votre sujet, tout ce dont vous vous souvenez, ce ne sont que des mensonges. Tout.

Il hoche la tête et me sourit comme on sourit à un débile. *Voilà le signal, Constance. Il est temps que tu sortes de l'ombre et que tu plonges ton couteau dans son dos.* Hélas, Constance rate son entrée.

— Je suis perdu, lâche-t-il. Que dois-je faire de toi ?

— Je l'ignore, je réponds en toute honnêteté. Mais ce que je sais, c'est que je vais saisir ce couteau et vous égorger comme un cochon.

Je ne regarde pas le couteau. Je sais que si je le regarde, je n'aurai pas une chance – il comprendra aussitôt la ruse. En ne regardant pas, je l'oblige à regarder. Il baisse les yeux juste une seconde, mais c'est bien plus qu'il ne m'en faut.

La coque en acier de ma botte atterrit droit sous son menton. Son corps fluet voltige sur trois mètres puis tombe dans un bruit sourd. Avant qu'il puisse se remettre sur pied, le couteau quitte ma main et vole vers sa gorge. Il l'attrape en l'air, en un geste si gracieux que je ne peux m'empêcher de l'admirer.

Je plonge vers mon fusil. Le prêtre me bat de vitesse ; il me frappe la tempe, je tombe. Ma bouche embrasse le sol ; ma lèvre supérieure se fend. Et voilà. À présent, il va me trancher la gorge. Il va s'emparer du fusil et me faire exploser le cerveau. Je ne suis qu'un amateur, une débutante toujours en train de s'accoutumer à ce système renforcé alors que lui vit avec depuis son adolescence.

Il m'agrippe les cheveux et me renverse sur le dos. Du sang emplit ma bouche, j'ai un haut-le-cœur. Le prêtre me surplombe de toute sa hauteur, couteau dans une main, fusil dans l'autre.

— Qui es-tu ?

Je crache un filet de sang.

— Je m'appelle Ringer.

— D'où es-tu ?

— Je suis née à San Francisco…

Il me donne un coup dans les côtes. Sans utiliser toute sa force, sinon il m'aurait perforé un poumon ou écrasé la rate. Il ne tient pas à me tuer – pas encore.

— Pourquoi es-tu ici ?

Je le regarde droit dans les yeux.

— Pour vous tuer.

Il jette le fusil au loin. Mon arme vole sur une bonne centaine de mètres, traverse la route et atterrit dans le champ à côté. Le prêtre m'attrape par la gorge et me soulève en l'air. Mes pieds quittent le sol. Il tourne la tête : le corbeau curieux, la chouette vigilante.

Rien ne peut me protéger de l'attaque suivante. Sa conscience pénètre sauvagement mon esprit, avec une telle force que mon système autonome se ferme. Je suis plongée dans une obscurité totale. Aucun bruit, aucune vision, aucune sensation. Son esprit fouille le mien, et ce que je sens en lui est une haine plus vaste que l'univers, une rage infinie, un dégoût absolu et, aussi étrange que cela puisse paraître, *de l'envie.*

— Aaah, soupire-t-il. Qui cherches-tu ? Pas ceux qui étaient perdus. Une petite fille, un garçon triste et sentimental. Ils sont morts pour que tu puisses vivre. Oui ? Oui. Oh, comme tu es seule. Comme tu es vide !

Dans le vieil hôtel, je serre Teacup contre moi, m'efforçant de la réchauffer. Razor me tient contre lui dans les entrailles de la base, luttant pour me garder en vie. C'est un cercle lié par la peur, Zombie.

— Mais il y a quelqu'un d'autre, murmure le prêtre. Mmmm… Est-ce que tu sais de qui il s'agit ?

Son léger rire s'interrompt soudain. Je sais pourquoi. Il n'y a aucun doute. Nous ne formons qu'une. Il a découvert Constance et son sourire idiot.

Il m'envoie voltiger comme il l'a fait avec le fusil – avec un dédain total, je ne suis à ses yeux qu'une humaine inutile, un déchet. Le hub prépare mon corps pour l'impact. Il en a tout le temps pendant que je fends l'air. Je m'écrase sur le vieux porche de la ferme. Les planches s'effondrent sous moi, le bois éclate en un fracas assourdissant. Je reste immobile. Le monde tourne.

Plus que la douleur physique, c'est le puissant mal de crâne qui me fait souffrir. Je suis incapable de penser. Des images fragmentées, déconnectées, éclatent dans mon esprit, s'évanouissent, puis reviennent. Le sourire de Zombie. Le regard de Razor. La mine renfrognée de Teacup. Puis le visage de marbre de Vosch et ses yeux qui vous percent l'âme, qui lisent jusqu'au fond de vous, qui voient tout, qui me *connaissent.*

Je roule sur le côté. Mon estomac se soulève. Je vomis sur les marches jusqu'à ce que mon estomac soit complètement vide, puis je vomis encore.

Lève-toi, Ringer. Si tu ne te lèves pas, Zombie est perdu.

J'essaie de me lever. Je tombe.

Je tente de m'asseoir. Je chavire.

Le prêtre Silencieux les perçoit à l'intérieur de moi – je croyais qu'ils avaient disparu, que je les avais perdus, mais vous ne perdez jamais ceux que vous aimez, parce que l'amour est constant, il résiste à tout, survit à l'éternité.

Des bras me soulèvent : ceux de Razor.

Des mains me soutiennent : celles de Teacup.

Un sourire me donne de l'espoir : celui de Zombie. J'aurais dû lui dire, quand j'en avais encore l'occasion, à quel point j'aimais son sourire.

Je me lève.

Grâce à Razor, à Teacup, à Zombie.

Soldats, quelle est la meilleure tactique quand vous êtes dans l'impossibilité de vous lever pour marcher ? demande Vosch. *Vous rampez.*

26

ZOMBIE

AU NORD D'URBANA, l'autoroute coupe à travers la campagne. De chaque côté, des champs en jachère brillent d'une lueur argentée sous la lumière des étoiles. Les carcasses brûlées des vieilles fermes forment des taches noires dans l'éclat de la nuit. À vol de corbeau, les cavernes sont à une quinzaine de kilomètres environ, direction nord-est. Mais je ne suis pas un corbeau : pas question de quitter cette autoroute et de risquer de me perdre. Si je continue à cette allure sans m'arrêter pour me reposer, j'atteindrai ma cible avant l'aube.

Ça, c'est la partie facile.

Des assassins aux pouvoirs surhumains qui ressemblent à n'importe qui – par exemple à une gentille vieille dame qui aime chanter. Des gamins qui traînent près des campements avec des bombes planquées au fond de la gorge. Ça n'encourage pas franchement l'hospitalité envers les inconnus.

Il y aura des sentinelles, des repaires de snipers, peut-être un berger allemand vicieux, voire un doberman ou deux, des fils piégés. L'ennemi a dissous le lien fondamental qui nous unit les uns aux autres, chaque inconnu devenant un *Autre*. C'est drôle, dans le genre drôle qui donne envie de dégueuler : après l'Arrivée des aliens, *nous* sommes devenus aliens.

Ce qui signifie que les risques de me faire tirer dessus à vue sont plutôt élevés. Genre 99 %.

Oh, bon. YOLO. On ne vit qu'une fois, non ?

J'ai si souvent consulté la petite carte imprimée au dos de la brochure qu'elle est gravée dans mon esprit comme une image rémanente. Sur l'US 68, prendre au nord jusqu'à la SR 507. Là, direction l'est et la SR 245. Puis continuer sur cinq cents mètres vers le nord, et je serai arrivé. Fastoche. *No problemo.* Encore trois ou quatre heures à bonne allure, le ventre vide, sans me reposer ni dormir jusqu'à l'aube.

J'ai besoin de temps pour effectuer une reconnaissance. Mais je n'ai pas de temps. J'ai besoin d'un plan pour savoir comment approcher une sentinelle hostile. Je n'ai pas de plan. J'ai besoin de trouver les mots justes pour les convaincre que je fais partie des gentils. Je n'ai pas de mots. Tout ce que j'ai, c'est mon côté charmeur et un sourire d'enfer.

Au croisement de la 507 et de la 245, il y a une grande pancarte avec une flèche rouillée qui indique le nord : les cavernes d'Ohio. La route grimpe vers les étoiles. J'ajuste ma lentille oculaire et scrute les bois sur la gauche, à la recherche d'une lueur verte. Avant d'atteindre le haut de la colline, je m'allonge à plat ventre et rampe jusqu'au sommet. Une route pavée serpente à travers les arbres vers un groupe d'immeubles, petite tache noire contre le gris ambiant. Cinquante mètres plus loin se trouvent deux repères de pierre ornés de lettres blanches indiquant les fameuses cavernes : CO.

J'avance avec lenteur, comme on nous l'a enseigné au camp : visage contre terre, fusil dans une main, l'autre tendue en avant. À cette allure-là, je n'arriverai aux cavernes que pour mon vingt et unième anniversaire, mais c'est tout de même mieux que de ne plus être là pour le fêter. De temps en temps, je m'arrête, je redresse la tête et scrute le terrain. Des arbres. De l'herbe. Un enchevêtrement de lignes électriques tombées à terre. Des débris. Une minuscule chaussure de tennis abandonnée.

Une autre centaine de mètres – et un bon siècle plus tard –, mes doigts tendus effleurent un objet de métal. Sans relever la tête, je l'approche de mon visage.

Un crucifix.

Un frisson me parcourt le dos. *Je n'ai pas eu le temps de réfléchir*, m'a dit Sullivan. *J'ai vu la lumière éclairer le métal. J'ai cru que c'était une arme. Alors je l'ai tué. À cause d'un crucifix.*

Je regrette qu'elle m'ait raconté cette histoire. Sans cela, j'aurais pu considérer ce crucifix perdu comme de bon augure. Je l'aurais peut-être même gardé pour qu'il me porte bonheur. Au lieu de cela, j'ai l'impression qu'un gros chat noir vient de traverser mon chemin. J'abandonne Jésus dans la poussière.

Rampe, rampe, pause. Observe. Rampe, rampe, pause. Observe. Maintenant, je vois mieux les immeubles : une boutique de souvenirs et un centre d'accueil, les restes d'une cheminée en pierre. Au-delà des immeubles, une fine tache de lumière vert vif se dirige droit vers moi.

Je me fige. Merde. Je suis complètement exposé. Aucun endroit pour me cacher. La tache grossit, elle se faufile à présent le long du pavillon d'accueil. Je me redresse sur mes coudes et l'observe à travers la lunette de mon M16. L'homme est si petit que je crois d'abord qu'il s'agit d'un enfant.

Pantalon noir, chemise noire, et un col qui, en de meilleurs jours, a été blanc.

On dirait que j'ai trouvé le propriétaire du crucifix.

Je devrais sûrement le tuer avant qu'il me voie.

Tu as raison, crétin ! Tue-le, et tu auras tout le campement aux fesses. Ne tire que si on te tire dessus. Aurais-tu oublié que tu es là pour sauver des gens ?

L'homme en noir à la tête verte disparaît au coin de l'immeuble. Je compte les secondes. Quand j'ai atteint cent vingt et qu'il n'a pas réapparu, je rampe jusqu'à l'arbre le plus proche. J'essuie l'herbe et la poussière de mon visage, j'essaie de reprendre mon souffle, d'arrêter de trembler et de rassembler mes pensées, le tout dans cet ordre. C'est plus facile pour le souffle.

Je comprends à présent pourquoi Vosch m'a désigné comme capitaine d'escouade plutôt que Ringer. Elle représentait pourtant un meilleur choix : elle est plus intelligente que moi, elle tire mieux, son instinct est plus vif. Mais j'ai obtenu la promotion parce que j'ai une chose qu'elle n'a pas : une loyauté aveugle pour la cause, et une foi indéfectible envers son leader. OK, ça fait deux choses. Peu importe.

Impossible de me cacher ici pour l'éternité. De plus, je n'ai pas laissé Dumbo derrière moi pour qu'il meure pendant que j'attends qu'une idée surgisse dans ce cerveau de Cro-Magnon dont j'ai hérité.

Bon, en fait, ce dont j'ai vraiment besoin, c'est d'un otage.

Bien sûr, cette fabuleuse idée me vient cinq minutes après que le candidat parfait a disparu.

À travers le bosquet, je jette un coup d'œil vers le centre d'accueil. Rien. Je fonce vers l'arbre le plus proche, je m'arrête, me baisse, observe. Rien. Deux arbres plus tard et une cinquantaine de mètres plus près du bâtiment, toujours aucune trace de lui. Il a dû trouver un coin tranquille pour aller pisser. Ou bien il est déjà en sécurité au chaud à l'intérieur, en train de raconter à Ringer que tout est calme dehors, tout en berçant Teacup pour qu'elle s'endorme.

Depuis que Ringer est partie, j'ai fantasmé sur ces cavernes. Je les imaginais, Teacup et elle – sans le prêtre –, au chaud et au sec, avec suffisamment de provisions pour tenir le coup durant ce putain d'hiver sans fin. Je pense à ce que je lui dirai quand je la reverrai. À ce qu'elle me dira. Comment je réussirai peut-être enfin à la faire sourire. Une part de moi est convaincue que cette guerre infinie se terminera quand je parviendrai à arracher un sourire à cette fille.

Bon, oublions le prêtre. Ce centre d'accueil doit être habité. Je vais sûrement me retrouver avec une demi-douzaine d'otages au lieu d'un seul. Quoi qu'il en soit, je dois entrer dans ces grottes aussi vite que possible.

Je scrute le terrain, prépare mentalement ma route, visualise mon assaut. Il me reste une grenade. J'ai l'élément de surprise. Et la surprise, c'est bien. J'ai mon fusil et le flingue de Dumbo. Ça ne sera peut-être pas assez. Je vais être surclassé niveau armes, ce qui signifie que je vais mourir.

Et que Dumbo va mourir aussi.

Une seule vitre me fait face. Je la brise avec la crosse de mon fusil, je jette la grenade puis contourne le bâtiment jusqu'à la porte d'entrée. Six secondes, maximum. Ils ne vont même pas comprendre ce qui leur arrive.

Enfin, ce sera mon histoire, celle que je raconterai à mes petits-enfants, plus tard : j'étais si concentré sur la fenêtre que j'ai oublié de regarder où j'allais.

J'aimerais bien avoir une autre raison pour expliquer comment j'ai pu tomber dans ce putain de trou d'un mètre quatre-vingts de largeur, et deux fois plus profond, un trou impossible à rater, même dans la nuit, pas seulement à cause de sa taille, mais de son contenu.

Des corps.

Des dizaines et des dizaines de corps.

Des grands corps, des petits corps, des corps de taille moyenne. Des corps habillés, des corps à demi nus, des corps nus. Des corps récemment décédés, et d'autres depuis beaucoup plus longtemps. Des corps entiers, des morceaux de corps, et des organes.

Je suis tombé jusqu'aux hanches dans ce tas visqueux et puant. Mes pieds ne trouvaient pas le fond – je ne faisais que… m'enfoncer. Il n'y avait rien à quoi me raccrocher, sauf des corps, qui glissaient avec moi. Et au milieu de cette chute, je me suis retrouvé face à face avec un visage frais – je veux dire, *vraiment frais*, celui d'une femme d'environ trente ans. Ses cheveux blonds étaient couverts de poussière et de sang, ses yeux noirs grands ouverts. Elle avait reçu un coup sur une joue, à présent gonflée. Sa peau était encore rose, ses lèvres charnues. Elle ne devait être morte que depuis quelques heures.

Je me détourne. Je préfère faire face à une douzaine de cadavres pourrissants plutôt qu'à celui-là, qui paraît si vivant.

Je suis englué jusqu'aux épaules et toujours entraîné un peu plus bas. Je vais suffoquer sous des restes humains. Je vais me noyer dans la mort. C'est si ridiculement métaphorique que je retiens un éclat de rire.

C'est à ce moment-là que ses doigts m'enserrent le cou.

Puis ses lèvres, qui sont loin d'être aussi froides que celles d'un cadavre, me chuchotent à l'oreille :

— Pas un bruit, Ben. Fais le mort.

Ben ? J'essaie de tourner la tête. Impossible. Elle me serre trop fort le cou.

— Nous n'avons qu'une seule chance, murmure sa voix. Alors, ne bouge pas. Il sait où nous sommes, et il arrive.

27

UNE OMBRE SE DRESSE AU BORD DU TROU.

Tête penchée d'un côté, l'oreille aux aguets, la frêle silhouette se découpe sous la voûte étoilée. Je retiens mon souffle et fais le mort, l'observant à travers mes paupières mi-closes. Il tient à la main un objet familier : un couteau de combat KA-BAR, l'arme standard de chaque recrue.

La femme a lâché ma gorge. Elle aussi fait semblant d'être morte. À qui dois-je faire confiance ? À elle ? Lui ? Aucun des deux ?

Trente secondes s'écoulent. Une minute. Presque deux. Je ne bouge pas. La femme ne bouge pas. Le prêtre ne bouge pas. Je ne vais pas être capable de retenir mon souffle beaucoup plus longtemps. Je vais devoir soit respirer, soit tirer sur quelqu'un. Mais mes bras sont emmêlés au milieu d'autres bras morts et, de toute façon, j'ai perdu mon fusil en tombant. J'ignore carrément où il a atterri.

Mais lui, le prêtre qui a échangé son crucifix pour un couteau, le sait.

— Je vois ton fusil, mon garçon, dit-il. Remonte. Inutile d'avoir peur. Ils sont tous morts, et moi, je ne suis pas armé.

Il s'agenouille au bord du charnier et me tend la main.

— Ne t'inquiète pas, tu vas pouvoir récupérer ton fusil. Je n'aime pas les armes. Je ne les ai jamais aimées.

Il sourit. Alors, la femme qui-n'est-pas-morte lui agrippe le poignet. Le prêtre se retrouve dans la fosse de cadavres avec nous. L'inconnue lui plaque soudain le flingue de Dumbo sur la tempe et lâche :

— Dans ce cas, tu ne vas pas aimer ça.

Et là, la tête du prêtre explose.

Je n'en suis pas certain, mais je crois que c'est le moment pour moi de m'échapper de ce trou.

28

J'AI PERDU MON FUSIL. Et qui sait comment, la femme qui-n'est-pas-morte a entre les mains le pistolet de Dumbo. J'ignore si elle m'a sauvé la vie, ou si elle tenait juste à buter le prêtre et que je suis le suivant sur sa liste.

Au camp, on ne nous a jamais appris à nous extirper d'une tombe. Parce qu'en temps normal, si vous vous retrouvez enfoncé jusqu'au cou au milieu de cadavres, il y a de bonnes chances pour que vous soyez mort, vous aussi.

— Ne t'en fais pas, Ben, je n'ai pas l'intention de te faire de mal, affirme-t-elle.

Elle me décoche un large sourire, ce qui doit la faire souffrir, vu sa joue enflée.

— Alors, lâchez ce pistolet.

Elle obtempère aussitôt, avant de lever ses mains nues.

— Comment connaissez-vous mon nom ?

J'ai carrément crié, là.

— C'est Marika qui me l'a dit.

— Mais putain, c'est qui, Marika ?

Je ramasse le pistolet. Elle n'esquisse aucun geste pour m'en empêcher.

— La fille derrière toi.

Je pivote rapidement sur ma gauche, tout en la gardant dans ma vision périphérique. Il n'y a personne derrière moi.

— Écoutez, madame, je suis déjà en train de passer une très mauvaise journée. Qui êtes-vous, qui est ce bonhomme que vous avez tué, et où se trouve Teacup ? Et Ringer ?

— Je viens de te le dire, Zombie, elle se trouve *derrière* toi.

Elle lâche un petit rire.

Je lève mon arme au niveau de ses yeux. Je n'ai plus peur, je ne suis plus confus. Mais je suis carrément énervé. J'ignore si cette femme est le Silencieux des cavernes, et franchement je m'en moque. J'ai décidé de tuer chacun inconnu qui croisera mon chemin.

Je sais qui est qui. Évidemment que je le sais. Enfin, je le savais avant de quitter la maison sécurisée. Tout cela aura été pour rien, pour rien. Dumbo va mourir pour rien, parce que Ringer n'est plus rien. Elle est allongée dans cet enchevêtrement de corps – un rien aux cheveux de jais sans sourire – avec Teacup, et toutes deux ne sont plus rien, comme les sept milliards d'autres riens. Et moi, je vais faire ma part. Donner un coup de main. Je vais tuer chaque crétin assez malchanceux pour croiser ma route.

Ah. Ils voulaient un assassin sans cervelle et complètement froid. Ils voulaient un zombie. Eh bien, ils en ont un.

Je pointe mon arme sur ce visage souriant et presse la gâchette.

29

RINGER

JE VAIS SÛREMENT LE REGRETTER.

Garder Constance en vie, c'est comme trouver une vipère dans le lit de vos enfants. En cherchant à la tuer, vous risquez plus de blesser vos enfants que le reptile.

Donc, j'ai presque laissé Zombie le faire. C'était tentant. Mais un millième de seconde avant que la balle sorte, j'agrippe Zombie par le coude, pour dévier son tir. J'attrape son arme avant que la détonation retentisse.

Il pivote sur lui-même, sa main serrée en un poing qui vise ma tête. Je le bloque.

L'épaule de Zombie tressaille sous l'impact – comme s'il avait heurté un mur de briques – et soudain sa bouche s'ouvre en grand. Il écarquille les yeux de surprise et d'incrédulité, une réaction tellement prévisible, tellement *cliché*, qu'il a failli réussir : il m'a presque arraché un sourire.

Presque.

— Ringer ?

J'acquiesce d'un hochement de tête.

— Sergent.

Ses genoux tremblent. Il me tombe dans les bras et enfouit son visage dans mon cou. À ce moment-là, je me demande qui soutient qui. Par-dessus son épaule, je vois Constance qui nous sourit.

Je me sers du douzième système pour pénétrer en Zombie. Où je ressens de la peine, je lui apporte du réconfort. Où émerge la peur, je lui donne de l'espoir. Et je remplace sa rage par de la plénitude.

— Ça va aller, je lui dis en regardant Constance. Elle est avec moi. Tu es en sécurité maintenant, Zombie. Nous sommes parfaitement en sécurité.

Mon premier mensonge. Ce ne sera pas le dernier.

30

IL S'ÉCARTE DE MOI. Son regard se porte sur les champs éclairés par les étoiles, la route au-delà, les branches nues des arbres. Je sais qu'il a envie de me poser la question, mais s'y refuse. Je me crispe, attendant sa demande. Est-ce cruel de ma part de le forcer à la poser à voix haute ?

— Teacup ?

Je secoue la tête.

Il me répond d'un hochement de tête et pousse un lourd soupir. Me retrouver était déjà un miracle, et quand un miracle a lieu, on en espère un autre.

— Cette adorable petite merdeuse…, marmonne-t-il.

Il détourne les yeux. Champs, route, arbres…

— Elle s'est sauvée sans que je m'en rende compte, Zombie.

Il plante son regard dans le mien.

— Comment ?

Je lui sors la première chose qui me vient à l'esprit :

— L'un d'Eux.

D'un geste, je désigne la fosse. Deuxième mensonge.

— Nous les avons évités tout l'hiver.

Troisième mensonge. C'est comme si je sautais d'une falaise – ou que j'en poussais Zombie. À chaque mensonge, il s'éloigne un peu plus de moi, de plus en plus vite au fil de la chute.

— Mais Teacup n'a pas eu cette chance.

Il s'avance vers le charnier et observe la masse de restes humains en décomposition.

— Elle est là-dedans ?

Constance s'immisce soudain dans la conversation – j'ignore pourquoi.

— Non. Nous lui avons offert sa propre tombe, Ben.

Zombie la fixe.

— Putain, vous êtes qui, vous ?

Le sourire de Constance s'élargit.

— Je m'appelle Constance. Constance Pierce. Je suis désolée. Je sais que nous ne nous sommes jamais rencontrés, mais j'ai l'impression de te connaître. Marika m'a tellement parlé de toi.

Il la fixe durant une seconde.

— Marika ?

— C'est moi, j'avoue.

Il tourne la tête vers moi.

— Tu ne m'as jamais dit que tu t'appelais Marika.

— Tu ne me l'as jamais demandé.

— Je n'ai jamais... ?

Il laisse échapper un rire amer, et secoue la tête. Puis, sans ajouter un mot, il saute dans le trou. Je me précipite vers le bord, songeant qu'il a perdu l'esprit, qu'il crise comme Dorothée, que la mort de Teacup l'a achevé. Sinon, pourquoi aurait-il sauté là-dedans ? Je le vois soudain attraper son fusil, le faire passer par-dessus son épaule, et se rapprocher du bord. Nous agrippons mutuellement nos poignets, et je le sors de là.

— Où sont les autres ? demande-t-il.

— Les autres ?

Ce mot à double sens.

— Les survivants. Ils sont dans les cavernes ?

— Il n'y a pas d'autres survivants, Zombie.

— Rien que Marika et moi, gazouille Constance.

Pourquoi diable se montre-t-elle aussi *enjouée* ?

Zombie l'ignore.

— Quelqu'un a tiré sur Dumbo, m'informe-t-il. Je l'ai laissé à Urbana. Allons-y.

Il passe devant moi et se dirige vers la route. Constance m'observe, bouche bée.

— Oh mon Dieu ! Il est trop mignon !

Je lui réponds d'aller se faire foutre.

31

JE MARCHE À CÔTÉ DE LUI. Constance nous suit à quelques mètres – hors de portée d'une oreille humaine, mais Constance n'est pas une humaine normale. Zombie avance, épaules courbées, tête penchée en avant, le regard aux aguets. La route s'étire devant nous, elle traverse des terres arables qui ne seront plus jamais cultivées.

— Ce n'est pas de ta faute, Zombie. Teacup a choisi seule de me suivre.

— Pourquoi tu n'es pas revenue ?

Je prends une profonde inspiration. Il est temps de mentir à nouveau.

— C'était trop risqué.

— Ouais. C'est toujours à propos du risque, n'est-ce pas ?

Il laisse s'écouler un moment avant d'ajouter :

— Poundcake est mort.

— Impossible.

J'ai vu la vidéo de surveillance. J'ai compté les personnes de la maison sécurisée. Si Poundcake est mort, alors qui est la personne en plus ?

— Comment ça, *impossible* ?

— Que s'est-il passé ?

Il me fait un vague signe de la main, comme s'il chassait un moucheron.

— Nous avons eu quelques problèmes après ton départ. C'est une longue histoire. Pour la faire courte :

Evan Walker nous a retrouvés. Vosch aussi. Puis un Silencieux. Ensuite, Poundcake s'est fait sauter.

Il ferme les yeux un instant, puis fixe le paysage devant lui.

— Nous avons passé la fin de l'hiver dans la maison sécurisée du Silencieux mort. Maintenant, il ne nous reste plus que quatre jours, c'est pourquoi Dumbo et moi, nous avons décidé de venir te chercher.

Il déglutit.

— Enfin, c'est moi qui l'ai décidé.

— Quatre jours avant quoi ?

Il me jette un regard. Le sourire qui s'étire sur ses lèvres est effrayant.

— Avant la fin du monde.

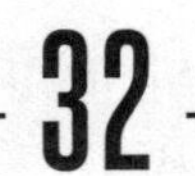

ENSUITE, IL ME RACONTE CE QUI S'EST PASSÉ À URBANA.

— Qu'est-ce que tu en dis ? La première personne que je tue, c'est une vieille dame entourée de ses chats.

— Sauf que ce n'était pas une véritable vieille dame entourée de ses chats.

— Je n'ai jamais vu autant de ces animaux !

— Les vieilles dames qui aiment les chats ne les mangent pas.

— Bah, je suppose que c'était pratique comme nourriture. Mais on pourrait penser que les chats se seraient méfiés, au bout d'un moment.

Il ressemble à l'ancien Zombie, celui que j'ai laissé à l'hôtel infesté de rats, qui portait un sweat-shirt à capuche jaune ridicule et flirtait avec moi. Sa voix est la même, mais pas son apparence : il est épuisé, ses yeux sont ourlés de cernes, ses joues couvertes de sang séché. Il jette un coup d'œil à Constance, baisse d'un ton et me demande :

— Alors, c'est quoi son histoire ?

— L'histoire typique, je commence.

Et me voilà embarquée dans mon cinquième mensonge.

— Elle a survécu à la peste à Urbana, puis comme toute sa famille est morte, elle s'est dirigée vers le nord, vers les cavernes. Elle dit que depuis le début de l'hiver, environ deux cents personnes se sont terrées là-bas. Aux alentours de Noël, le prêtre est arrivé parmi eux.

Noël. Ça me plaît d'ajouter ce détail ironique. Impossible d'avoir une bonne histoire sans un détail de ce genre.

— Tout d'abord, personne n'a rien remarqué, je poursuis. Un jour, quelqu'un a disparu. Ils ont pensé que cette personne avait paniqué et pris la route. Mais un matin, ils se sont réveillés et se sont rendu compte que la moitié du groupe n'était plus là. Tu sais ce qui se passe dans un cas pareil, Zombie. La paranoïa surgit. C'est la réponse tribale basique. On accuse cette personne. Ou celle-là. Des doigts se sont pointés de toutes parts, et au milieu de ce cauchemar, le prêtre essayait de ramener la paix.

Je continue à jacasser. J'ajoute des détails, des nuances, je place un morceau de dialogue ici ou là. La facilité avec laquelle ces mensonges déferlent de ma bouche m'étonne. Raconter des mensonges, c'est comme tuer – après le premier meurtre, les suivants deviennent de plus en plus faciles.

— Et un beau jour, bien sûr, ils ont compris que le prêtre était un Silencieux. Il y a eu du grabuge. Le temps que les survivants réalisent qu'ils n'étaient pas de force à lutter contre lui, il était trop tard. Constance a réussi à s'échapper, à retourner à Urbana où elle s'est glissée de maison abandonnée en maison abandonnée. Elle a eu la chance de pouvoir rester dans une zone entre le territoire de la vieille dame aux chats et celui du prêtre – zone rarement patrouillée par l'un d'entre Eux. C'est là que nous nous sommes rencontrées, j'explique. Elle m'a conseillé d'éviter les cavernes, et depuis nous…

— Teacup, m'interrompt-il.

Il se fiche complètement des glorieuses aventures de Constance et Ringer.

— Parle-moi de Teacup, insiste-t-il.

— Elle m'a retrouvée, je réponds sans réfléchir.

C'est la vérité. Et maintenant, en avant pour le mensonge suivant. Le sixième ? Le septième ? J'en ai perdu le compte.

— Au sud d'Urbana. Je ne savais pas quoi faire. Je ne voulais pas prendre le risque de la ramener à l'hôtel, ni de l'emmener. Puis, tout à coup, je n'ai plus eu le choix.

— À cause de la vieille dame aux chats, souffle-t-il.

J'acquiesce.

— Comme Dumbo, mais Teacup n'a pas eu autant de chance.

Tu vois, Zombie, c'est moi qui l'ai perdue – toi, tu vas la venger. C'est presque l'absolution que je lui donne, là.

— Dis-moi que ça a été rapide.

— Ça a été rapide.

— Dis-moi qu'elle n'a pas souffert.

— Elle n'a pas souffert.

Il tourne la tête et crache sur le côté de la route. Comme s'il avait un goût aigre dans la bouche.

— Quelques jours seulement, tu avais dit. *Je reviens dans quelques jours.*

— Ce n'est pas moi qui fixe les règles, Zombie. Les chances…

— Oh, colle-toi les chances au cul ! Tu aurais dû revenir ! Ta place est avec nous, Ringer. Nous sommes tout ce que tu as, et tu nous as abandonnés.

— Ça ne s'est pas passé comme ça, et tu le sais très bien.

Il s'arrête. Soudain, son visage s'empourpre violemment.

— Ringer ! Tu ne laisses pas tomber ceux qui ont besoin de toi. Tu ne les *abandonnes* pas. Tu te bats pour eux. Tu te bats à leurs côtés, quel qu'en soit le prix. Quel qu'en soit le risque. Je croyais que tu avais compris ça. À Dayton, tu m'as dit que tu l'avais *compris* !

Je ne réponds rien, parce que ce n'est pas à moi qu'il s'adresse. Je ne suis que son miroir.

— Tu n'aurais pas dû partir, continue-t-il. Nous avions besoin de toi. Si tu ne nous avais pas quittés, Teacup serait encore en vie. Et si tu étais revenue, Poundcake serait peut-être encore en vie. Au lieu de cela, tu as décidé de traîner avec des inconnus, de nous oublier. À présent, le sang de Dumbo est aussi sur tes mains.

Il me pointe du doigt.

— S'il meurt, ce sera de ta faute. Dumbo est venu pour te chercher.

— Hé, les jeunes, tout va bien ? s'enquiert Constance.

Son sourire s'est figé en une mine inquiète.

— Oh, bien sûr, répond Zombie. On se demande juste où on va dîner. Un resto chinois, ça vous tente ?

— C'est plutôt l'heure du petit déjeuner, fait remarquer Constance. Je préférerais des pancakes.

Zombie se tourne vers moi.

— Elle est comique. Tu as dû te marrer cet hiver.

La mine soucieuse de Constance disparaît. Sa lèvre inférieure tremble. Soudain, elle fond en larmes, se laisse tomber sur la route, pose ses coudes sur ses genoux et enfouit son visage dans ses mains. Zombie l'observe durant un long et inconfortable moment.

D'emblée, je devine le jeu de Constance : la meilleure arme pour briser la méfiance c'est de recourir à la sympathie humaine *naturelle*. La pitié a tué plus de monde que la haine. Quand la dernière heure de Zombie sera venue, il ne sera pas trahi par une autre personne, mais par son cœur.

Il me jette un coup d'œil : *Mais qu'est-ce qu'elle a, bordel ?* Je hausse les épaules : *Qui sait ?* Mon apathie renforce sa pitié. Il s'agenouille à côté de Constance.

— Désolé, je me suis comporté comme un enfoiré.

Constance marmonne quelque chose qui ressemble à « pancakes ». Avec douceur, Zombie lui effleure l'épaule.

— Hé, Connie… C'est Connie, n'est-ce pas ?

— Con-staaann-ce.

— Ah oui, c'est vrai, Constance. Écoutez, Constance, j'ai un ami… il est grièvement blessé, je dois retourner le chercher. Maintenant.

À présent, il lui caresse carrément l'épaule.

— C'est urgent.

J'ai mal au cœur. Je me détourne. À l'horizon, une vive lueur rose s'élève. Un autre jour qui nous rapproche de la fin.

— Je sais… je ne sais pas… ce que je peux encore… supporter, pleurniche Constance.

Elle s'est redressée. Appuyée contre Zombie, une main sur son épaule, elle gémit comme une demoiselle en détresse. Si je devais lui donner un nom de guerre, ce serait Cougar.

Zombie me lance un regard entendu : *Tu ne pourrais pas m'aider un peu ?*

— Constance, vous êtes courageuse, je lui dis, de plus en plus nauséeuse. Vous pourrez supporter encore plein de choses et encore, et encore, et encore.

D'un geste brusque, je l'écarte de Zombie. Elle renifle bruyamment.

— S'il te plaît, Marika, ne sois pas méchante. Tu es toujours si méchante, se plaint-elle d'une petite voix.

Oh mon Dieu ! On devrait lui décerner un oscar pour cette prestation !

Zombie la prend par le bras.

— Il serait peut-être temps qu'on se tutoie, tous les trois, propose-t-il. Elle peut marcher à côté de moi. Tu n'auras qu'à couvrir nos arrières, Ringer.

— Bonne idée, susurre Constance. Couvre nos arrières, Marika !

Le monde tourne. Le sol se soulève. Je m'écarte de quelques pas. Soudain, je suis obligée de me pencher violemment en avant, et tout ce que contenait mon estomac se déverse en une grande gerbe sur la route.

Une main dans mon dos : celle de Zombie.

— Hé, Ringer ! Qu'est-ce qui t'arrive ?

— Ça ira, je bredouille en repoussant sa main. Ça doit être à cause de ce lapin mal cuit.

Un autre mensonge, pas forcément nécessaire.

33

AU MILIEU DE LA MATINÉE, dans le centre d'Urbana, sous un ciel sans nuage et une température douce. On sent déjà le printemps arriver.

Zombie et Constance filent dans le café pendant que je surveille la rue. De la porte, j'entends le cri terrifié de Zombie juste avant qu'il fonce vers moi.

— Qu'est-ce qui se passe ?

Il se précipite dans la rue, regarde à droite, à gauche, puis de nouveau vers le café.

Constance approche.

— Apparemment, son copain a disparu.

Au beau milieu de Main Street, Zombie renverse la tête en arrière et hurle le nom de Dumbo. Seul l'écho lui répond, comme pour se moquer.

Je cours vers lui.

— C'est peut-être pas une bonne idée de beugler comme ça, Zombie.

Lèvres tremblantes, il me fixe en écarquillant les yeux. Puis il se détourne, et descend la rue à toute allure, continuant de crier son nom, encore et encore :

— Dumbo ! Dumbo ! Dumbo, espèce de crétin, où t'es ?

Au bout de quelques minutes, il revient vers nous, le souffle court, saisi de panique.

— Quelqu'un l'a enlevé, affirme-t-il.

— Comment tu peux savoir ça ? je demande.

— T'as raison, je n'en sais rien. Merci de me rappeler à la réalité, Ringer. Il a dû se lever et courir jusqu'à la maison sécurisée, mais vois-tu, il y a un petit problème avec ce scénario : *on lui a tiré dans le dos.*

J'ignore son sarcasme.

— Je ne crois pas que quelqu'un l'ait enlevé, Zombie.

Il éclate de rire.

— Tu as raison. J'avais oublié. Tu as toujours toutes les réponses, n'est-ce pas ? Alors, vas-y, explique-moi ce qui s'est passé. Le suspense me tue. Qu'est-il arrivé à Dumbo, Ringer ?

— J'en sais rien. Mais je pense pas que quelqu'un l'ait enlevé, parce qu'il n'y a plus personne pour ça. La vieille mamie aux chats a dû y veiller.

J'avance dans la rue. Il m'observe durant quelques secondes, avant de me crier :

— Bordel, mais où est-ce que tu vas ?

— À la maison sécurisée, Zombie. T'as pas dit qu'elle était au sud de la Highway 68 ?

— Putain, j'arrive pas à le croire !

Il lâche un torrent d'insultes. Je continue à avancer. Et lui à crier :

— Qu'est-ce qui t'est arrivé ? Où est la Ringer qui me disait que tout le monde comptait ?

J'entends clairement ce que lui chuchote Constance :

— Je t'avais bien dit qu'elle était méchante.

J'avance toujours. Cinq minutes plus tard, je découvre Dumbo agrippé au pied d'une barricade en travers de Main Street. C'est extraordinaire qu'il ait pu aller si loin – à presque dix blocs d'immeubles de la rue où il se trouvait. Je m'agenouille à côté de lui et plaque mes doigts dans son cou. Puis je pousse un long sifflement. Quand Zombie déboule au pas de course, il n'a quasiment plus de souffle et semble sur le point de s'évanouir. Tout comme Constance, sauf que, dans son cas, l'épuisement est feint.

— Comment a-t-il fait pour arriver jusqu'ici ? s'interroge Zombie à voix haute.

Ébahi, il regarde tout autour de lui.

— De la seule façon possible, je réponds. Il a rampé.

34

ZOMBIE NE DEMANDE PAS POURQUOI Dumbo s'est traîné sur dix blocs d'immeubles avec une balle dans le dos. Non, il ne pose pas la question parce qu'il connaît la réponse. Dumbo ne fuyait pas le danger, pas plus qu'il ne cherchait de l'aide : ce qu'il cherchait, c'était son sergent.

C'est plus que Zombie ne peut en supporter. Il se laisse tomber sur le côté de la barricade et, visage levé vers le ciel, il aspire l'air à grandes goulées. Perdu, trouvé, mort, vivant, le cycle se répète : il n'y a pas d'échappatoire, ni de répit. Zombie ferme les yeux et attend que son souffle se calme, ainsi que son cœur. Une petite pause avant que tout recommence : la prochaine perte, une nouvelle mort.

Ça a toujours été comme ça. Voilà ce que j'ai envie de lui dire. *Nous supportons l'insupportable. Nous endurons ce qui ne peut être enduré. Nous faisons ce que nous devons faire, jusqu'à ce que nous ne soyons plus.*

Je m'agenouille près de Dumbo et soulève sa chemise. Le bandage est trempé. Dessous, la compresse de gaze est rouge écarlate. Il est en train de se vider de son sang. Je pose la main sur sa joue blême. Sa peau est fraîche, mais je vais plus loin que la peau. Je pénètre en lui. À côté de moi, Constance m'observe. Elle sait ce que je fais.

— Il est trop tard ? chuchote-t-elle.

Dumbo me sent à l'intérieur de lui. Ses paupières frémissent, ses lèvres s'écartent, je perçois son souffle à travers sa bouche ouverte. Dans le crépuscule décroissant de sa conscience, une quête, un terrible besoin. *J'irai où tu iras.*

— Zombie, dis-lui quelque chose, je murmure.

Pour survivre, Dumbo aurait besoin d'une importante transfusion de sang. Il ne l'aura jamais.

Mais ce n'est pas pour cette raison qu'il a rampé aussi longtemps malgré la douleur. Survivre n'était pas sa priorité.

— Dis-lui qu'il a réussi, Zombie. Dis-lui qu'il t'a enfin trouvé.

Il existe une lumière qui brille à la lisière sombre d'un horizon infini. Dans cette lumière, le cœur trouve ce qu'il cherche. Dans cette lumière, Dumbo va où son cher sergent Zombie va. Dans cette lumière, un garçon nommé Ben Parish retrouve sa petite sœur. Dans cette lumière, Marika sauve une petite fille, une certaine Teacup. Dans cette lumière, les promesses sont tenues, les rêves réalisés, le temps rattrapé.

La voix de Zombie entraîne Dumbo vers cette lumière :

— Tu as réussi, soldat. Tu m'as trouvé.

Aucune obscurité ne s'abat. Aucune fin ne s'annonce. Quand l'âme de Dumbo atteint l'horizon, tout n'est que lumière.

Perdu, retrouvé, et tout ne fut que lumière.

III

LE TROISIÈME JOUR

35

ZOMBIE

PAS QUESTION DE LAISSER DUMBO pourrir là où il est tombé. Je ne l'abandonnerai pas aux rats, aux corbeaux ni aux mouches. Je ne l'incinérerai pas non plus. Je n'abandonnerai pas ses os aux vautours et à la vermine.

Je creuserai une tombe pour lui dans notre bonne vieille terre. J'enterrerai sa trousse médicale avec lui, mais pas son fusil. Dumbo n'était pas un tueur, mais un guérisseur. Il m'a sauvé la vie deux fois. Non, trois. Je dois compter le moment où il a indiqué à Ringer où me tirer dessus, cette nuit-là, à Dayton.

Des douzaines de fanions aux couleurs défraîchies flottent sur la barricade. Je vais m'en servir pour marquer sa tombe. Les couleurs du tissu faneront, et bientôt il sera entièrement blanc. Les petits manches de bois se décomposeront lentement. Ou, si Walker échoue à faire exploser le ravitailleur, les bombes qui tomberont du ciel ne laisseront rien derrière elles – plus de drapeaux, plus de tombe, et plus de Dumbo.

Puis, au fil des ans, la terre reprendra ses droits et l'herbe recouvrira mon ami d'un linceul vert vif.

— Zombie, nous n'avons pas le temps, m'informe Ringer.

— Il y a toujours du temps pour ça.

Elle ne me lance pas d'autres arguments. Je suis sûr qu'elle pourrait en trouver une bonne douzaine, mais elle s'en abstient.

Quand je termine, il est plus de midi. La journée se révèle étrangement belle. Nous nous asseyons près du monticule de terre fraîchement retournée, et je sors de mes poches mes dernières barres protéinées pour les partager. Ringer grignote quelques bouchées de la sienne, puis enfouit le reste dans une poche de sa veste.

— Le lapin ? je demande.

Elle marmonne un truc que je ne comprends pas. Constance engloutit sa barre. Elle lance des regards nerveux autour d'elle, comme un lapin justement, et plisse le nez comme si elle humait l'air pour s'assurer que le danger ne rôde pas alentour. Le fusil de Dumbo est par terre, à côté d'elle. D'abord, elle a refusé de le prendre. Elle a prétendu avoir du mal avec les armes. C'est bizarre. Si c'est vraiment le cas, comment a-t-elle pu survivre aussi longtemps ?

Deuxième chose bizarre : le prêtre a déclaré exactement la même chose à propos des armes – juste avant que Constance lui fasse exploser la tête… avec mon arme.

— Quelqu'un veut dire quelque chose ? je commence.

— Je le connaissais à peine, répond Ringer.

— Et moi, je ne le connaissais pas du tout, lâche Constance.

Peut-être redoute-t-elle de s'être montrée un peu insensible, parce qu'elle ajoute :

— Pauvre gosse.

— Il était de Pittsburgh. Il adorait les Packers. Les jeux vidéo. C'était un *gamer*.

Je prends une profonde inspiration. Punaise. Ça ne fait vraiment pas grand-chose.

— C'était un fan de *Call of Duty*. Il était quasiment MLG.

— Je suis sûre que c'était un garçon adorable, affirme Constance.

Je secoue la tête.

— Je ne sais même pas son véritable prénom.

Je me tourne vers Ringer.

— Il ne reste plus que toi et moi, maintenant.

— Comment ça ?

— L'escouade 53. Nous sommes les derniers. Oh merde, non, j'oubliais Nugget. Qui aurait pensé à l'époque que nous ne serions plus que trois ? Nugget : bon sang, ce gamin est indestructible. Pas comme moi. J'aurais dû mourir si souvent que j'en ai perdu le compte.

Constance se penche vers moi et, du doigt, pointe mon torse.

— Tu es là pour une bonne raison. Tu as une place spéciale dans son plan.

— Le plan de qui ? De Vosch ?

— De Dieu !

Elle nous dévisage alternativement, Ringer et moi.

— Il a une place pour chacun d'entre nous.

Je fixe le monticule de terre à mes pieds.

— Et quelle était sa place, à lui ? Quel plan Dieu avait-il pour Dumbo ? Qu'il prenne une balle pour moi afin que je puisse continuer ma mission, quelle qu'elle soit ?

— Je crois que tu as raison, Zombie, dit Ringer. Ça n'a aucun sens. C'est juste la chance.

— Exact. La chance. Mauvaise pour lui. Bonne pour moi. Comme quand je suis tombé sur Constance qui se cachait dans cette fosse, et ensuite sur vous deux.

— Oui, comme ça.

— Tu sais à quoi ça me fait penser, Ringer ?

— À quoi, Zombie ?

Sa voix est aussi neutre que son visage est impassible.

— À un de ces moments impossibles dans les films. Tu vois de quoi je parle ? Ce passage où tu secoues la tête d'un air dépité, en songeant : *Non, impossible !* Le gentil qui surgit pile au bon moment. Le méchant qui se fait attraper bêtement. Ça gâche tout. Le véritable monde ne fonctionne pas comme ça.

— Ce sont des films, Zombie.

Elle n'ajoute rien. Elle sait très bien où tout cela va nous mener. Oui, elle *sait.* Je n'ai jamais rencontré quelqu'un de plus intelligent. De plus effrayant. C'est vrai, il y a un truc chez cette fille qui me fout grave les jetons. Et ça depuis le premier jour, quand je l'ai vue au camp. Elle m'observait pendant que je faisais des pompes sur mes phalanges, jusqu'à ce que le sang coule de mes mains. La façon dont elle vous regarde, comme quelqu'un qui écaille un poisson sur le comptoir de sa cuisine. Et ce froid en elle. Pas le froid d'un réfrigérateur, ni celui de l'hiver. Non. Le froid de la neige carbonique. Le froid qui brûle.

— Oh, comme ça me manque d'aller au cinéma ! s'écrie Constance.

J'en ai assez. J'en ai marre. Je lève mon revolver à hauteur de la tête de Constance.

— Touche ce fusil et je te tue. Bouge d'un seul centimètre, tu es morte.

36

CONSTANCE RESTE BOUCHE BÉE. Elle replie les bras sur sa poitrine. Elle commence à dire quelque chose, mais je lève aussitôt la main.

— Interdiction de parler. Tu parles, et là aussi je te tue.

Je m'adresse à Ringer en gardant un œil sur Constance :

— Tu peux me dire la vérité maintenant. Qui c'est cette meuf ?

— Je te l'ai déjà dit, Zombie...

— Tu m'as dit pas mal de choses, Ringer, mais tu es très mauvaise menteuse. Il y a un truc pas net, là. Dis-moi qui elle est, et je ne la supprimerai pas.

— Je t'ai raconté la vérité. Tu peux lui faire confiance.

— La dernière personne à qui j'ai fait confiance m'a lancé du ragoût de chat brûlant au visage.

— Dans ce cas, ne lui fais pas confiance à elle, mais à moi.

Je la regarde. Visage impassible, yeux morts, et cette froideur qui brûle.

— Zombie, je ne te mentirai jamais. Sans Constance, je n'aurais pas survécu à cet hiver.

— Ouais, raconte-moi un peu tout ça. Explique-moi comment tu as survécu un hiver entier au beau milieu du territoire d'un Silencieux sans mourir de froid, ni crever de faim, ou te faire tuer. Raconte-moi, Ringer.

— Parce que je sais ce qui doit être fait.

— Pardon ? Qu'est-ce que ça veut dire, ça ?

— Zombie, je te jure qu'elle est OK. C'est l'une d'entre nous.

Le revolver tremble. Bon, en fait, c'est ma main qui tremble. Je lève l'autre pour soutenir mon poignet.

Constance lance un regard entendu à Ringer.

— Marika.

— Et c'est quoi ce truc-là ? je crie. Je sais que jamais tu ne lui dirais ton véritable nom. Bordel, tu ne me le dirais même pas à moi !

Ringer se glisse dans l'espace entre Constance et moi. J'ai déjà vu ce regard à Dayton, quand elle m'a chuchoté : *Ben, la 5e Vague, c'est nous,* déterminée à me convaincre.

— Comment sais-tu que Constance est l'une d'entre nous, Ringer ? Comment peux-tu en être certaine ?

— Parce que je suis en vie.

La chose la plus sûre – pour moi, pour elle, pour tous ceux que j'ai laissés derrière moi dans la maison sécurisée – serait d'ignorer Ringer et de tuer cette inconnue.

Je n'ai pas le choix. Ce qui signifie que je n'ai aucune responsabilité. On ne pourra pas me blâmer d'avoir suivi les règles mises en place par l'ennemi.

— Pousse-toi, Ringer.

Elle secoue la tête.

— Pas question, sergent.

Ses yeux sombres qui ne cillent pas, son corps qui se penche vers moi, sa main tendue vers l'arme qui tremble dans la mienne. J'ai tout risqué pour la sauver, mais elle ne prend aucun risque pour me sauver.

Les Autres ont lâché différentes sortes de Silencieux sur le monde, différentes sortes d'Infestés. Je le sens en moi, celui capable de déchirer mon âme en deux. Les Autres n'avaient pas besoin de lui faire traverser des millions d'années-lumière pour l'amener sur Terre. Il a toujours été ici, à l'intérieur, le Silencieux Interne.

— Que nous est-il arrivé, Ringer ?

Elle hoche la tête : elle sait exactement d'où je viens. Elle l'a toujours su.

— Nous avons encore le choix, répond-elle. Ils veulent que nous croyions le contraire, mais c'est un mensonge, Zombie. Leur plus gros mensonge.

Derrière elle, Constance chuchote :

— Je suis humaine.

C'est comme cela que ça se terminera. Ces mots seront les derniers du dernier être sur Terre. Je suis humain.

— Je ne sais même plus ce que cela signifie, je lâche d'un ton épuisé.

Néanmoins, je donne mon revolver à Ringer.

37

SAM

La porte d'entrée s'ouvrit en grand. Cassie surgit du porche, son fusil en main.

— Sam ! Vite ! Va réveiller Evan. Il y a quelqu'un...

Sam n'attendit pas la suite. Il se précipita dans le couloir jusqu'à la chambre d'Evan. Zombie était revenu, il en était sûr.

Evan ne dormait pas. Il était assis sur son lit, fixant le plafond.

— Qu'est-ce qu'il y a, Sam ?

— Zombie est rentré !

Evan secoua la tête. *Comment était-ce possible ?* Il se glissa hors du lit, attrapa son fusil, puis suivit Sam dans le couloir jusqu'au salon.

Il entendit alors ce que disait Cassie :

— Comment ça, Dumbo n'est plus... ?

Dans la pièce, face à Cassie, se trouvaient Zombie, Ringer, et une inconnue. Mais pas de Dumbo, ni de Teacup.

— Il est mort, lâcha Ringer.

— Teacup aussi ? demanda Sam.

Ringer hocha la tête. *Teacup aussi.*

— Qui c'est ? s'enquit Evan.

Il désignait l'inconnue, une dame blonde avec un joli visage, qui devait avoir à peu près l'âge de la mère de Sam à sa mort.

— Elle est avec moi, répondit Ringer. Elle est OK.

Le sourire aux lèvres, la femme regardait Sam.

— Je m'appelle Constance. Tu dois être Sam. Soldat Nugget. Je suis ravie de te rencontrer.

Elle tendit la main. Son père lui avait appris que l'on devait toujours serrer la main avec fermeté. *Une bonne poigne, fiston, mais tu ne serres pas trop fort.*

Pourtant, c'est ce que fit la femme : elle serra très fort. Et elle tira Sam contre sa poitrine, lui passa un bras autour du cou. Soudain, il sentit le canon d'un pistolet contre sa tempe.

38

— ON VA FAIRE ÇA EN DOUCEUR, cria la femme par-dessus les hurlements de Zombie et Cassie. En douceur.

Zombie observait Ringer qui observait Evan Walker ; sa sœur aussi observait Ringer, et soudain elle hurla :

— Espèce de salope !

— Vos armes ! ordonna la femme, souriant toujours. Jetez-les à côté de la cheminée. Tout de suite !

Un par un, ils se débarrassèrent de leurs armes.

— Ne lui faites pas de mal, supplia Cassie.

— Personne ne sera blessé, chérie, répondit la femme. Où est l'autre ?

— L'autre quoi ? demanda Cassie.

— Humain. Il y en a un autre. Où est-il ?

— Je ne sais pas de quoi…

— Cassie, intervint Evan tout en fixant la femme. Va chercher Megan.

Sam vit sa sœur s'adresser en silence à Evan : *Fais quelque chose.*

Evan secoua la tête : *Non.*

— Elle ne voudra pas sortir de sa chambre, affirma Cassie.

— Peut-être qu'elle changera d'avis quand tu lui diras que je suis sur le point de faire sauter la cervelle de ton petit frère.

Le visage de Zombie était pâle et couvert de sang séché. Il ressemblait vraiment à un zombie.

— Ça n'arrivera pas, déclara-t-il. Alors, qu'est-ce qu'on fait maintenant ?

— Si vous n'obéissez pas, elle tuera Nugget, et continuera à vous abattre un par un jusqu'à ce que Megan sorte, annonça Ringer. Zombie, tu peux me faire confiance là-dessus.

— Oh, bien sûr, ricana Cassie. C'est une idée géniale. Faisons tous confiance à Ringer.

— Elle n'est pas là pour blesser qui que ce soit, rétorqua Ringer. Mais elle le fera si elle le doit. Dis-leur, Constance.

— C'est moi, lâcha Evan. Vous êtes venue pour moi, n'est-ce pas ?

— Amenez-moi d'abord la fille. Ensuite, nous discuterons.

— Parfait. J'adore discuter, dit Cassie. Mais peut-être que vous pourriez relâcher mon petit frère… et me prendre en échange ?

Cassie avait levé les mains, et affichait son sourire faux. C'était facile de savoir quand elle faisait semblant, parce que dans ce cas, elle n'avait pas l'air gentille ; elle paraissait plutôt sur le point de vomir.

Le bras de la femme comme une barre de fer plaquée sur sa trachée. Il a du mal à respirer, maintenant. Quelque chose d'autre appuie dans son dos : son petit secret. Personne n'est au courant, ni Zombie, ni Cassie, ni la femme.

Avec une infinie lenteur, Sam glissa sa main dans son dos, entre lui et Constance.

Il a été soldat. Il a peut-être oublié son alphabet, mais il se souvient parfaitement des leçons de combat. *Ton escouade avant tout*, voilà ce qu'ils lui ont enseigné. Il se souvient à peine du visage de sa mère, mais il se souvient des leurs, Dumbo et Teacup, Poundcake, Oompa et Flintstone. Son escouade. Ses frères et sœurs d'armes. Il ne se rappelait pas le nom de son école, ni à quoi ressemblaient les rues de son quartier. Toutes ces choses, et la centaine d'autres choses oubliées n'avaient plus d'importance. Une seule importait désormais. Le cri de guerre du champ de tir et du parcours d'obstacles, qui s'élevait des gorges de son escouade : *Plus aucune pitié !*

— Il vous reste quelques secondes, dit la femme. Ne m'obligez pas à entamer un compte à rebours, c'est tellement mélodramatique.

Le Beretta fut enfin dans sa main, et il n'hésita pas un instant. En tant que soldat, il savait ce qu'il avait à faire.

Quand il fit feu, l'arme recula dans sa main, il faillit la lâcher. La balle traversa le ventre de la femme, sortit dans son dos, puis alla se planter dans les coussins poussiéreux du canapé. Le bruit dans la pièce fut assourdissant, Cassie hurla. Pendant une horrible seconde, elle avait dû croire que c'était la femme qui avait tiré.

Malgré le coup de feu, Constance ne tomba pas. Néanmoins, elle poussa un cri de surprise et desserra quand même un peu sa prise sous l'impact. Avant qu'il comprenne ce qui se passait, Ringer bondit par-dessus la table basse. Son poing effleura la joue de Sam, atterrit sur la tempe de Constance, puis une main qu'il n'avait pas vue le libéra. Il trébucha en avant.

Sa sœur se précipita vers lui, mais il se détourna, tenant son pistolet à deux mains, tandis que Ringer envoyait Constance voltiger haut en l'air. La femme s'écrasa ensuite sur la table basse qui explosa dans un grand fracas – bois, verre et morceaux du puzzle volant dans tous les coins.

Constance s'assit, Ringer lui flanqua un coup de poing dans le nez. *Pop !* On l'entendit craquer. Du sang gicla de sa bouche ouverte.

Des doigts agrippés à son sweat-shirt : ceux de Cassie. Il se détourna. Cassie ne faisait pas partie de l'escouade 53. Elle ignorait l'importance d'être un soldat. Lui savait. Oui, il savait exactement ce que cela impliquait.

Plus aucune pitié.

Il s'avança, piétinant les morceaux brisés de la table, et pointa son pistolet droit sur le visage de la femme. Sa bouche ensanglantée esquissa un semblant de sourire, lèvres sanglantes, dents sanglantes. Alors, il se retrouva dans la chambre de sa mère qui mourait de la pandémie, la Peste Rouge, comme l'appelait Cassie, et il se tenait à côté d'elle, près de son lit, et elle aussi lui souriait, ses dents ensanglantées, son visage strié de larmes rougeoyantes ; il le voyait si précisément, maintenant, ce visage qu'il avait oublié dans celui qui lui faisait face.

Juste avant de presser la détente, Sammy Sullivan se rappela le visage de sa mère, le visage qu'*Ils* lui avaient donné, et la balle qui émergea du canon de son arme contenait sa rage, portait son chagrin, englobait la somme de tous ceux qu'il avait perdus. Il les reliait par une chaîne d'argent. Quand le visage de la femme explosa, ils ne furent plus qu'un, victime et assassin, prédateur et proie.

ABCDEFGHIJKLMNOPQRSTUVWXYZ

39

RINGER

LA GICLÉE DE SANG M'AVEUGLE pendant une seconde, mais le hub conserve les données de l'emplacement de Nugget, ainsi que celui du pistolet. À la fin de cette seconde, la main de Nugget est vide, mais plus la mienne.

Et la seconde d'après, le Beretta est pointé droit sur la tête d'Evan Walker.

Walker est le pilier, le point d'équilibre dont dépend notre survie. Vivant, il représente un risque inacceptable. Appuyer sur la gâchette risque de me coûter la vie, j'en ai conscience. Cassie va me descendre pour venger sa mort – même Zombie risque de s'en prendre à moi –, mais je n'ai pas le choix. Nous manquons de temps.

Aucun d'eux ne peut l'entendre, mais moi, si – le bruit d'un hélicoptère qui arrive par le nord, chargé de missiles Hellfire et d'une escouade des meilleurs tireurs de Vosch. La perte du signal de Constance ne peut signifier qu'une chose.

— Ringer ! crie Zombie d'une voix rauque. C'est quoi ce bordel ?

Une petite silhouette se précipite vers ma droite. Nugget. Je retiens mon poing afin de ne pas lui briser le sternum, mais le coup l'envoie voltiger droit sur la poitrine de Sullivan. Ils tombent tous deux à terre dans un enchevêtrement de bras et de jambes.

Moi, je reste concentrée sur ma cible.

— Ben, ne fais pas ça, dit Walker d'un ton détaché, bien que Zombie n'ait pas bougé un muscle. Écoutons-la, histoire de savoir ce qu'elle veut.

— Tu sais très bien ce que je veux.

Mon doigt est ferme sur la gâchette.

Walker doit mourir. C'est si évident que même Nugget serait d'accord s'il connaissait les faits. Tout comme sa sœur. Enfin, peut-être pas. L'amour est aveugle, c'est ce que Razor m'a enseigné.

— Ben ! crie Walker. Non !

Zombie ne plonge pas pour s'emparer d'une arme. Il ne fonce pas sur moi. Par contre, il s'avance avec lenteur pour se placer entre Evan Walker et moi.

— Désolé, Ringer. Pas question de te laisser faire ça.

Il lève les bras comme s'il voulait remplacer Walker en tant que cible.

— Zombie, tu ne sais pas…

— C'est clair. Je ne sais rien de rien.

Si c'était quelqu'un d'autre.

Sullivan, ou même Nugget.

— Quel est le coût, Marika ? Quel est le prix ?

— Zombie, on n'a pas le temps.

— Pas le temps pour quoi ?

Alors, il l'entend. Ils l'entendent tous, car il est désormais à portée d'oreille humaine. L'hélicoptère.

— Bordel ! crie Sullivan. Qu'est-ce que tu as fait ? Putain, mais qu'est-ce que tu as fait, Ringer ?

Je l'ignore. Seul Zombie compte à mes yeux.

— Ce n'est pas nous qu'ils veulent, mais lui, j'affirme. Pas question qu'ils s'emparent de lui, Zombie.

Si seulement Zombie voulait bien bouger sa tête de quelques centimètres. C'est tout ce dont j'ai besoin. Quelques centimètres. Le douzième système s'occupera du reste.

Désolée, Zombie. On n'a pas le temps.

Le hub se verrouille. Je lui abandonne la partie. La balle se loge dans la cuisse de Zombie.

Il est supposé tomber, et me laisser place nette pour le round suivant – le tir qui tuera Evan Walker d'une balle dans la tête. Mais il n'en fait rien.

Au lieu de cela, il tombe droit sur le torse de Walker qui l'encercle de ses bras, le soutenant, ou se servant de lui comme un bouclier humain. Dehors, sous le faible bruit du rotor, un son encore plus faible, le *frrrrrrrr-clac* d'un parachute qui se déploie. Puis un autre, puis un autre. *Frrrrrrrr-clac, frrrrrrrr-clac, frrrrrrrr-clac, frrrrrrrr-clac.* Cinq au total.

J'ai fait appel à la mauvaise personne.

— Laisse-le tomber, je dis à Evan Walker. Si tu tiens un minimum à Cassie, laisse-le tomber.

Mais il n'en fait rien, et à présent, je manque vraiment de temps. Cette interminable partie d'échecs va nous coûter la vie.

La 5e Vague débarque.

40

EVAN WALKER

IL NE PEUT Y AVOIR QU'UNE SEULE EXPLICATION.

Son bond à travers la pièce. La vitesse de ses mains, l'acuité de sa vision et de son ouïe. Une seule possibilité.

Ringer a été renforcée. Une humaine a reçu ce présent.

Pourquoi ?

Traversant la pièce en trois enjambées, elle s'élança vers la fenêtre et, d'un bond, brisa la vitre d'un coup d'épaule avant de disparaître dans un halo de verre brisé et de bois.

Cassie fonça immédiatement vers lui – ou plutôt vers Ben, qu'il soutenait toujours.

— Megan ! cria Evan. Emmène-la à la cave.

Cassie hocha la tête. Elle comprenait. Elle agrippa le poignet de son petit frère et l'entraîna vers le couloir.

— Non ! Je reste avec Zombie !

— Grand Dieu, Sam, viens…

Ils s'élancèrent dans le couloir. L'hélicoptère se rapprochait, le bruit de son moteur à travers la vitre brisée comme celui des vagues qui se fracassent sur la plage. Bon, une chose après l'autre. Il hissa Ben sur son épaule et le porta jusqu'au canapé, enjambant le cadavre de Constance échoué au milieu des restes de la table basse. Il allongea Ben et jeta un coup d'œil autour de lui, cherchant de quoi lui garrotter la jambe. Le sweat-shirt de la femme morte. Evan s'agenouilla à côté d'elle et le lui retira. Il en déchira une lanière, du col à l'ourlet, puis dans l'autre sens. Le visage pâle et le souffle court, Ben l'observait, encore sous le choc.

La balle avait pénétré sa jambe juste au-dessus de la rotule. Un peu plus bas, et il se serait retrouvé infirme. Mais ce n'était pas la chance qu'il devait remercier. Ringer savait ce qu'elle faisait en tirant à cet endroit.

— Désolé, je n'aurais pas dû les amener ici.

— Tu ne pouvais pas savoir, répliqua Walker.

Ben secoua violemment la tête.

— Je n'ai aucune excuse.

Il donna un grand coup de poing dans le coussin. Un nuage de poussière s'éleva dans l'air. Il toussa.

Evan leva la tête vers le plafond et tendit l'oreille. Combien de temps avaient-ils ? Difficile à dire. Deux minutes ? Moins ?

Il reporta son attention sur Ben, qui annonça :

— La cave.

Evan acquiesça d'un signe de tête.

— La cave.

De nouveau, il fit passer Ben par-dessus son épaule. Où était passée Cassie ? Il descendit l'escalier au petit trot, la joue de Ben tapotant contre son dos. Il le porta jusqu'au point le plus reculé de la pièce, et l'installa sur le béton.

Du menton, Ben désigna la cache des armes.

— Perds pas de temps, Walker. Si tu dézingues pas ce gros oiseau vite fait, ça servira à rien de se planquer ici.

Evan saisit le lance-missiles accroché au mur. À présent, l'hélicoptère devait se trouver à portée de tir. Il se précipita vers l'escalier, grimpa les marches deux à deux, le lance-missiles aussi lourd qu'une poutre d'acier entre ses mains. Sa cheville le faisait souffrir, mais l'heure n'était pas à se plaindre.

Le couloir était vide. L'air frissonna contre sa peau. Le Black Hawk survolait la maison, tournant en cercles au-dessus du toit. Que devait-il faire ? Tirer d'abord ? Récupérer Cassie, Sam et Megan pour les mettre en sécurité à la cave ?

Il posa le lance-missiles à terre.

41

CASSIE TAMBOURINAIT À LA PORTE DU PLACARD en criant le prénom de Megan. Elle pivota sur elle-même quand Evan fit irruption dans la pièce.

— Cette petite garce s'est barricadée à l'intérieur !

Il écarta Cassie et, d'un coup d'épaule, se jeta sur la porte. Elle tressauta sur ses gonds, mais ne céda pas.

— Cassie, Sam, dans la cave, tout de suite ! ordonna-t-il.

Ils bondirent hors de la pièce. Levant la jambe, il flanqua un grand coup de pied en plein milieu de la porte. Le bois craqua. Un autre coup de pied. *Crac !* Un autre. *Crac !* Trois pas en arrière, puis il enfonça son épaule dans la fente. La porte se fissura un peu plus et, à travers l'ouverture, il pénétra dans le placard plongé dans l'obscurité. Une paire de grands yeux écarquillés de terreur l'observait depuis le coin. Il tendit la main.

— Ils vont faire sauter la maison, Megan. Viens ! Vite !

Elle secoua la tête. Pas question de quitter son refuge. Quand il voulut l'attraper, ses petites mains crispées en poings lui frappèrent le visage. Megan lui griffa les yeux. Elle hurla comme si on la battait à mort.

Il lui agrippa le poignet et l'attira à lui. Elle s'écroula sur son torse, lui donna un coup dans le bas-ventre, *fort*, et tendit le bras pour attraper quelque chose dans le fond du placard. Un ours en peluche traînait au milieu d'une pile de vêtements.

— Capitaine !

Il s'empara de l'ours.

— C'est bon, je l'ai.

Le premier missile Hellfire frappa la maison exactement deux minutes et vingt-deux secondes plus tard.

42

MEGAN DANS LES BRAS, Evan se trouvait à mi-chemin de l'escalier qui descendait à la cave quand la secousse le propulsa en l'air. Dans sa chute, il pivota brusquement sur lui-même afin de protéger la petite fille de la force de l'impact.

Sa chute sur le sol de béton lui coupa le souffle. Megan roula à côté de lui, et resta immobile.

Puis le deuxième missile frappa. Des flammes s'élevèrent. Quand il les vit foncer sur eux, il se jeta sur Megan. Le feu les dépassa ; il sentit l'odeur roussie de ses cheveux, et le souffle chaud sur sa chemise.

Il leva les yeux. À travers la cave, il vit Cassie et Sam blottis près de Ben. Il rampa jusqu'à eux, traînant Megan avec lui. Le regard de Cassie croisa le sien : *Est-ce qu'elle est… ?*

Il secoua la tête : *Non.*

— Où est le lance-missiles ? demanda Ben.

D'un geste du doigt, Evan désigna le plafond : *À l'étage. Enfin, quand il y avait un étage.*

Des toiles d'araignée et des nuages de poussière tournoyaient autour d'eux. Pour l'instant, le plafond tenait bon. Mais s'il recevait un troisième missile, il s'effondrerait sûrement. Ben Parish devait penser la même chose.

— Tu l'as laissé là-haut ? Oh, super, lâcha Ben en se tournant vers Cassie. Allez, formons un cercle de prière, et vite, parce qu'on vient vraiment de se faire mettre.

— Ça va aller, assura Evan qui effleura la joue de Cassie. Ce n'est pas la fin. Pas encore.

Il se leva.

— Ils sont venus pour une chose, dit-il d'une voix calme, à peine audible par-dessus le vacarme du rotor de l'hélicoptère : ils ont ouvert le feu parce qu'ils pensent avoir échoué. Ils croient que je suis mort. Je vais leur montrer qu'ils se trompent.

Ébahi, Ben secoua la tête. Il ne comprenait pas. Mais Cassie, elle, comprit, et son visage s'assombrit de colère.

— Evan Walker, ne t'avise pas de recommencer.

— C'est la dernière fois, mon Éphémère. Je te le promets.

43

Il s'arrêta au pied de l'escalier qui conduisait dans la fumée et les flammes. Derrière lui, Cassie hurlait, criait son nom, le maudissait.

Il grimpa.

Ringer l'avait bien dit : *Ce n'est pas nous qu'ils veulent, mais lui.*

À mi-chemin, il s'interrogea : aurait-il dû tuer Ben Parish ? Ce mec allait ralentir Cassie. Il serait un boulet pour elle, un fardeau qu'elle ne serait peut-être pas capable de porter.

Il écarta cette pensée de son esprit. Il était trop tard. Trop tard pour faire marche arrière. Trop tard pour courir, trop tard pour se cacher. Comme Cassie, sous la voiture, ce jour-là, comme Ben dans le camp de la mort, il était temps pour lui d'affronter ce qu'il pensait ne pas pouvoir affronter. Auparavant, il avait tout risqué pour la sauver, mais à cette époque, le risque était mesuré, calculé, il avait toujours une chance…

Pas cette fois. Cette fois, il se dirigeait droit dans la gueule du monstre.

Une fois en haut des marches, il se retourna, mais il ne la vit pas, pas plus qu'il ne l'entendit. Elle était perdue dans une brume de poussière, de fumée, et de toutes les toiles d'araignée qui tourbillonnaient lentement dans l'air.

Un cyclone parcourut les décombres – l'hélicoptère qui se frayait un passage, l'air remué par ses pales repoussant la fumée, tempérant le feu. Au-dessus de sa tête, le pilote aux commandes de l'appareil l'observait.

Evan leva les mains et avança. Le feu l'encercla. La fumée l'engloutit. Il traversa ce maelström de débris et se retrouva à l'air pur.

Mains en l'air, Evan Walker attendit au milieu de la route, tandis que le Black Hawk descendait vers lui.

44

ESCOUADE 19

De leur position à trois cents mètres au nord, les cinq membres de l'escouade 19 observent l'hélicoptère lancer deux missiles. Bye-bye, la baraque, réduite en cendres dans un orgasme de feu et de fumée.

Milk entend la voix du pilote dans son micro : *Gardez votre position, 19. Je répète : gardez votre position.*

Il lève le poing pour transmettre l'ordre à son équipe : *On reste là.*

Le Black Hawk entame un large arc de cercle pour revenir au-dessus de la cible. Accroupi à côté de Milk, Pixie pousse un profond soupir tout en se débattant avec sa lentille oculaire. La sangle est trop grande pour sa petite tête, elle ne tient pas en place. Swizz lui chuchote de la fermer, et Pix lui rétorque d'aller se faire foutre. Milk leur enjoint à tous deux de la boucler.

Le groupe se blottit sous une enseigne Havoline défraîchie à côté d'un immeuble en briques, anciennement un atelier de carrosserie avant que le monde soit complètement baisé. Des piles de vieux pneus et de jantes, des pièces de moteur et des outils, tout est répandu par terre comme des feuilles poussées par le vent. Les voitures, camions, SUV et monospaces sont couverts de poussière et de crasse, leurs vitres brisées, leur cuir moisi, telles des reliques d'un passé sans intérêt. La génération qui viendra après l'escouade 19 – s'il y en a une – ne reconnaîtra jamais ces étranges symboles accrochés aux coffres et aux grilles des pare-chocs de ces épaves rouillées. Dans une centaine d'années, plus personne ne sera capable de lire les lettres au-dessus de leurs têtes, ni même de comprendre ce qu'elles représentaient.

Comme si cela avait encore de l'importance. Comme si quelqu'un s'en souciait. Autant ne pas se souvenir. Autant ne pas savoir. On ne peut regretter ce que l'on n'a jamais eu.

Le Black Hawk vole au-dessus des décombres. Le courant descendant de ses pales aplatit la fumée et repousse les flammes. Ils regardent à travers leurs lentilles oculaires : Milk et Pixie au sud vers l'hélicoptère, Swizz et Snicks à l'ouest, Gummy au nord, scrutant le terrain à la recherche des lumières vertes d'un ennemi infesté. Ils attendront que le Black Hawk décolle, puis se dirige au sud vers l'autoroute en dégageant la fumée durant son avancée – s'il y a encore quelque chose à dégager. À moins que les Infestés se soient barrés quand ils ont entendu l'hélicoptère approcher, tout ce qui était dans cette maison a cramé.

Pixie fut le premier à la voir : une petite lueur verte qui surgit des flammes comme une luciole dans le crépuscule estival. Il donna un coup de poing sur la jambe de Milk, et d'un geste du doigt la lui désigna. Milk hocha la tête, sourire aux lèvres. Super. Dieu sait combien ils s'étaient entraînés pour ce moment, mais c'était la première fois qu'ils se retrouvaient en véritable situation de combat. Devant eux se tenait une créature vivante infestée.

Cela faisait six mois, deux semaines et trois jours que les filles et garçons de l'escouade 19 avaient fait connaissance dans le camp militaire dirigé par Vosch. Cent quatre-vingt-dix-neuf jours. Quatre mille sept cent soixante-seize heures. Deux cent quatre-vingt-six mille cinq cent soixante minutes s'étaient écoulées depuis que Pixie – Ryan, à l'époque –, tapi dans un fossé, couvert de croûtes, de plaies et de poux, l'estomac boursouflé, les bras maigres et les yeux gonflés, avait grimpé dans un bus, sans cesser une seconde de sangloter tant il avait soif. Milk s'appelait alors Kyle. Il avait été secouru d'un camp de réfugiés situé à environ trois kilomètres de la frontière canadienne, grand garçon maussade et renfrogné, en colère, difficile à contrôler, difficile à briser, mais à la fin, ils avaient quand même réussi à le briser.

Comme ils les ont tous brisés.

Jeremy est devenu Swizz ; Luis, Gummy ; Emily, Snickers. Des noms de mauviettes pour des mauviettes.

Ceux qu'ils ne pouvaient pas briser – ceux que Wonderland leur a annoncé être inaptes, et ceux dont les esprits ou les corps ont lâché de la manière la plus fondamentale – ont disparu dans des incinérateurs ou dans des pièces secrètes où leur corps a été transformé en bombe. C'était facile. C'était absurdement facile. Videz le vaisseau de l'espoir, de la foi et de la confiance, et vous pourrez le remplir de tout ce que vous voudrez. S'ils avaient dit à ces gosses de l'escouade 19 que deux plus deux faisaient cinq, ils l'auraient cru. Non, en fait, ils ne se seraient pas contentés de le croire ; ils auraient tué toute personne prétendant le contraire.

Une silhouette élancée surmontée d'un halo vert émerge de la fumée et des flammes – bras levés, mains vides, le garçon traverse les décombres sur la route. L'hélicoptère entame sa descente.

Bordel, que se passe-t-il ? Pourquoi ne le tuent-ils pas ?

Pixie, espèce de crétin, ça doit être lui, *la cible.* Cet enfoiré a réussi.

Le Black Hawk se pose. À présent, Milk voit Hersh et Reese sauter de la soute. Il ne peut les entendre, mais il sait ce qu'ils hurlent à l'Infesté par-dessus le vacarme du moteur : *À terre, à terre, à terre ! Mains sur la tête !* La silhouette s'agenouille ; ses mains sont voilées par la lueur verte qui danse autour de son visage. Ils entraînent le prisonnier vers l'hélico et le poussent à l'intérieur.

La voix du pilote retentit dans l'écouteur de Milk : *Rapatriement de la cible à la base. On se voit plus tard, soldats.*

Le Black Hawk s'élève au-dessus de leurs têtes, en direction du nord. La pancarte Havoline tremble sur son passage. Gummy observe l'hélicoptère se diriger vers l'horizon, ne laissant derrière lui que le vent et le feu. Il a le souffle lourd. *Ça ira vite,* songe-t-il. D'un air absent, il effleure son épaule où la blessure de la nuit précédente est encore fraîche : *VQP.*

C'était l'idée de Milk, qui a vu le corps de Razor de ses propres yeux. C'est également lui qui a compris la signification de ces lettres. *Vincit qui patitur,* « Conquiert celui qui souffre ». Ils ont gravé ces mêmes lettres – *VQP* – sur leur propre bras, en l'honneur de leurs copains morts au combat.

Milk donne le signal, et chacun se déploie. Pixie se positionne derrière lui. Swizz et Snicks sur les côtés, tandis que Gummy couvre leurs arrières. *Surveille ces fenêtres de l'autre côté de la rue, Snicks. Vérifie ces voitures, Swizz.*

Ils se sont entraînés des milliers de fois – de maison en maison, pièce à pièce, du sol de la cave jusqu'au toit. *Vous vérifiez le pâté de maisons, puis vous passez au suivant. Sans précipitation. Vous surveillez vos arrières, et ceux de votre pote. Si vous avez la cible en vue, vous tirez.* C'est simple. Facile. Si facile qu'un enfant pourrait le faire, ce qui est l'une des raisons principales pour laquelle ils ont choisi des enfants.

Six mois, deux semaines et trois jours après que le bus scolaire s'est arrêté et qu'une voix a déclaré : *N'ayez pas peur, vous êtes parfaitement en sécurité ici,* Gummy entend autre chose que le vent, le feu et son propre souffle : un sifflement aigu, comme celui des freins du bus. C'est le dernier bruit qu'il perçoit quand une jante en acier lui frappe soudain la nuque, brisant sa moelle épinière. Il meurt avant de toucher le sol.

Cent quatre-vingt-quatre jours après son arrivée au camp, Snicks est la suivante. Swizz et elle se jettent à terre quand Gummy tombe – c'est l'entraînement, c'est la mémoire de leurs muscles, et leur adversaire le sait. Elle a anticipé leur mouvement.

Allongé sur le ventre, Swizz regarde à sa droite. Snicks lâche un drôle de bruit étranglé. Son fusil est abandonné par terre, sur la route, à côté d'elle. De ses deux mains, elle agrippe le manche d'un tournevis de vingt-cinq centimètres fiché dans son cou. Sa veine jugulaire a été tranchée. Elle sera morte dans moins d'une minute.

Quatre mille quatre cent seize heures après avoir vu les phares du bus percer les bois dans lesquels il se cachait,

Swizz rampe jusqu'au bord de la route. L'espace d'un instant, à travers sa lentille oculaire, il aperçoit la lumière verte, juste avant qu'elle s'évanouisse derrière le vieux garage : la lueur d'un Infesté. *Je vais t'avoir, fils de...* Swizz ignore ce qui est arrivé à Milk et à Pixie et pas question de se retourner pour le découvrir. L'instinct, l'adrénaline et une rage incommensurable se sont emparés de lui. Il se redresse sur ses pieds, se dirige vers le garage. Le temps qu'il atteigne le coin sud-est du bâtiment, elle est déjà sur le toit, l'attendant, prête à bondir.

Au moins, ce sera rapide.

Planqués derrière la carcasse d'une Tahoe retournée sur le toit, Milk et Pixie entendent le bruit de son fusil. Trois coups brefs, un véritable staccato : *tat-tat-tat !*

Puis le silence.

Pixie pousse un petit cri de frustration, retire sa lentille oculaire – quel bordel, ce truc ne tient jamais en place. D'un ton calme, Milk lui ordonne de la remettre pendant qu'il scrute les environs. Pixie l'ignore. On est en plein jour, il voit très bien, et de toute façon, qui se fiche de savoir s'il y a encore des humains ou des Infestés ?

Le vent, le feu, et leurs souffles. *Ne vous laissez jamais acculer. Ne vous engagez jamais dans un cul-de-sac. Restez toujours groupés.* Allongé sur le côté, son épaule plaquée contre la tôle du SUV, Pixie fixe Milk. Milk, le sergent. Milk qui ne le laissera pas tomber. *VQP*. Bordel, oui. *VQP*.

La balle de la fille traverse la route, fait exploser la vitre du conducteur, pénètre l'habitacle et ressort de l'autre côté, déchire la veste de Pixie, se loge dans son dos, pile dans sa colonne vertébrale. Et là, la balle s'arrête.

Deux cent soixante-quatre mille neuf cent soixante-trois minutes depuis son sauvetage jusqu'à ce moment. Milk se dépêche de bouger vers le pare-chocs avant, traînant Pixie avec lui. Le haut du corps de son copain est secoué de convulsions dans ses bras ; le bas est paralysé, déjà mort. Putain, où avaient-ils la tête quand ils ont gravé ces trois stupides lettres sur leurs bras ? Alors que ses yeux s'éteignent déjà, Pixie lui agrippe le visage de ses longs doigts fins. *Protège-moi, sergent. Couvre-moi. Éloigne ces connards.*

— C'est ça, Pixie, t'inquiète, ça va aller. *VQP*. Putain de *VQP*.

Il est encore en train de chuchoter à son oreille lorsqu'elle saute sur le capot de la voiture. Il ne lève pas les yeux. Il ne l'entend même pas. Après quinze millions huit cent quatre-vingt-dix-sept mille sept cent quatre-vingt-douze tics de l'horloge, Milk rejoint le reste de l'escouade 19 dans la mort.

45

RINGER

JE NE LAISSERAI PAS CES GAMINS POURRIR là où ils sont tombés. Je ne les abandonnerai pas aux rats, aux corbeaux ni aux mouches, aux buses ou aux chiens sauvages.

Je n'abandonnerai pas leurs os aux vautours et à la vermine. Je ne les incinérerai pas non plus.

À mains nues, je creuserai une tombe pour eux dans notre bonne vieille terre.

Le soleil glisse vers l'horizon. Le vent se lève, plaquant mes cheveux sur mon visage, la terre s'effrite entre mes doigts, mes mains semblables à la charrue qui fauche la terre récalcitrante pour les semailles.

Je sais que Zombie m'observe. Je le vois près des ruines de la maison. Appuyé sur une planche calcinée, son fusil à la main, il me fixe. Quand le crépuscule descend sur nous, il continue à me fixer tandis que je porte les corps, un par un, dans le trou que j'ai creusé.

Il s'approche, traînant la jambe. Il va me tirer dessus. Il va jeter mon corps dans la fosse et m'enterrer avec mes victimes, sans attendre que je lui fournisse une explication. Il ne me posera aucune question, parce que pour lui, tout ce qui sort de ma bouche n'est que mensonge.

Il s'arrête. Je m'agenouille à côté de la tombe. Leurs visages éteints me fixent. Le plus vieux – le chef d'escouade, je suppose – ne devait pas avoir plus de vingt ans.

Zombie me met en joue. Mon hub ordonne une réponse défensive. Je l'ignore.

Les yeux rivés sur le visage mort, j'avoue :

— J'ai tiré sur Teacup. Je croyais que c'était une ennemie, je lui ai tiré dessus. Elle a eu une chance, mais moi je n'ai pas eu le choix. Je les ai laissés nous emmener, Zombie. C'était la seule façon de la sauver.

— Alors, où est-elle ? demande-t-il d'une voix sèche.

— Partie.

Ma réponse reste comme suspendue entre nous.

— Qu'est-ce qu'ils t'ont fait, Ringer ?

Je relève la tête. Non pas vers lui, mais carrément vers le ciel. Les premières étoiles scintillent.

— La même chose qu'à Walker. Ainsi qu'à Constance, au prêtre, et à la vieille femme aux chats.

Au-dessus de moi, les étoiles brillent sans ciller. Sous leur lueur, mes larmes se teintent d'argent. Le cadeau de Vosch me permet de voir jusqu'aux confins de l'univers, mais je n'ai pas remarqué les murs qui me retiennent prisonnière.

La vérité. Le douzième système renforce tous les autres, y compris celui qui anéantit mon corps depuis que je suis revenue de ces étendues désertes. J'ai refusé d'affronter la vérité. Je la connaissais, mais je l'ai rejetée. Un homme aveugle de naissance tend la main et touche l'oreille d'un éléphant : selon lui l'éléphant est un drapeau. Un deuxième aveugle touche sa trompe et affirme que l'éléphant doit plutôt ressembler à une branche d'arbre. Un troisième touche sa patte et dit que l'éléphant est semblable à un pilier.

Je baisse les yeux vers la tombe, et cette fois, j'avoue la vérité :

— Je suis enceinte.

46

CASSIE

BEN EST MORT.

Il nous a quittés en promettant de revenir. Mais il n'est pas encore revenu. Il n'est même pas revenu du tout.

Je suis blottie dans le coin le plus éloigné de la cave avec Sam et Megan. J'ai un fusil, Megan a Nounours, et Sam a sa personnalité. La collection d'armes de Grâce n'est qu'à deux mètres de nous. Il y en a tellement, de ces belles armes bien brillantes, que Sam a du mal à contenir son excitation. Grâce à Constance, il a fait une merveilleuse découverte. Tirer sur un être humain est très facile. Lacer ses baskets est plus difficile.

J'attrape une grosse couverture sur la pile à côté de l'établi et la jette sur eux trois, Sam, Megan et Nounours.

— J'ai pas froid ! crie-t-il – Sam, pas Nounours.

— Ce n'est pas pour nous tenir chaud, je marmonne.

Je commence à lui expliquer, mais mes paroles se mêlent en un bla-bla incompréhensible. Qu'est-il arrivé à Evan ? Et à Ben ? Et à Ringer ? Pour connaître les réponses à ces questions, il me faudrait me lever, traverser la cave, grimper l'escalier, et vraisemblablement tuer quelqu'un ou me faire tuer.

C'est la dernière fois, mon Éphémère. Je te le promets.

Oh, ce surnom idiot qui me file la gerbe ! J'aurais dû lui rendre la pareille et lui en trouver un tout aussi ridicule. Requin humain ? Les Dents de la Terre ?

L'escalier craque. Je reste immobile. J'ai une armurerie complète, et un cœur lourd de rage ; je n'ai pas besoin d'autre chose.

— Cassie, c'est Zombie, chuchote Sam à côté de moi.

Oui, c'est lui. Tel un véritable zombie, il marche bizarrement, un peu comme s'il avait perdu l'équilibre. Le temps d'arriver jusqu'à nous, il a déjà le souffle court. Il s'appuie contre le mur, bouche entrouverte, visage blême.

— Alors ? Tu l'as trouvé ? je demande.

Il secoue la tête, regarde vers l'escalier, puis reporte son attention sur moi.

— L'hélico, dit-il.

— Quoi, l'hélico ? Evan l'a fait sauter ?

Question stupide. Si c'était le cas, nous l'aurions entendu.

— Il est monté dedans.

Ben a besoin de s'asseoir. Une blessure comme la sienne fait un mal de chien. Pourquoi ne s'assied-il pas ? Pourquoi reste-t-il planté près de l'escalier ?

— Comment ça, il est monté dedans ?

— Ils l'ont embarqué, Cassie.

Un autre regard vers l'escalier, alors je lui demande pourquoi il ne cesse de scruter l'escalier. Il entame son récit :

— Il y avait une équipe d'assaut…

— Il y a une équipe d'assaut ?

— Il y *avait* une équipe d'assaut.

D'un revers de la main, il s'essuie la bouche.

— Elle n'existe plus.

Sa voix tremble – et à mon avis, ce n'est ni de douleur ni de froid. Ben Parish semble flippé à mort.

— Ringer ?

Hé, Sullivan, idiote, qui d'autre ?

— Ringer.

Il acquiesce. Puis regarde de nouveau vers l'étage supérieur. C'est alors que je me lève. Sam fait de même. Je lui ordonne de ne pas bouger. Il me répond qu'il fera ce qu'il voudra. Ben esquisse un geste de la main, comme pour m'apaiser.

— Il y a une explication, Cassie.

— Oh ! Ça, j'en suis certaine.

— J'aimerais que tu écoutes ce qu'elle a à dire.

— Sinon quoi ? Elle me brisera la nuque avec ses pouvoirs de super-ninja ? Ben, qu'est-ce qui cloche chez toi ? C'est elle qui a amené cette femme jusqu'à nous. Cette meurtrière.

— Tu vas devoir me faire confiance sur ce coup-là.

— Non, c'est toi qui vas devoir me faire confiance. Je te l'avais dit avant son départ : il y a un truc bizarre chez elle. Maintenant qu'elle est de retour, je confirme : il y a vraiment un truc bizarre chez elle. Qu'est-ce qu'il te faut de plus, Ben ? Qu'est-ce qu'elle doit faire pour que tu comprennes enfin qu'elle n'est pas de notre côté ?

— Cassie…

À l'évidence, il s'efforce de rester calme.

— Baisse ton arme, Cassie…

— Pas question.

Il inspire profondément. Visiblement, il fait tout son possible pour ne pas exploser.

— Je ne te laisserai pas lui faire de mal.

Et là, Sammy intervient :

— Zombie est le sergent. Tu dois lui obéir.

L'escalier craque de nouveau. Ringer s'arrête à mi-chemin. Elle ne me regarde pas, elle fixe Ben. Durant une horrible seconde, j'envisage de les tuer tous les deux, elle et Ben, d'attraper Sam et Megan et de fuir, de fuir, jusqu'à ce qu'il n'y ait plus nulle part où fuir. À force de devoir choisir son camp, d'avoir à décider en qui on peut avoir confiance ou pas, ce qu'est la vérité et ce qui ne l'est pas, vous atteignez un point où vous avez juste envie de tout planter. Comme un candidat au suicide, vous êtes soudain las de tout. Plus rien n'a la moindre importance.

— Ça va aller, dit Ben à Ringer, ou peut-être à moi, ou peut-être à nous deux. Ça va aller.

— Qu'elle pose son arme dans l'escalier ! je crie.

Ringer se débarrasse aussitôt de son fusil. Pourquoi ne suis-je pas plus rassurée ? Elle descend les dernières marches, et s'assied.

47

IL Y A EU UNE FLOPÉE DE MOMENTS BIZARRES depuis que les Autres sont arrivés, mais celui-là bat tous les records en matière de bizarrerie.

Après ses premières explications, je me suis dit que j'avais dû rater un truc, alors j'ai demandé à Ringer de recommencer son récit, plus lentement cette fois, et avec plus de détails.

— Ils ne sont pas là, dit-elle. Je ne suis même pas sûre qu'ils soient là-haut.

De la tête, elle désigne le plafond de la cave – et le ciel invisible au-dessus.

— Comment ça, ils ne sont pas là-haut ? lance Ben.

Et le voilà de nouveau aussi déférent qu'un courtisan à la cour de la reine Ringer. Je commence à m'interroger sur ses capacités à juger les gens. Depuis que la guerre a débuté, il s'est fait tirer dessus à deux reprises – les deux fois par une personne qui prétendait être de son côté. *Fais gaffe, Parish : la troisième fois, ce sera l'envoûtement complet.*

— Le ravitailleur est peut-être entièrement automatisé, déclare Ringer. Certes, il a été construit par des formes de vie conscientes, mais ses constructeurs pourraient très bien se trouver à des années-lumière d'ici – voire nulle part.

— Nulle part ? répète Ben. Mais alors, ils sont… ?

— Morts. Exterminés.

— Bien sûr, pourquoi pas ? je réplique avec ironie.

Je joue avec la culasse mobile de mon M16. Ben a peut-être toujours confiance en Ringer, malgré ses mensonges sur Teacup, sa propre identité, ce qui lui est arrivé après nous avoir quittés, plus le fait qu'elle lui a tiré dessus – deux fois – et qu'elle a amené un assassin dans notre refuge ; moi, je ne suis nullement impressionnée par ses charmes féminins, qui, de toute façon, se compteraient sur les doigts d'un manchot.

— Alors, si j'ai bien tout pigé, je poursuis, il y a quelques milliers d'années, leurs sondes spatiales nous ont trouvés. Les Autres nous ont observés. Ils ont attendu. À un moment donné, ils ont estimé que nous étions néfastes pour la Terre et pour nous-mêmes, alors ils ont construit leur ravitailleur, l'ont chargé de bombes, de drones, de virus d'une pandémie, et ils ont entrepris d'éliminer 99,9 % de la population avec l'aide de prisonniers humains à qui ils ont fait un lavage de cerveau depuis la naissance… parce que c'est ce qui est bon pour nous…

— Cassie, respire, dit Ben.

— C'est un scénario possible, affirme Ringer d'un ton détaché. En fait, c'est le meilleur.

Je tourne la tête pour observer Sam et Megan pelotonnés sous une grosse couverture dans un coin. De façon assez stupéfiante, ils se sont endormis, têtes appuyées l'une contre l'autre, Nounours sous leurs mentons, en un tableau qui, dans d'autres circonstances, pourrait être adorable.

— C'est comme ta théorie des Silencieux, je lui rétorque. Cette histoire de soi-disant programme informatique téléchargé dans des fœtus et déclenché quand les gamins atteignent la puberté. En voilà un scénario !

— Non, c'est un fait. D'ailleurs, Vosch l'a confirmé.

— Exact. Ça a été confirmé par le taré qui a organisé le meurtre de sept milliards de personnes. C'est sûr, s'il le dit, ça doit être vrai.

— Si ce n'était pas le cas, pourquoi voudrait-il à ce point s'emparer de Walker ?

— Oh, j'en sais rien. Peut-être parce qu'Evan a trahi sa civilisation entière et qu'il est le seul sur Terre à pouvoir les arrêter ?

Ringer me regarde d'un air dégoûté.

— Si c'était seulement pour cette raison, ton petit ami serait déjà mort.

— Il l'est peut-être déjà. C'est dingue : tu prétends tout savoir, mais tu ne sais rien ! Tu ne parles que de théories, de scénarios, de possibilités, de risques, etc. Et pour ton information, histoire que tu sois au courant, *mademoiselle je-sais-tout*, Evan n'est pas mon petit ami.

J'ai les joues en feu. Je me remémore cette nuit où j'ai accosté sur le rivage d'*Evanland* et y ai planté mon drapeau. J'entends Ben répondre, mais je ne comprends pas ce qu'il dit, plongée que je suis dans une querelle interne, genre : *Comment ai-je pu planter ce drapeau ? Ça aurait dû être Evan, non ?*

— Evan est un être humain, insiste Ringer. Son but est évident. Ce qui ne l'est pas, c'est ce qui a poussé son esprit à se rebeller – et pourquoi Vosch a besoin de détruire son programme. Evan ne s'est pas contenté de trahir les siens – il s'est trahi lui-même.

Ben soupire.

— On est baisés, de toute façon.

Il se tortille contre le mur, tentant de trouver une position plus confortable. C'est impossible quand on a une balle dans la jambe. Croyez-moi, j'ai essayé.

— Donc, il n'y aura aucune capsule de sauvetage pour évacuer les Silencieux, poursuit-il. Pas de capsule – aucun moyen de regagner leur ravitailleur. Aucun moyen de rejoindre le ravitailleur, *donc* aucun moyen de le faire sauter. Quelle merde ! Et cette histoire de faire exploser les villes ? C'est vrai ou c'est aussi un mensonge implanté par son programme ?

Ringer reste silencieuse un long moment. J'ignore à quoi elle peut bien songer. Puis je commence à me dire que tout cela n'est qu'une ruse de la part de Vosch. Quelque chose est arrivé à Ringer après qu'elle a quitté l'hôtel Walker. Quelqu'un lui a implanté un système qui l'a transformée en un être moitié humain, moitié arme de destruction massive. Comment savoir si elle n'est pas passée de l'autre côté ? Elle ne l'a pas toujours été ? Mes doigts tripotent de nouveau la culasse de mon fusil.

— Je pense qu'ils vont bien faire sauter les villes, dit-elle enfin.

— Pourquoi ? je demande. Dans quel but ?

— Pour de nombreuses raisons. D'abord, ça remet les chances à égalité avant le lancement de la 5e Vague – le combat en zone urbaine donnerait trop l'avantage aux Silencieux. Mais la raison la plus importante c'est que les villes sont les lieux qui gardent notre mémoire.

Quoooooiiiii ? Soudain je comprends, et j'en ai le ventre noué. Mon père avec son satané chariot et ses satanés livres. Les bibliothèques, les musées, les universités, tout ce que nous avons construit depuis plus de six mille ans. Les villes sont plus que la somme de leurs infrastructures. Cela va au-delà des briques et du mortier, du béton et de l'acier. Elles sont les vaisseaux qui contiennent les connaissances humaines. Les détruire, c'est comme ramener l'horloge de l'humanité à la période néolithique.

— Ça ne leur suffit pas de réduire les populations, affirme Ringer. Pas plus que de raser ce que nous avons construit. Nous pourrions repeupler la Terre et reconstruire. Mais pour sauver la planète, pour sauver notre espèce, ils doivent nous changer.

Elle effleure sa poitrine.

— Ici. Au cœur de nous-mêmes. Si les Autres peuvent détruire la confiance, ils peuvent détruire la fraternité. Et sans elle, toute civilisation est impossible.

48

— BON, LÂCHE BEN, en gros, si je résume, c'est non pour les capsules, mais oui pour les bombes. Ce qui signifie qu'on peut pas rester ici – on est trop près d'Urbana. Ça me va très bien, parce que je déteste cette putain de ville. Alors où est-ce qu'on va ? Au sud ? Moi je vote pour le sud. On va se trouver une source d'eau fraîche à des kilomètres de nulle part, vraiment à des kilomètres de nulle part.

— Et ? demande Ringer.

— Et quoi ?

— Qu'est-ce qu'on fera après ?

— Après ?

— Oui. On arrive dans ton fameux nulle part. Ensuite, quoi ?

Ben lève la main, puis la laisse retomber. Ses lèvres esquissent un sourire. Il est si mignon en cet instant précis que je manque de fondre en larmes.

— On est cinq, on n'a qu'à former un groupe de rock, suggère-t-il.

Là, j'éclate vraiment de rire. Parfois, Ben est comme le cours frais d'un ruisseau dans lequel il fait bon se baigner par une belle journée d'été.

— Laisse tomber, dit Ben alors que Ringer le fixe d'un air ahuri. Qu'est-ce qu'on va faire de toute façon ?

Il la regarde. Puis me regarde.

— Oh, bordel, Sullivan, n'y pense même pas, lâche-t-il avec un énième soupir.

Puisqu'il sait à quoi je pense, autant que je l'exprime à voix haute.

— Il est venu pour moi, je lui rappelle. Il t'a sauvé la vie – deux fois. Et la mienne trois fois.

— Ben a raison, intervient Ringer. C'est du suicide, Sullivan.

Je hausse les yeux au ciel. J'ai déjà entendu cette connerie – de la part d'Evan Walker, quand il a compris que j'étais déterminée à me rendre au camp de la mort pour retrouver mon petit frère. Pourquoi suis-je toujours la seule à vouloir aller de l'avant quand ils ont la trouille de faire quoi que ce soit ? La seule à dire : *On devrait y aller* quand ils se complaisent dans leur *On ne devrait pas* ?

Je décide de plaider ma cause avec énergie :

— Rester ici est aussi du suicide. Tout comme s'enfuir vers nulle part. Quoi que l'on fasse, désormais, c'est mission suicide. On est au moment de l'histoire où l'on doit choisir, Ringer : une mort qui signifiera quelque chose, ou une mort dépourvue de sens. De plus, c'est ce qu'il ferait pour nous.

— Non, me corrige Ben. Il ferait ça pour *toi.*

— La base où ils vont l'emmener est à plus de cent cinquante kilomètres, déclare Ringer. Même si tu y arrives, ce sera trop tard. Vosch en aura déjà fini avec lui – Evan sera mort.

— Tu n'en sais rien.

— Si, je le sais.

— Non, tu affirmes savoir, mais tu ne sais pas vraiment. Tu prétends toujours savoir, et nous, nous sommes censés te croire parce que, bordel, tu es une nana tellement brillante !

Et là, nous avons droit à une fabuleuse réplique de Ben : *Hein ?*

— Quoi que nous fassions, dit Ringer d'un air détaché comme si je ne venais pas de m'en prendre à elle, rester ici n'est pas envisageable. Dès que le Black Hawk aura livré sa cargaison, il reviendra.

— Sa cargaison ? répète Ben, toujours aussi rapide à comprendre.

— Evan, je traduis.

— Pourquoi est-ce qu'il… ?

Soudain, il percute. Les victimes de Ringer enterrées le long de la route. L'hélicoptère doit revenir pour évacuer l'équipe d'assaut.

— Oh. Merde.

Et moi je pense : *L'hélicoptère ! Bingo !*

Et là, Ringer me fixe de son air de fille qui sait à quoi je pense, ce qui est le cas, mais ça ne prouve pas qu'elle a toujours raison.

— Oublie ça, Sullivan.

— Oublier quoi ?

À peine ai-je lâché ces mots que j'*oublie* ma réserve.

— Tu l'as fait, je poursuis. En tout cas, tu as dit que tu l'avais fait.

— Fait quoi ? demande Ben.

— C'était différent, répond Ringer.

— Comment cela ?

— Différent parce que je n'étais pas vraiment toute seule. Ma fuite loin de Vosch n'était pas une véritable évasion, c'était un test pour le douzième système.

— Eh bien, on n'aura qu'à prétendre que c'est un test aussi, si tu préfères.

— Prétendre que *quoi* est un test ?

Ben est si frustré de ne rien comprendre que sa voix s'est élevée d'une octave.

— Bordel, mais de quoi vous parlez, toutes les deux ?

Ringer pousse un soupir.

— Ta copine veut détourner le Black Hawk.

Ben en a la mâchoire qui tombe. Je ne sais pas ce qu'il a, mais dès qu'il se trouve en présence de Ringer, toute intelligence semble le déserter.

De la tête, Ringer désigne Sam.

— Et lui ? Il vient aussi ?

— Ce ne sont pas tes affaires, je réponds.

— Pas question que je serve de baby-sitter pendant que tu joues les Don Quichotte.

— Pas la peine d'user d'obscures références littéraires pour m'impressionner, ça ne marche pas. Figure-toi que je sais qui est Don Quichotte.

— Attendez une minute, les filles, lâche Ben. C'est le mec du *Parrain*, c'est ça ?

Il a dit ça d'un air si impassible que j'ignore s'il plaisante ou pas. Lui qui était pressenti pour décrocher une des prestigieuses bourses Rhodes. Sérieusement.

— Vous comptez faire à Vosch une offre qu'il ne pourra pas refuser, c'est ça ? poursuit-il.

— Ben peut garder les enfants, je dis à Ringer, comme si j'avais déjà réfléchi à tout cela, comme si nous concoctions ce plan pour sauver Evan depuis des mois. On y va toutes les deux, juste toi et moi.

Elle secoue la tête.

— Et pourquoi je ferais ça ?

— Pourquoi tu ne le ferais pas ?

Elle se crispe un instant et, sans que je comprenne pourquoi, regarde Ben. Donc, je regarde Ben qui, lui, fixe le plancher, comme s'il n'en avait jamais vu. *Quelle est donc cette incroyable surface sous mes pieds ?*

Pas question de m'arrêter dans mes tentatives. Pourquoi m'arrêterais-je ? J'ai essayé, j'ai échoué.

— J'ai une idée, Ringer. Oublie-moi. Oublie Evan. Fais-le toi-même. Toute seule.

— Moi ?

Elle a l'air carrément intriguée, là. Ha ! Pour une fois, elle ne peut pas prétendre *savoir ce que je pense.*

— Il en a fini avec toi, j'insiste. Donc tu dois aller à sa rencontre si tu veux mettre un terme à tout ça.

Ringer se redresse comme si je l'avais giflée. Elle tente de faire semblant d'ignorer de qui je parle. Raté.

Je l'ai vu sur son visage quand elle a raconté son histoire. Je l'ai entendu dans sa voix. Entre les froncements de sourcils et les longs silences, tout était là. Quand elle prononçait son nom, et quand elle ne pouvait s'empêcher de le prononcer, c'était là aussi : il est la raison pour laquelle elle n'a pas abandonné, pour laquelle elle s'accroche, sa *raison d'être*[1].

La chose qui vaut la peine que l'on meure pour elle.

— Quand Vosch pense que tu vas par ici, tu vas par là. Quand il croit que tu feras marche arrière, tu avances. Tu ne peux pas détruire ce qu'il a fait, mais tu peux le détruire, *lui.*

— Ça ne résoudra rien, murmure-t-elle.

— Probablement pas. Mais au moins, il sera mort. C'est déjà ça.

Je lui tends la main. J'ignore pourquoi. Je ne suis pas franchement sûre que mon plan soit si génial que ça. Une petite voix rationnelle et sage me chuchote sans relâche : *Elle a raison, c'est du commando suicide, Cassie. Evan est parti, et cette fois il n'y aura pas de miracle. Oublie-le.*

Ma place est auprès de Sam. Elle l'a toujours été. C'est lui, ma raison d'être, et non pas un mec d'une ferme de l'Ohio, complètement timbré. Bon sang, si Ringer a raison, les sentiments d'Evan n'existent pas. Il croit être amoureux de moi, comme il croit être un Autre.

Quelle est la différence entre croire et être ? Existe-t-il même une différence ?

Oh, bordel, par moments, mon cerveau me fatigue.

— Les morts…, dit Ringer d'une voix aussi froide que la mort elle-même. Je suis venue ici pour tuer une personne innocente. J'en ai tué cinq. Si je retourne là-bas, je tuerai jusqu'à en perdre le compte. Je tuerai jusqu'à

1. En français dans le texte. (*N.d.T.*)

ce que le nombre de mes victimes n'ait plus aucune importance.

Ce n'est pas moi qu'elle regarde en affirmant cela, mais Ben.

— Et ce sera facile, poursuit-elle avant de se tourner vers moi. Tu ne comprends pas. *Je suis ce qu'il a fait de moi.*

J'aimerais qu'elle pleure. Qu'elle crie, qu'elle frappe quelque chose de son poing, qu'elle hurle jusqu'à ne plus avoir de voix. N'importe laquelle de ces réactions serait plus normale que cet air détaché, froid, qu'elle prend pour me répondre. Ce qu'elle dit ne correspond pas à la manière dont elle le dit, et ça, c'est effrayant.

— Et à la fin, nous aurons toutes les deux échoué, déclare-t-elle. Evan mourra, et Vosch vivra.

Quoi qu'il en soit, elle me serre quand même la main pour sceller notre pacte.

Ce qui est encore plus effrayant.

49

À CE MOMENT-LÀ DE LA CONVERSATION, Ben a atteint la limite de son endurance – à la fois physique et mentale. Il ne supporte plus de rester debout aussi longtemps, ni d'assister à ce stupéfiant changement de comportement de ma part, durant lequel je viens de passer de : *Ringer est une traîtresse* : à *Ringer est ma partenaire !* Il sautille jusqu'à l'escalier, et s'assied sur une marche, étirant sa jambe blessée devant lui. Il fixe alors le plafond en se frottant le menton.

— Ringer, lâche-t-il, tu ferais mieux de retourner là-haut. Au cas où tu aurais raté quelqu'un.

Elle secoue la tête. Ses cheveux d'un noir profond vont et viennent comme un rideau soyeux d'un noir d'obsidienne.

— Je n'ai raté personne.

— Eh bien, au cas où quelqu'un d'autre arriverait.

— Comme qui ?

— Les méchants.

Ringer me fixe un instant, puis hoche la tête. Elle contourne Ben, s'arrête à mi-chemin pour ramasser son fusil. Je l'entends lui chuchoter : « Arrête ça » avant de disparaître.

Arrête ça ?

— Qu'est-ce que vous avez, tous les deux ? je demande à Ben.

— Comment ça ?

— J'ai bien remarqué vos regards entendus, figure-toi. Et ce truc, là, qu'elle vient de te dire.

— Ce n'est rien, Cassie.

— Si c'était rien, elle ne t'aurait pas fixé comme ça, et elle n'aurait pas dit : *Arrête ça.*

Ben hausse les épaules. Il scrute le haut de l'escalier, ce trou qui s'ouvre désormais sur le ciel, à l'ancien emplacement de la maison.

— Pas question de discuter de ça avec toi.

Il sourit, comme s'il était gêné, et poursuit :

— Peu importe à quel point on connaît quelqu'un, il y a toujours une partie de cette personne à laquelle on n'aura jamais accès. C'est comme une pièce fermée, impossible à ouvrir.

Il secoue la tête et lâche un petit rire aussitôt étouffé.

— Avec Ringer, c'est plutôt un bâtiment entier qui est fermé. Voire encore plus grand, genre le Louvre, je fais remarquer.

Ben se hisse sur ses pieds et se traîne jusqu'à moi, utilisant son fusil comme une béquille. Le temps de me rejoindre, son visage est un masque de douleur et d'épuisement.

— Tu as perdu l'esprit ? demande-t-il.

— Qu'est-ce que tu en penses ?

— Je crois que c'est le cas.

— Qu'est-ce que tu en sais ?

— La Cassie Sullivan que je connais n'abandonnerait jamais son petit frère.

— Peut-être que je ne suis pas la Cassie Sullivan que tu connais.

— Donc tu vas le laisser…

— Avec toi.

— Tu n'as peut-être pas remarqué, mais je ne suis pas très doué pour protéger qui que ce soit.

Il se laisse glisser contre le mur à côté de moi. Inspire à plusieurs reprises, puis se lance :

— Soyons un peu sérieux, OK ? Elle n'arrivera pas jusqu'à Vosch, et toi, tu n'arriveras pas jusqu'à Evan. Voilà. Maintenant, voyons la suite.

— La suite ?

— Eux.

De la tête, il désigne Sammy et Megan pelotonnés sous la couverture.

— Ça a toujours été à propos d'eux, depuis le premier jour. L'ennemi en a toujours été conscient. Mais le plus triste et le plus effrayant, c'est pourquoi nous l'avons si vite oublié.

— Je n'ai pas oublié, je rétorque. Pourquoi crois-tu que j'ai décidé de partir ? Pas à cause d'Evan Walker. Ni à cause de toi ou de moi. Si Ringer a raison, Evan est notre dernier espoir.

J'observe le visage angélique de mon petit frère plongé dans le sommeil.

— *Son* dernier espoir.

— Dans ce cas, j'irai avec Ringer. Toi, tu resteras ici.

Je secoue la tête.

— Tu es blessé. Pas moi.

— Ce n'est rien. Je peux très bien…

— Je ne parle pas de ta jambe.

Il frémit. Sa mâchoire se crispe.

— Ce n'est pas juste, Cassie.

— Peu m'importe ce qui est juste ou pas. Il ne s'agit pas de cela, mais des probabilités. Des risques. Il s'agit des chances que mon frère a d'assister à son prochain Noël. J'aimerais bien que quelqu'un d'autre puisse s'en charger à ma place, mais ce n'est pas le cas, Parish. C'est sur moi que ça tombe. Parce que je suis toujours là-bas, Ben, sous cette voiture sur l'autoroute – je n'en suis jamais sortie, et je ne me suis jamais levée. Je suis toujours dessous à attendre que le croquemitaine vienne me chercher. Si je m'enfuis maintenant, où que j'aille, il me retrouvera. Et il retrouvera Sam.

J'attrape Nounours, que Megan a lâché dans son sommeil, et le plaque sur ma poitrine.

— Je me fiche complètement de savoir si Evan Walker est un alien, un humain, un alien-humain, ou un putain de navet. Je me moque de ton passé ou de celui de Ringer, et du mien aussi, d'ailleurs. Le monde existait bien avant nous, et il existera bien après…

Ben tend la main et effleure ma joue mouillée de larmes. Je le repousse.

— Ne me touche pas.

Toi, l'ancien Ben. Toi, celui qui aurait pu être Ben.

— Cassie, je ne suis ni ton chef ni ton père. Je ne peux pas plus te retenir que tu n'aurais pu m'empêcher d'aller aux cavernes.

J'enfouis mon visage dans la tête miteuse de Nounours. Il sent la fumée, la sueur, la poussière, et mon petit frère.

— Il t'aime, Ben. Plus que moi, je crois. Mais ça…

— C'est faux, Cassie.

— Ne m'interromps pas.

— OK.

— Je dois te dire quelque chose.

— Je t'écoute.

Je détourne le regard. J'inspire. Profondément. *Ne lui dis pas, Cassie. À quoi ça sert, maintenant ?* À rien. Rien du tout. Mais peut-être que je dois le dire quand même.

— Au collège, j'avais le béguin pour toi, je chuchote. J'écrivais ton nom dans mes cahiers. Je dessinais des cœurs autour. Et je les décorais avec des fleurs. Surtout des pâquerettes. Je rêvais de toi à longueur de journée. Personne n'en savait rien, sauf ma meilleure amie. Qui est morte, maintenant. Comme tout le monde.

Je regarde au loin.

— Mais tu étais toi, et moi, j'étais moi. Quand je t'ai vu surgir de nulle part au camp où se trouvait Sammy, j'ai cru que cela avait une signification. Parce que tu avais survécu alors que tu aurais dû mourir, que j'avais aussi échappé à la mort, et nous étions tous les deux là pour Sam, qui aurait également dû mourir. Ça faisait trop de coïncidences pour être juste *une coïncidence*, tu comprends ? Mais c'est tout ce que c'est, finalement, une coïncidence. Il n'y a aucun plan divin. Rien d'écrit dans les étoiles. Aucun destin, nulle part. Notre présence sur *cette* planète dans *cet* univers n'est que fortuite. Et c'est très bien comme ça. Les sept milliards de milliards d'atomes qui le composent n'y trouvent rien à redire.

Je plaque mes lèvres sur la tête de Nounours. C'est génial que l'humain ait conquis la Terre, inventé la poésie, les mathématiques et le moteur à combustion, découvert que le temps et l'espace sont liés, construit des machines assez puissantes pour aller jusqu'à la Lune et d'autres pour nous conduire au McDonald's afin d'y déguster un smoothie fraise-banane. C'est vraiment cool qu'il ait divisé l'atome et offert à la planète l'Internet, les smartphones et, bien sûr, la perche à selfie.

Mais la plus merveilleuse découverte de toutes, notre plus grand accomplissement, celui qui, je l'espère, laissera une trace pour l'éternité, c'est d'avoir eu la génialissime idée de remplir de petites billes de polyester la représentation stylisée de l'un des plus effrayants prédateurs de la nature dans le seul but d'apaiser un enfant.

50

PRÉPARATIFS. DÉTAILS À RÉGLER.

Tout d'abord, j'ai besoin d'un uniforme. Ben reste assis avec les enfants pendant que Ringer et moi nous déterrons les corps. L'uniforme de la plus petite recrue semble de la bonne taille, mais il y a un trou, causé par une balle, dans le dos de la veste. Ça risque d'être dur à expliquer. Ringer tire un autre corps, dont les vêtements sont sales, mais n'ont pas été criblés de balles, et sont presque vierges de taches de sang. Elle m'informe qu'elle lui a fait exploser les cervicales avec une jante d'environ cinquante centimètres. Il n'a rien senti, m'assure-t-elle. Pas plus qu'il n'a vu le coup venir. *C'est bon, ça va aller.* Je sens ma gorge se serrer, mon estomac se soulever. *C'est bon, ça va aller.* Je me change sur place, sur le côté de la route, sous un ciel nu. *Ha ! Un ciel nu.* Au-dessus de moi se trouve aussi Cassiopée attachée à son trône, observant son homonyme nue et le cadavre du garçon. Le teint encore plus pâle que d'habitude, Ringer le fixe. Je suis son regard jusqu'au bras du garçon, sur lequel des croûtes dégueulasses luisent à la lumière des étoiles. Qu'est-ce que c'est ? Des lettres ?

— C'est quoi, ce truc ? je demande en roulant le bas des jambes du pantalon, trop longues d'environ huit centimètres.

— Du latin, répond-elle. Ça veut dire : « Conquiert celui qui souffre. »

— Pourquoi c'est gravé sur son bras comme ça ?

Elle secoue la tête. Sa main se pose sur son épaule. Elle croit que je n'ai pas remarqué.

— Toi aussi, tu as ça gravé sur ta peau ?

— Non.

Couteau de combat à la main, elle s'agenouille à côté du garçon et, d'un geste preste, lui incise la nuque le long de la petite cicatrice. Avec précaution, elle en retire le traceur.

— Tiens. Mets-le dans ta bouche.

— Dans tes rêves.

Elle pose le traceur au creux de sa paume et crache dessus. Puis elle frotte la puce, de la taille d'un grain de riz, dans sa salive pour en éliminer le sang séché.

— C'est mieux comme ça ?

— Comment est-ce que ça pourrait être *mieux* ?

Elle m'attrape la main et y glisse le dispositif gluant.

— Tu n'as qu'à le nettoyer toi-même.

J'attache les lacets de mes bottes tandis qu'elle tranche la nuque d'un autre gamin et, de la pointe de son couteau, en extirpe le traceur avant de lécher la lame. C'est vraiment bizarre et carrément *dégueu* à regarder. Ses paroles résonnent à mon esprit : *Je suis ce qu'il a fait de moi.*

51

J'AI BESOIN DE MATÉRIEL, mais seulement de ce qui peut tenir dans les poches et l'étui de mon uniforme. Des chargeurs pour le fusil et mon arme de poing, un couteau, une lampe torche, quelques grenades, deux bouteilles d'eau, et trois barres protéinées, sur l'insistance de Ben. Parish a ce truc bizarre, limite superstitieux. Il croit en la puissance des barres protéinées, ce qui est complètement naze, contrairement à ma foi absolue en Nounours et ses vertus de talisman.

— Et si tu te trompes ? je dis à Ringer. Si personne ne vient récupérer l'équipe d'assaut ?

Elle hausse les épaules.

— Alors, on est baisés.

Quelle fille adorable, vraiment. Un réel rayon de soleil. Je réveille Sam et Megan et je les fais manger pendant que, dehors, Ben et Ringer se préparent pour l'assaut. Il y a un truc entre ces deux-là. Quelque chose qu'ils ne me disent pas. J'aimerais bien avoir la faculté d'Evan à lire dans l'esprit d'autrui. Je pourrais plonger dans le cerveau de Ben Parish et me frayer un chemin jusqu'à la vérité. Cela dit, comment son esprit a-t-il pu pénétrer le mien et s'y mêler, si Evan est humain ? Pour comprendre la réponse à cette question, vous devez être ultra-diplômé en robotique, bionique et physique électromagnétique. L'unité centrale liée à son cerveau interprète mon biofeedback physiologique et crée un réseau d'informations dans lequel mes données se combinent aux siennes, bla, bla, bla. Franchement, la science est merveilleuse, mais pourquoi s'évertue-t-elle à gâcher tous les mystères du monde ? L'amour n'est peut-être rien d'autre qu'une interaction complexe d'hormones et de comportements conditionnés, mais essayez un peu d'écrire un poème ou une chanson là-dessus.

Préparatifs. Détails.

J'informe Sam et Megan du plan. Mon petit frère est enchanté. Certes, il préférerait infiltrer la base, mais il se réjouit de passer du temps avec son cher Zombie. Megan ne dit pas un seul mot. Pourvu qu'elle ne regimbe pas au moment critique. Remarquez, je ne peux pas la blâmer. La dernière fois qu'elle a fait confiance à des adultes, elle s'est retrouvée avec une bombe dans la gorge.

Je tends Nounours à Sam, pour qu'ils prennent mutuellement soin l'un de l'autre. Sam le passe à Megan. Oh mon Dieu. Il s'estime déjà trop âgé pour Nounours. Ces gamins grandissent si vite.

— Couvertures, j'ordonne.

Tout le monde, sauf Ringer, en prend une.

Puis, soudain, il n'y a plus rien d'autre à faire que gravir l'escalier une dernière fois.

Je saisis la main de Sammy, Sammy celle de Megan, Megan agrippe Nounours, et ensemble, nous montons vers l'extérieur. L'escalier grince, gémit. Il pourrait bien craquer, s'effondrer.

Pas nous.

52

ZOMBIE

RINGER PORTE LES DEUX DERNIERS CADAVRES près du vieux garage, un sous chaque bras. Je sais que son fameux douzième système lui procure une force inouïe, mais la scène est quand même plutôt effrayante. J'attends à côté de la tombe vide qu'elle ressorte. Ce qui n'arrive pas. *Oh, bordel. Que se passe-t-il, maintenant ?*

À l'intérieur du garage, les effluves d'essence et de graisse me ramènent au passé. Avant Zombie, il y avait un mec du nom de Ben Parish, qui bricolait des voitures avec son père les samedis après-midi. La dernière était une Corvette 69 rouge cerise, cadeau paternel pour son dix-septième anniversaire, un achat que son père ne pouvait pas vraiment se permettre. Il prétendait que la voiture était exclusivement pour son fils, mais ils savaient tous deux la vérité. L'anniversaire de Ben était une bonne excuse pour acheter la Corvette, et le coupé Chevrolet un prétexte pour passer du temps ensemble alors que l'horloge de la vie s'écoulait, entraînant le fils du lycée vers l'université, et lui, le père, vers les petits-enfants, puis la retraite, et enfin la tombe. La tombe était survenue trop vite, mais au moins, durant de nombreux samedis après-midi, ils avaient partagé de bons moments à bricoler cette voiture.

Ringer a allongé les victimes côte à côte, bras croisés sur la poitrine. Où est-elle ? Durant une seconde, je panique. Chaque fois que je pense qu'elle va faire ceci, elle fait cela. Je change de position, m'appuie sur ma jambe valide, et retire mon fusil de mon épaule pour le prendre à la main.

Au fond du garage, dans l'ombre, j'entends comme un sifflement ponctué d'un reniflement. J'avance en boitillant parmi des rangées de boîtes à outils et quelques bidons d'huile, et je la trouve juste derrière, assise contre le mur en parpaing, ses genoux ramenés contre sa poitrine.

Impossible de rester debout, j'ai trop mal. Je m'assieds à côté d'elle. Ringer s'essuie les joues. C'est la première fois que je la vois pleurer. Je ne l'ai jamais vue sourire, et ne la verrai probablement jamais, mais maintenant, je l'aurai vue pleurer. Quelle merde.

Enterrer puis déterrer ces corps l'a sûrement perturbée plus qu'elle ne l'imaginait.

— Tu n'avais pas le choix, je lui dis. Et de toute façon, ils ignorent la différence, n'est-ce pas ?

Elle secoue la tête d'un air dépité.

— Oh, Zombie.

— Ringer, il n'est pas trop tard. On peut toujours annuler. Sullivan ne pourra rien faire sans toi.

— Elle n'aurait rien à faire si tu ne t'étais pas interposé entre Walker et moi.

— Peut-être que je ne me serais pas planté devant lui si tu m'avais fait confiance et dit la vérité.

— Ah ! La vérité.

— Le mot le plus important de ma phrase, c'est *confiance.*

— J'ai confiance en toi, Zombie.

— Tu as de drôles de façons de le montrer.

Elle pousse un long soupir. *Ce crétin de Zombie se goure encore.*

— Je sais que tu garderas ça pour toi, dit-elle.

Quand elle étend les jambes, un petit récipient en plastique tombe sur ses cuisses. À l'intérieur, le liquide vert clapote. De l'antigel.

— Une bonne tasse devrait suffire, affirme-t-elle, si doucement que je me demande si ses mots s'adressent à moi. Le douzième système – il me protégera. Me protégera…

J'attrape le flacon sur ses genoux.

— Bordel, Ringer, tu n'en as pas bu, hein ?

— Rends-moi ça, Zombie.

Je pousse un lourd soupir. J'estime que sa réponse équivaut à un non.

— Tu m'as raconté ce qui est arrivé, mais tu ne m'as pas dit comment.

— Eh bien, tu sais…

Elle esquisse un vague geste de la main.

— De la façon habituelle.

OK, je l'ai bien mérité.

— Il s'appelait Razor.

Elle fronce les sourcils, et se reprend :

— Non. En fait, il s'appelait Alex.

— C'est la recrue qui a tué Teacup.

— Pour moi. Pour que je puisse m'enfuir.

— Celui qui a aidé Vosch à te piéger.

— Oui.

— Puis, en quelque sorte, Vosch vous a collés ensemble.

Elle me fixe de son fameux regard impassible.

— Qu'est-ce que tu veux dire par là ?

— Vosch lui a ordonné de rester avec toi, cette nuit-là. Il devait bien savoir que Razor allait… qu'en vous laissant tous les deux, forcément, vous…

— Tu es dingue, Zombie. Si Vosch avait pensé cela, rien qu'une seconde, il ne m'aurait jamais placée sous la surveillance d'Alex.

— Pourquoi ?

— Parce que l'amour est l'arme la plus dangereuse au monde. Il est plus instable que l'uranium.

Je déglutis. Ma gorge est sèche.

— L'amour.

— Oui, l'amour. Tu me rends ça, maintenant ?

— Non.

Elle me lance un regard terriblement sombre.

— Tu sais que je peux le reprendre sans avoir à te le demander.

— Je sais.

Je me crispe. J'ai le sentiment qu'elle pourrait me mettre KO rien qu'en me poussant de son auriculaire.

— Tu veux savoir si je l'ai aimé. Je suis sûre que tu brûles d'envie de me poser la question.

— Ça ne me regarde pas.

— Je n'aime personne, Zombie.

— Ce n'est pas un problème. Tu es encore jeune.

— Arrête ça. Arrête d'essayer de me faire sourire. C'est cruel.

J'ai l'impression qu'un couteau me déchire les entrailles. À côté de cela, ma blessure par balle n'est guère plus qu'une piqûre de moustique. J'ignore pourquoi, mais dès que je suis près de Ringer, j'éprouve une sorte de douleur, pas seulement physique.

— Tu es vraiment con, déclare-t-elle. C'est ce que j'ai toujours pensé de toi.

Elle ouvre le flacon d'antigel, et remplit le bouchon à demi. Le liquide brille d'un vert fluo. La couleur des Autres.

— Voilà ce qu'ils ont fait, Zombie. Voici le monde qu'ils ont créé, où donner la vie est plus cruel que la prendre. Mon geste est altruiste. Mon geste est sage.

Elle porte le bouchon à ses lèvres. Sa main tremble, le fluide vert déborde et se répand sur ses doigts. Et dans ses yeux, la même noirceur qui envahit mon cœur.

Quand je lui agrippe le poignet, elle ne me repousse pas. Elle ne m'agresse pas avec brutalité. Elle n'utilise pas ses pouvoirs pour séparer ma tête de mon tronc. D'ailleurs, elle ne résiste même pas lorsque je l'oblige à baisser la main.

— Je suis perdue, Zombie.

— Je te retrouverai.

— Je ne peux pas bouger.

— Je te porterai.

Elle s'écroule sur moi. Je passe mon bras autour de ses épaules. J'effleure son visage, je lui caresse les cheveux.

L'obscurité s'évanouit.

53

NOUS REGAGNONS LA FOSSE quand Cassie et les enfants émergent de la cave de ce qui fut une maison sécurisée, encombrés de couvertures.

— Zombie ! crie Nugget.

Il fonce vers nous, sa pile de couvertures dans les bras, sa petite silhouette sautillant comme un cabri. Il s'arrête soudain en voyant le visage de Ringer. Il sait déjà que quelque chose cloche.

— Qu'y a-t-il, soldat ? je demande.

— Cassie ne veut pas que je prenne un revolver.

— Je m'en occupe.

Il esquisse une moue, l'air dubitatif.

Je lui donne un léger coup de poing sur le bras avant d'ajouter :

— Laisse-moi d'abord enterrer Ringer. Ensuite, nous parlerons armes.

Cassie approche, traînant Megan par le poignet. J'espère qu'elle la tient bien. J'ai comme l'impression que si jamais elle la lâche, cette gamine va se faire la malle. D'un mouvement de tête, Ringer désigne le garage, puis annonce :

— Dix minutes avant que l'hélicoptère arrive.

— Comment tu le sais ? s'enquiert Sullivan.

— Je l'entends.

Cassie me lance un regard complice accompagné d'un haussement de sourcils. *Non mais tu y crois, toi ? Elle dit qu'elle l'entend !* Tout ce que nous sommes capables d'entendre, *nous*, c'est le vent sur ces terres arides.

— Pourquoi elle a pris un tuyau ? me demande Cassie.

— Pour ne pas m'évanouir ou suffoquer, répond Ringer.

— Je croyais que tu étais – comment tu as dit, déjà ? – renforcée.

— C'est le cas. Mais j'ai quand même besoin d'oxygène.

— Comme un requin.

— Exactement.

Sullivan emmène les gamins au garage. Ringer saute dans le trou et s'allonge sur le dos. Je ramasse son fusil là où elle l'a abandonné et le lui tends. Elle secoue la tête.

— Laisse-le où il est.

— Tu es sûre ?

Elle acquiesce. Son visage est baigné par la lueur des étoiles. Je retiens mon souffle.

— Qu'est-ce qu'il y a ? demande-t-elle.

Je détourne le regard.

— Rien.

— Zombie, insiste-t-elle.

Je m'éclaircis la gorge.

— Rien d'important. J'ai juste pensé – pendant une minute – à un truc qui m'a traversé l'esprit…

— Zombie.

— D'accord. Tu es magnifique. C'est tout. Je veux dire… c'est toi qui voulais savoir…

— Tu deviens sentimental au pire moment. Le tuyau.

Je lui en tends une extrémité. Elle referme la bouche sur l'ouverture et me fait signe, pouce levé, que tout est OK pour elle.

À présent, j'entends l'hélicoptère. Un son encore léger, mais qui s'amplifie. De la main droite, je pousse la terre sur Ringer tout en agrippant le tuyau de la gauche. Elle n'a pas besoin de me dire quoi que ce soit ; je lis son ordre dans ses yeux : *Magne-toi, Zombie.*

Le bruit de la terre qui la recouvre, pelletée après pelletée. Je préfère ne pas regarder. J'enterre Ringer en observant le ciel, serrant si fort l'extrémité du tuyau que les jointures de mes doigts blanchissent. Il y a tant de possibilités que cette histoire tourne mal que j'en ai le vertige. Et si jamais il y a toute une escouade à bord de l'hélicoptère ? S'il n'y a pas un seul Black Hawk, mais deux ? Ou trois, voire quatre ? Et si, et si, et si, et si, *bordel* !

Je n'arriverai jamais au garage à temps. Ringer est complètement ensevelie, mais je suis à découvert, avec une jambe blessée et une bonne centaine de mètres à traverser avant que l'hélicoptère – dont j'aperçois à présent la silhouette se dessiner sur le ciel étoilé – soit à portée. Je n'ai jamais essayé de courir avec une balle dans la jambe. Je n'en ai jamais eu besoin. C'est vrai qu'il y a une première fois pour tout.

Je ne vais pas très loin. Peut-être une cinquantaine de mètres. Je trébuche en avant, et j'atterris tête la première dans la poussière. Bordel, pourquoi n'avons-nous pas désigné Cassie pour enterrer Ringer ? Il aurait été plus sensé que j'aille me planquer avec les gamins, et de plus, Sullivan aurait été ravie de cette opportunité. *Enterrer Ringer.*

Je me relève. Je tiens debout cinq secondes, puis je m'écroule de nouveau. C'est trop tard. Je dois désormais être à portée de tir de leur infrarouge.

Une paire de bottes s'avance vers moi. Des mains me tirent. Cassie passe mon bras autour de son cou ; je boitille comme je peux, mais c'est elle qui soutient presque tout mon poids. Qui a besoin d'un douzième système quand on a un cœur aussi généreux que celui de Cassie Sullivan ?

Nous nous réfugions sous l'auvent du garage. Cassie me tend une couverture. Les gamins sont déjà planqués sous l'une d'elles.

— Pas maintenant ! je crie.

La chaleur de leurs corps va croître sous l'épaisseur de laine, et tout faire échouer.

— Attendez mon ordre, je leur dis.

Puis je me tourne vers Cassie, et j'ajoute :

— Tu déchires, tu sais.

Elle me sourit et acquiesce d'un hochement de tête.

— Je sais.

54

CASSIE

— MAINTENANT ! crie Ben, probablement trop tard.

L'hélicoptère vrombit au-dessus de nous. Nous plongeons sous les couvertures, et je commence le compte à rebours, me remémorant les consignes de Ringer.

— *Comment je saurai que c'est le bon moment ?*

— *Tu attends deux minutes.*

— *Pourquoi deux ?*

— *Si on ne peut pas le faire en deux minutes, c'est que c'est impossible.*

Comment pouvait-elle en être sûre ? Je ne lui ai pas posé la question, mais à présent je la soupçonne d'avoir choisi ce chiffre au hasard.

Néanmoins, je commence à compter.

... Cinquante-huit, cinquante-neuf, soixante...

La vieille couverture empeste la moisissure et la pisse de rat. Impossible de voir quoi que ce soit. Ce que j'entends – tout ce que j'entends –, c'est l'hélicoptère. Il semble proche. A-t-il atterri ? Est-ce que l'équipe de secours s'est déjà déployée pour jeter un coup d'œil à ce monticule de terre qui ressemble étrangement à une tombe ? Les questions s'insinuent dans mon esprit comme un brouillard qui envahit la campagne au petit matin ; plutôt difficile de réfléchir quand on compte – c'est sûrement pour cette raison que c'est une méthode recommandée pour s'endormir.

... Quatre-vingt-douze, quatre-vingt-treize, quatre-vingt-quatorze...

J'ai du mal à respirer. Probablement parce que je suis lentement en train de suffoquer.

Aux environs de soixante-quinze, le bruit du moteur a diminué sans s'arrêter complètement. Le Black Hawk s'est-il posé ? À quatre-vingt-quinze, le moteur rugit de nouveau. Qu'est-ce que je fais ? Je reste planquée là jusqu'à ce que les deux minutes de Ringer soient terminées, ou bien j'écoute la petite voix qui résonne en moi : *Vas-y, vas-y, vas-y, maintenant !*

À quatre-vingt-dix-sept, je fonce.

Bordel, après être restée cachée sous mon cocon de laine, je suis complètement aveuglée.

Les portes du garage, à droite, les champs, les arbres, les étoiles, la route, et l'hélicoptère, déjà à deux mètres du sol.

Et qui continue de s'élever.

Merde.

À côté de la tombe de Ringer, une silhouette qui tournoie, et une autre ombre qui se déplace si lentement en comparaison qu'elle semble immobile.

Le piège de Ringer a fonctionné. *Sayonara, l'équipe de recherche !*

Je fonce vers le Black Hawk. Le stock de munitions dans mes poches me donne l'impression de peser une tonne. Le fusil rebondit dans mon dos, et merde, l'hélicoptère est trop loin, il s'élève trop vite, *grouille-toi, Cassie, grouille-toi, ça va pas le faire,* c'est le moment de passer au plan B, mais nous n'avons pas de plan B, *et deux minutes, c'est quoi cette connerie, Ringer ? On est complètement baisés, là.* J'accélère ma course, et alors l'espace entre l'hélicoptère et moi se réduit, son nez plonge légèrement en avant – *tu es douée pour le saut en hauteur, Sullivan ?*

Je m'élance. Le temps s'arrête. L'hélicoptère est suspendu au-dessus de moi – au-dessus de mon corps tendu à l'extrême – comme un mobile, il n'y a plus aucun son, et le courant d'air des pales du Black Hawk est comme figé.

Rappelez-vous cette fillette – disparue aujourd'hui – aux bras fluets, aux jambes osseuses, aux boucles rousses et au petit nez droit qui avait un talent très particulier que seuls son père et elle connaissaient.

Elle savait voler.

Doigts tendus, je tente d'agripper la porte ouverte de la soute. J'attrape quelque chose de froid et métallique, et m'y cramponne à deux mains tandis que l'hélicoptère s'élève et que le sol s'éloigne de mes pieds. Quinze mètres, trente mètres, je me balance de droite à gauche, essayant de lancer mon pied sur la plate-forme. Soixante mètres, soixante-dix mètres, ma main droite glisse, je ne suis plus accrochée que par la gauche. Le bruit du moteur est si assourdissant que je ne m'entends pas hurler. En dessous de moi, je vois le garage, la route, et la tache noire, là où se trouvait auparavant la maison de Grâce. Des champs baignés par la lumière des étoiles, des bois qui brillent d'une lueur argentée et la route qui s'étire de l'horizon à l'horizon.

Je ne vais pas tarder à tomber.

Au moins, ce sera rapide. *Splash,* comme un moucheron qui s'écrase sur un pare-brise.

Ma main gauche glisse ; pouce, auriculaire, annulaire se retrouvent dans le vide ; je ne suis plus agrippée à l'hélicoptère que par deux doigts.

Puis ces deux doigts-là glissent aussi.

55

Je viens d'apprendre certaines choses : finalement, il est tout à fait possible d'entendre vos hurlements par-dessus le bruit des moteurs d'un Black Hawk.

De plus, il est faux d'affirmer que toute votre vie défile dans votre esprit quand vous êtes sur le point de mourir. La seule chose qui surgit dans le mien, ce sont les yeux en plastique de Nounours.

Il y a plusieurs centaines de mètres en dessous de moi. J'ai à peine entamé ma chute que je m'arrête brusquement, si fort que mon épaule se déboîte presque. Je n'ai rien agrippé pour éviter le plongeon ; quelqu'un m'a attrapée, et à présent, ce quelqu'un me hisse à bord.

J'atterris violemment sur le plancher de l'hélicoptère. Ma première pensée : *Ouf, je suis vivante !* Puis : *Je vais mourir !* Parce que ce fameux quelqu'un me remet sur mes pieds, et seulement trois options s'offrent à moi, si on exclut celle, stupide, de faire feu, car faire feu dans la carlingue d'un hélicoptère est une très mauvaise idée.

Alors voyons un peu ce que j'ai à ma disposition : mes poings, le spray au poivre qui se trouve dans l'une des vingt-cinq millions de poches de mon nouvel uniforme, ou bien la plus terrible arme dans tout le formidable arsenal de Cassie Sullivan, sa tête.

Je fais volte-face et, tête la première, je fonce sur mon assaillant. *Crac !* Un nez se brise. Il y a du sang. Beaucoup de sang, pratiquement un geyser, mais cela n'a pas d'autre effet sur mon adversaire. Elle ne bouge pas d'un centimètre. Elle ne cille même pas. Elle a été – quel mot a-t-elle utilisé déjà pour décrire le truc effrayant que Vosch lui a fait ? – renforcée.

— On se calme, Sullivan ! lâche Ringer avant de se détourner pour lâcher un crachat de sang de la taille d'une balle de golf.

56

RINGER

Je pousse Sullivan sur l'un des sièges et lui crie à l'oreille :

— Prépare-toi à sauter !

Elle ne répond rien et se contente de fixer mon visage ensanglanté d'un air d'incompréhension totale. Artères cautérisées par les drones microscopiques qui fourmillent dans mon système sanguin, douleur annihilée par le hub ; j'ai peut-être une tronche affreuse, mais je me sens en pleine forme.

Je grimpe dans le cockpit et me laisse tomber dans le siège du copilote. Le pilote me reconnaît aussitôt.

Lieutenant Bob. Le même lieutenant Bob dont j'ai brisé le doigt durant mon « évasion » avec Razor et Teacup[1].

---

1. Voir tome 2. (*N.d.T.*)

— Bordel de merde ! crie-t-il. Toi !

— Tout juste sortie de la tombe ! je hurle, ce qui est littéralement vrai. D'un geste de la main, je désigne nos pieds.

— Fais-le atterrir !

— Va te faire foutre !

Je réagis sans réfléchir. Le hub décide de tout pour moi – c'est ce qui est terrifiant avec le douzième système : je ne sais plus où il termine et où je commence. Je ne suis ni entièrement humaine ni complètement alien, à la fois les deux et rien du tout.

Quoi qu'il en soit, une brillante idée me vient soudain à l'esprit : le sens le plus précieux de tout pilote est sa vue.

Aussitôt, j'arrache le casque du lieutenant Bob et lui enfonce mon pouce dans l'œil. Ses jambes tressautent ; ses mains s'agitent pour agripper mon poignet ; et le nez de l'hélicoptère plonge en avant. J'intercepte la main du pilote et la reporte sur le levier tout en m'introduisant en lui. Où il y a de la panique, j'insuffle du calme. Je remplace la peur par une paix intérieure, et la douleur par du réconfort.

Je sais qu'il ne se la jouera pas kamikaze, car je peux voir jusqu'au tréfonds de son âme. Le lieutenant Bob n'a aucune envie de mourir.

Et il sait pertinemment qu'il a besoin de moi pour vivre.

57

DURANT TOUS CES DERNIERS MOIS, Zombie avait raison : en termes de refuge pendant l'apocalypse, c'était sacrément dur de faire mieux que les cavernes de West Liberty.

Pas étonnant que le prêtre Silencieux les ait choisies.

Des litres et des litres d'eau fraîche. Une grotte entière remplie de boîtes de conserve et de nourriture sous vide. Des fournitures médicales, des draps, des bonbonnes de kérosène pour se chauffer. Des vêtements, des outils, et suffisamment d'armes et d'explosifs pour équiper une petite armée. Un endroit parfait pour se cacher, confortable même, si vous ne faites pas attention à l'odeur.

Les grottes de l'Ohio empestaient le sang.

La plus grande caverne était la pire. Profondément enfouie sous terre et humide, avec très peu de ventilation. La puanteur et le sang ne pouvaient s'évacuer. Sous la lueur de nos torches, le sol de pierre brillait d'un pourpre cramoisi.

Un massacre a eu lieu ici. Soit le faux prêtre a ramassé toutes les douilles vides, soit il a égorgé ses victimes une par une. Contre le mur, nous remarquons un sac de couchage, une pile de livres (y compris une bible usagée), une lampe à kérosène, une trousse d'accessoires de toilette et plusieurs rosaires.

Zombie plaque une serviette contre son visage pour filtrer l'air.

— Ce fils de pute était complètement dingue.

— Pas dingue, Zombie. Malade. Infesté par un virus avant sa naissance. C'est la meilleure façon de considérer les faits.

Zombie hoche lentement la tête.

— Tu as raison. C'est la *meilleure* façon.

Nous avons laissé Cassie et les gamins dans une autre grotte, avec Bob, le pilote, après avoir soigné et bandé sa blessure, et lui avoir donné des antibiotiques et une forte dose de morphine. Il n'est pas en condition de voler plus longtemps ce soir. Il est déjà allé au-delà de son endurance pour nous amener ici, mais j'étais assise à côté de lui et, grâce au douzième système, j'ai pu l'aider à rester concentré et calme. J'étais son ballast, son ancre.

Zombie et moi, nous nous engageons vers les niveaux supérieurs. Il avance dans l'étroit passage une main posée sur mon épaule, boitillant sur sa mauvaise jambe, grimaçant à chaque pas. Il faudra que je pense à examiner sa blessure avant de partir. Il serait sûrement préférable de lui retirer la balle, mais j'ai peur que cela lui fasse plus de mal que de bien. Même avec des antibiotiques, le risque d'infection est élevé, et si jamais je touche une des artères principales, ce sera la catastrophe.

— Il n'y a que deux façons d'arriver ici, fait-il remarquer. C'est parfait. On n'a qu'à bloquer une entrée, il ne nous en restera qu'une à surveiller.

— Très juste.

— Tu crois qu'on est assez loin d'Urbana ?

— Assez loin d'Urbana pour quoi ?

— Pour éviter de se faire exterminer.

Il sourit – à la lueur de ma lampe de poche, ses dents sont incroyablement blanches.

Je secoue la tête.

— Je n'en sais rien.

— Tu sais ce qui est effrayant, Ringer ? Tu as toujours l'air d'en savoir beaucoup plus que nous sur tout, mais dès qu'on te pose une question critique, par exemple : *Est-ce que l'on risque de se faire bientôt descendre ?*, tu n'as jamais la réponse.

Le chemin est escarpé. Zombie est déjà épuisé. J'ignore s'il sait que je peux sentir ce qu'il éprouve grâce à sa main posée sur mon épaule. J'ignore aussi si cela le rassurerait ou le terrifierait. Peut-être les deux.

Je fais semblant d'avoir besoin de reprendre mon souffle.

— On va s'arrêter une minute, Zombie.

Je m'adosse contre une roche. D'abord, Zombie essaie de faire le malin et de rester debout. Mais très vite, il se laisse tomber à terre, grimaçant sous l'effort. Depuis que nous nous sommes rencontrés, la douleur a toujours été sa compagne – en partie infligée par moi.

— Ça fait mal ? demande-t-il.

— Quoi ?

Du doigt, il désigne mon nez.

— Sullivan m'a dit qu'elle t'avait pas loupée.

— C'est le cas.

— Il n'est même pas enflé. Pas d'œil au beurre noir non plus.

Je détourne la tête.

— Grâce à Vosch.

— Tu devrais le remercier de notre part à tous.

Zombie sait qu'il progresse en terrain miné. Il revient en territoire plus sûr :

— Alors tu n'as pas mal ? Tu ne ressens aucune douleur ?

Je le regarde droit dans les yeux.

— Non, Zombie. Aucune douleur.

Je m'accroupis et pose la lampe par terre. Malgré le peu d'espace entre nous, j'ai l'impression que plusieurs kilomètres nous séparent.

— Tu as remarqué, quand on est entrés ? je demande. Quelqu'un a construit une douche extérieure. Je crois que je vais en prendre une avant de partir.

J'ai du sang séché sur les joues, de la poussière plein les cheveux, et tout mon corps est couvert de particules de terre moite. Une éternité s'est écoulée après que Zombie m'a enterrée. Je me remémore les visages blêmes, pétrifiés d'horreur et de stupéfaction, des deux recrues envoyées pour récupérer l'escouade chargée de nous tuer quand ils m'ont vue émerger de la tombe. Sullivan a affiché une mine similaire après m'avoir donné un coup de tête en plein dans le nez. Je suis devenue une source de questions insolubles autant que de cauchemars.

J'ai envie de me laver. Je veux me sentir de nouveau humaine.

— L'eau doit être glacée, dit Zombie.

— Je ne le sentirai pas.

Il hoche la tête comme s'il comprenait.

— Ça devrait être moi. Pas dans la douche. Ha, ha ! Je veux dire, moi qui pars avec toi. Pas Cassie.

Il fait mine d'étudier les excroissances rocheuses au-dessus de nous, ces genres de crocs pointus qui donnent à la grotte l'allure d'une gueule de dragon figé en train de dévorer une victime.

— À quoi ressemblait-il ? Ce mec. Tu sais.

Je sais.

— Coriace. Intelligent. Drôle. Il adorait la discussion. Et le baseball.

— Et toi ?

— Je n'ai pas d'opinion sur le baseball.

— Ce n'est pas ce que je voulais dire et tu le sais très bien.

— Ça n'a pas d'importance. Il est mort.

— Tu te trompes. Ça a encore de l'importance.

— Tu n'auras qu'à lui poser la question.

— Impossible. Il est mort. C'est pour ça que je te le demande à toi.

— Qu'est-ce que tu attends de moi, Zombie ? Sérieusement, qu'est-ce que tu veux ? Il était gentil avec moi…

— Il t'a menti.

— Pas sur les sujets qui comptent.

— Il t'a trahie au profit de Vosch.

— Il a sacrifié sa vie pour moi.

— Il a assassiné Teacup.

— Ça suffit, Zombie.

Je me lève.

— Je n'aurais jamais dû te parler de lui.

— Pourquoi est-ce que tu l'as fait, alors ?

Parce que tu es ma putain de zone libre, pas question de lui avouer cela. *Parce que c'est pour toi que je suis revenue,* non, ça non plus. Pas plus que : *Parce que tu es la seule personne en qui j'ai encore confiance.*

Au lieu de tout cela, je lâche :

— Parce que j'ai eu un moment de faiblesse.

— OK.

Puis ce sourire à la Ben Parish, ce sourire presque douloureux à regarder.

58

DEBOUT À CÔTÉ DE LA DOUCHE EXTÉRIEURE, je retire mes vêtements. Le réservoir suspendu étant vide, j'ai dû aller le remplir à la citerne à côté du centre d'accueil. Il devait peser une bonne cinquantaine de kilos, mais je l'ai tenu sur mon épaule comme s'il ne pesait pas plus lourd que Nugget.

Je sais que l'eau est froide, mais comme je l'ai dit à Zombie, je suis protégée par le cadeau de Vosch. Je ne ressens rien d'autre que l'humidité. L'eau élimine la poussière et le sang.

Je pose mes mains sur mon ventre. *Il a sacrifié sa vie pour moi.* Le garçon dans l'entrebâillement de la porte, éclairé par le bûcher funéraire, occupé à graver des lettres sur son bras.

J'effleure mon épaule. La peau est douce et lisse. Le douzième système a réparé les dégâts juste après que je les ai infligés. Je suis comme l'eau qui s'écoule sur moi et se recycle sans cesse. Je suis l'eau ; je suis la vie. La forme change, néanmoins la substance reste la même. Mettez-moi à terre, je me relèverai. *Vincit qui patitur.*

Je ferme les yeux et vois les siens. Ses yeux bleu vif, durs, pénétrants, qui vous transpercent jusqu'au plus profond de vous-même. *C'est toi qui m'as créée. À présent, ta créature revient pour toi. Comme la pluie sur la terre desséchée, je reviens.*

L'eau élimine la poussière et le sang.

59

CASSIE

VOILÀ UN SUJET QUI DONNE À RÉFLÉCHIR. Voilà la charmante vérité sur le monde que les Autres ont créé : mon petit frère a oublié son alphabet, mais il sait fabriquer des bombes.

Il y a un an, son univers n'était composé que de crayons et de cahiers de coloriage, de papier à dessin et de colle pour travaux manuels. Aujourd'hui, ce sont des détonateurs, des explosifs, des câbles et de la poudre à canon.

Qui pourrait avoir envie de lire un livre quand il y a des trucs à faire sauter ?

À côté de moi, Megan l'observe comme elle observe toujours tout : en silence. Elle serre Nounours contre sa poitrine, autre témoin silencieux de l'évolution de Samuel J. Sullivan.

Il s'active à côté de Ringer, tous deux agenouillés, si proches que leurs silhouettes semblent n'en former plus qu'une. Leurs gestes s'accordent à la perfection. On dirait qu'ils ont suivi le même cours de fabrication d'engins explosifs à Camp Haven.

Sous la lueur de la torche, les cheveux mouillés de Ringer brillent comme la peau d'un serpent noir. Son teint ivoire est rayonnant. Il y a quelques heures, je lui ai mis un coup de boule en plein dans le nez et je l'ai brisé, mais il n'est même pas enflé. D'ailleurs, c'est comme si je n'avais rien fait. Contrairement à mon propre nez qui, lui, sera tordu jusqu'à ma mort. La vie n'est vraiment pas juste.

— Comment tu as fait pour grimper dans l'hélicoptère ? je lui demande.

Ça fait un moment que ça me perturbe.

— Comme toi. J'ai sauté.

— Le plan c'était que *moi*, je saute.

— Ce que tu as fait. Mais tu ne tenais plus que par un ongle. Je n'ai pas franchement eu le choix.

En d'autres termes : *Je t'ai sauvé les fesses, alors de quoi tu te plains ?*

Elle repousse une mèche de ses cheveux soyeux derrière son oreille. Son geste est si gracieux que c'en est presque effrayant. *Bordel, mais qu'est-ce qui t'est arrivé, Ringer ?*

Évidemment, je sais ce qui lui est arrivé. Le cadeau, comme l'appelle Evan. Son potentiel humain multiplié par cent. *J'ai le cœur à faire ce qu'il me faut faire,* m'a dit

Evan un jour. Il a oublié de préciser que c'était à la fois littéralement et au sens figuré. Mais il a surtout oublié de me dire un tas de choses, ce salaud qui ne mérite pas d'être sauvé.

Où ai-je la tête ? En observant les doigts délicats de Ringer s'activer en une chorégraphie compliquée pour construire une bombe, je réalise soudain que le plus effrayant en elle n'est pas ce que Vosch a fait à son corps, mais ce que ce corps renforcé a fait à son esprit. Quand vous n'avez plus aucune limite physique, qu'advient-il de vos limites morales ? Je suis sûre que l'ancienne Ringer n'aurait jamais pu massacrer à elle seule cinq recrues lourdement armées et parfaitement entraînées. Tout comme elle n'aurait jamais enfoncé son pouce dans l'œil d'un être humain.

En parlant du lieutenant Bob.

— Vous êtes foutus, lâche-t-il.

Lui aussi contemple la scène, de son œil encore valide. Ringer lui répond sans même redresser la tête :

— Non, Bob, c'est le monde qui est foutu. On est juste là par hasard.

— Pas pour longtemps ! Vous n'arriverez jamais à vous approcher de la base.

Sa voix paniquée emplit la petite grotte qui empeste les produits chimiques et le sang séché.

— Ils savent où vous êtes – il y a un GPS sur cet hélicoptère – et ils vont vous tomber dessus avec tout leur arsenal.

Ringer lève enfin les yeux vers lui. Un mouvement de frange. Un regard sombre.

— Je compte bien là-dessus.

— Encore combien de temps ? je lui demande.

Tout dépend de notre capacité à atteindre la base avant l'aube.

— On sera bientôt prêts.

— C'est ça ! crie Bob. Préparez-vous ! Dites vos prières, parce que ça va merder grave, *Dorothée* !

— Elle n'est pas Dorothée ! lui hurle Sam. C'est toi qui l'es !

— Ferme-la, petit morveux !

— Hé, Bob ! Laisse mon frère tranquille !

Bob est recroquevillé dans un coin. Il frissonne et transpire à la fois. Visiblement, la dose de morphine ne lui suffit pas. Il ne doit pas avoir plus de vingt-cinq ans. C'est jeune, d'après les critères d'avant l'Arrivée. Vieux selon les nouveaux.

— Qu'est-ce qui m'empêchera de crasher l'hélico dans un champ de maïs, hein ? Qu'est-ce que tu vas faire – enfoncer ton doigt dans mon autre œil ?

Il éclate de rire. Ringer l'ignore, ce qui visiblement l'énerve.

— De toute façon, ça n'a pas d'importance. Vous n'avez aucune putain de chance. Ils vous descendront à la seconde où on atterrira. Alors allez-y, préparez vos bombinettes et votre petit complot ; vous allez bientôt crever.

— Tu as raison, Bob, je lâche. Ça résume bien les choses.

Pour une fois, je n'essaie pas de faire preuve de sarcasme. Je pense réellement ce que je viens de dire. Même si on présume que Bob n'écrasera pas volontairement l'hélicoptère dans un champ, que nous ne serons pas abattus par une armada qui est sûrement déjà en route, que nous ne serons pas capturés ni tués au camp par les milliers de soldats qui nous attendront, que, par miracle, Evan est toujours en vie et que par un autre plus grand miracle je le retrouve, que Ringer tue Vosch, nous n'avons aucun plan de repli. Seulement un aller simple vers l'oubli.

Et cet aller simple a un prix élevé, je songe en observant mon petit frère mettre la touche finale à la bombe.

Oh, Sam. Tes crayons et tes cahiers de coloriage. Ton papier à dessin et tes travaux manuels. Ton ours en peluche, tes pyjamas au logo des équipes de football, tes jeux sur la balançoire, tes livres de contes et tout le reste, tout ce que l'on abandonne un jour, mais pas si vite, pas de cette façon. Oh, Sam, tu as le visage d'un enfant, mais les yeux d'un vieil homme.

Je suis arrivée trop tard. J'ai tout risqué pour te sauver de la fin, mais la fin t'avait déjà emporté.

Je me lève. Tout le monde me regarde, sauf Sam. Il fredonne doucement en construisant une bombe. Sa bande originale personnelle pour l'apocalypse… Incroyable ! Je ne l'ai pas vu aussi heureux depuis longtemps.

— Il faut que je parle à Sam, je dis à Ringer.

— Pas de problème, je peux me passer de lui un moment.

— Je ne te demandais pas ta permission.

J'attrape mon frère par le poignet et je l'entraîne dans l'étroit passage, puis vers la surface, jusqu'à ce que je sois sûre que personne ne puisse nous entendre. Enfin, presque sûre. Ringer est certainement capable d'entendre battre les ailes d'un papillon au Mexique.

— Qu'est-ce qu'il y a ? s'enquiert-il en fronçant les sourcils, ou peut-être pas – comme je n'ai pas pris de torche, je distingue à peine son visage.

Bonne question, Sammy.

— Tu sais que je fais ça pour toi.

— Quoi ?

— Te laisser ici.

Il hausse les épaules.

— Tu vas revenir, n'est-ce pas ?

La voilà : l'invitation à une promesse que je ne peux pas faire. Je prends sa main.

— Tu te souviens de cet été où tu faisais la course à l'arc-en-ciel ?

Déconcerté, il lève les yeux vers moi.

— Bon, peut-être pas, en fait, je poursuis. Je crois qu'à l'époque tu portais encore des couches. On était dans le jardin, et j'avais le tuyau d'arrosage en main. Quand les rayons du soleil ont effleuré les gouttes d'eau… tu sais, ça a fait un arc-en-ciel. Et moi, je te faisais courir après. Je te disais d'attraper l'arc-en-ciel…

Les larmes me montent aux yeux.

— C'était plutôt cruel, maintenant que j'y pense.

— Alors, pourquoi tu y penses, Cassie ?

— Je ne veux pas que tu… je ne veux pas que tu oublies certaines choses, Sams.

— Quel genre de choses ?

— Il faut que tu te rappelles que la vie n'a pas toujours été comme ça. Fabriquer des bombes, se cacher dans des cavernes et voir tout le monde autour de toi mourir.

— Je me souviens de certaines choses, tu sais. Maintenant, je me rappelle le visage de maman.

— C'est vrai ?

Il hoche la tête avec vigueur.

— Je m'en suis souvenu juste avant de tirer sur cette dame.

Mon expression doit me trahir. Sûrement un mélange de choc, d'horreur, et d'une tristesse infinie, car mon petit frère tourne aussitôt les talons, retourne dans la salle des armes et en revient une minute plus tard, Nounours dans les bras.

Oh, ce maudit ours en peluche.

— Non, Sams, je chuchote.

— Il t'a porté chance la dernière fois.

— Il… il appartient à Megan, maintenant.

— Non, il est à moi. Il a toujours été à moi.

Il me le tend. Avec douceur, je repousse Nounours contre son torse.

— Tu dois le garder. Je sais que tu estimes être trop grand pour lui, désormais. Que tu te considères comme un soldat, le membre d'un commando ou… appelle ça comme tu veux. Mais un jour, il y aura peut-être un petit enfant qui aura vraiment besoin de Nounours. Parce que… eh bien, juste parce que.

Je m'agenouille à ses pieds.

— Alors, accroche-toi à lui, OK ? Tu prends soin de lui, tu le protèges, tu ne laisses personne lui faire de mal. Nounours est très important. Comme la gravité. Sans lui, l'univers risque de s'écrouler.

Durant un long moment, il fixe en silence le visage de sa grande sœur. *Mémorise-le, Sams. Étudie chaque centimètre écorché, blessé. Chaque petite cicatrice. Pour ne pas oublier. Pour ne jamais oublier. Souviens-toi de mon visage quoi qu'il arrive. Quoi. Qu'il. Arrive.*

— C'est dingue, ça, Cassie.

L'espace d'un instant – et seulement pour un instant –, je retrouve le petit garçon émerveillé qui pourchassait l'arc-en-ciel en riant aux éclats.

60

RINGER

JE SAUTE À BAS DE L'HÉLICOPTÈRE. Zombie m'observe pendant que j'enfile mon sac à dos.

— Tout est OK ? demande-t-il.

— Tout est OK.

D'un mouvement de tête, il désigne mon sac.

— Combien tu en as ?

— Sept.

Il fronce les sourcils

— Tu crois que ça suffira ?

— Il faudra bien. Alors, oui.

— Dans ce cas, c'est le moment d'y aller.

— Comme tu dis.

Nos regards se croisent. Il sait à quoi je pense.

— Je ne ferai pas cette promesse, dit-il.

— Tu ne pourras pas venir me chercher, Zombie.

— Je ne ferai pas cette promesse, répète-t-il.

— Tu ne peux pas non plus rester ici. Quand le ravitailleur lâchera les bombes, allez au sud. Utilise les traceurs que je t'ai donnés. Ils ne vous éviteront pas d'être repérés par les infrarouges, ni par les Silencieux, mais…

— Ringer.

— Je n'ai pas terminé.

— Je sais ce que j'ai à faire.

— Souviens-toi de Dumbo. Souviens-toi du prix à payer en essayant de venir me chercher. Il y a certaines choses que tu dois abandonner, Zombie. Certaines choses…

Il saisit mon visage à deux mains et m'embrasse sur la bouche.

— Un sourire, murmure-t-il. Un sourire et je te laisse partir.

Mon visage entre ses mains, les miennes sur ses hanches. Son front contre le mien, les étoiles au-dessus de nous, la Terre en dessous, et le temps qui s'écoule, qui s'écoule.

— Il ne serait pas réel, je lâche.

— Vu où on en est, je m'en fiche.

Je le repousse avec douceur.

— Pas moi.

61

LES BOMBES ONT ÉTÉ CHARGÉES. Il est temps de faire embarquer Bob.

— Tu crois que je ne suis pas prêt à mourir ? me demande-t-il tandis que je l'escorte jusqu'à son siège.

— Je sais que tu ne l'es pas.

J'attache les sangles de son harnais. À travers la portière ouverte de la carlingue, je vois Sullivan avec Zombie. Elle tente en vain de garder un air détaché. Cassie Sullivan est sentimentale, immature, et incroyablement égocentrique, mais même elle sait que nous sommes au seuil d'un voyage sans retour.

— Pas de plan, chuchote-t-elle à Zombie.

Elle ne veut pas que je l'entende, et je n'en ai pas vraiment envie. Le cadeau de Vosch est un cadeau empoisonné.

— Rien de prévu, ajoute-t-elle.

— Rien de prédestiné, dit Zombie.

Pas de plan. Rien de prévu. Rien de prédestiné. On dirait le catéchisme, ou une profession de foi – ou de l'opposé de la foi.

Sullivan se hisse sur la pointe des pieds et dépose un baiser sur la joue de Zombie.

— Tu sais ce que je m'apprête à te dire.

Zombie sourit et lui agrippe la main, qu'il serre fort.

— Tout ira bien pour lui, Cassie. Je te le jure sur ma vie.

Elle réplique aussitôt :

— Pas sur ta vie, Parish, sur ta mort.

Elle m'aperçoit au loin et retire sa main.

Je hoche la tête. Il est temps de partir. Je me tourne vers notre pilote à l'œil invalide.

— On décolle, Bob.

62

LE SOL S'ÉLOIGNE. Zombie rétrécit. Il n'est bientôt plus qu'un point sombre sur la Terre grise. La route vire vers la droite, comme la petite aiguille de l'horloge terrestre, marquant le temps perdu, celui qu'on ne rattrape plus. Au nord, plus haut, un nombre incalculable d'étoiles et le centre de la galaxie, toile de fond pour le ravitailleur qui brille de ce vert fluorescent, lourd des bombes qui effaceront les dernières empreintes de la civilisation. Combien existe-t-il de métropoles dans le monde ? Cinq mille ? Dix mille ? Je l'ignore, mais Eux le savent. Dans moins de trois heures, dans le silence parfait du vide, les soutes du vaisseau s'ouvriront et des milliers de missiles guidés dotés de têtes nucléaires à peine plus grosses qu'un ours en peluche fondront sur la planète. Après dix siècles, tout ce que nous avons construit disparaîtra en un seul jour.

Les débris se dissiperont. Les pluies inonderont les sols arides. Les fleuves retrouveront leur cours naturel. Les forêts, les prés, les marais et les prairies reprendront possession des terres ensevelies sous des tonnes d'asphalte et de béton. Les populations animales exploseront en nombre. Les loups reviendront par le nord et des troupeaux de bisons, forts de trente millions de membres, repeupleront les plaines. Ce sera comme si nous n'avions jamais été là – le paradis retrouvé. Quelque chose de très ancien, enfoui profondément en moi, dans mes gènes, se réjouit.

Un sauveur ? m'a demandé Vosch. *C'est ce que je suis ?*

De l'autre côté de l'allée, Sullivan m'observe. Elle paraît toute petite dans cet uniforme trop grand pour elle, comme une gamine déguisée avec des vêtements d'adulte. C'est vraiment bizarre que nous terminions ensemble comme cela. Elle m'a détestée dès l'instant où elle a posé les yeux sur moi. Et moi, à son sujet, j'ai simplement pensé qu'il n'y avait pas grand-chose à dire. Pas grand-chose en elle. J'ai connu pas mal de filles comme Cassie Sullivan : timide, mais arrogante ; impulsive, naïve, mais sérieuse ; sensible, mais désinvolte. Pour ce genre de fille, les sentiments sont plus importants que les faits.

La mission de Sullivan est futile. La mienne, sans espoir. Nos deux missions sont suicidaires. Mais aucune n'est évitable.

Mon casque grésille. C'est Bob.

— On a de la compagnie.

— Combien ?

— Six.

— J'arrive.

Je détache mes sangles. Sullivan se redresse. Je lui tapote l'épaule au passage, en rejoignant le siège du copilote. *Pas de problème. C'était prévu.*

À l'avant, Bob me désigne sur son écran les hélicoptères qui foncent droit sur nous.

— Quels sont les ordres, patron ? s'enquiert-il avec une pointe de sarcasme. On ouvre les hostilités, on évacue, ou bien tu veux que je me pose ?

— Tiens la trajectoire. Ils vont nous héler et…

— Attends. Ils sont justement en train de nous héler.

Il écoute. J'ai les hélicoptères en visuel, pile en face de nous. Ils volent en formation d'attaque. Bob se tourne vers moi.

— Ils nous ordonnent de nous poser.

Je secoue la tête.

— Ne réponds rien. Continue à voler.

— Tu te rends compte qu'ils vont nous canarder, hein ?

— Dis-moi juste quand ils seront à portée de tir.

— Oh, c'est donc ça ton plan, Ringer ! C'est nous qui allons les abattre. Tous les six.

— Excuse-moi, Bob, je me suis mal exprimée. Je veux dire, signale-moi quand *nous* serons à portée de leurs rafales. Quelle est notre vitesse ?

— Cent quarante nœuds. Pourquoi ?

— Double-la.

— Impossible. Le maximum c'est cent quatre-vingt-dix.

— Alors, pousse au max. Garde le cap. *On arrive, les mecs.*

L'hélicoptère bondit en avant ; les moteurs vrombissent. Le vent rugit dans la soute. Au bout de quelques minutes, même les yeux non renforcés de Bob voient l'hélicoptère de tête foncer droit sur nous.

— Ils nous ordonnent de nouveau de nous poser ! hurle Bob. Ils seront sur nous dans trente !

— Qu'est-ce qui se passe ?

Sullivan a surgi entre nous. Elle reste bouche bée en découvrant la scène.

— Vingt ! beugle Bob.

— Vingt quoi ? crie Sullivan.

Ils vont se cabrer, j'en suis sûre. Se cabrer ou briser leur formation pour nous laisser passer. Ils ne nous tireront pas dessus. À cause du risque. *Le risque est la clé*, m'a enseigné Vosch. À l'heure qu'il est, il est au courant du décès des soldats de l'équipe d'assaut et du détournement de l'hélicoptère. Constance n'aurait jamais agi ainsi, et Walker a été capturé. Il ne reste donc qu'une seule personne capable de mettre en place pareil plan : sa propre création.

— *Dix secondes !*

Je ferme les yeux. Le hub, mon indéfectible compagnon, bloque mes sens, me plongeant dans un espace dénué de son et de lumière.

Je viens pour toi, espèce de salopard. Tu voulais créer une humaine sans humanité. Eh bien, tu en as une.

IV

LE DERNIER JOUR

63

EVAN WALKER

ILS LE FIRENT ENTRER DANS UNE PETITE PIÈCE, dépouillée et glacée. Quand ils lui retirèrent la capuche qui couvrait sa tête, la lumière l'aveugla. D'instinct, il se protégea les yeux.

L'un de ses ravisseurs lui ordonna d'enlever ses vêtements. Il se déshabilla, ne conservant que son caleçon. *Non, ça aussi.* Il le jeta vers la porte, gardée par deux garçons en tenue de camouflage. L'un d'eux – le plus jeune – gloussa.

Ils quittèrent la pièce. La porte se referma derrière eux avec fracas. Le froid. Le silence. Une lumière intense. En baissant les yeux, il remarqua une grille d'évacuation au milieu du sol carrelé. Quand il leva la tête, ce fut comme s'il avait actionné un signal : de l'eau jaillit au-dessus de lui.

Il recula contre le mur et se couvrit la tête de ses mains. Le froid s'insinua en lui, de sa peau à ses muscles jusqu'à sa moelle. Il s'assit par terre, tête blottie contre ses genoux, bras serrés autour de ses jambes. Une voix désincarnée s'adressa alors à lui :

LÈVE-TOI.

Il l'ignora. Aussitôt, la température de l'eau changea. De glacée, elle devint brûlante. De douleur, il bondit sur ses pieds. La lumière crue perçait à travers la buée et se scindait en minuscules arcs-en-ciel qui brillaient et tournoyaient sur le carrelage. Le jet redevint froid, puis s'arrêta brutalement.

Haletant, Evan s'appuya contre le mur. De nouveau, la voix s'adressa à lui :

NE TOUCHE PAS LE MUR. REDRESSE-TOI, ET GARDE LES BRAS LE LONG DU CORPS.

Il s'écarta du mur. Jamais il n'avait eu si froid, pas même durant les pires journées d'hiver à la ferme, quand le vent sifflait à travers les champs et que les branches des arbres se brisaient sous le poids de la glace. Non, jamais. Le froid qu'il éprouvait en cet instant était comme une bête serrant son corps dans sa gueule et dont les crocs le dévoraient à petit feu. Son instinct l'incitait à bouger : l'effort physique augmenterait sa pression sanguine, les battements de son cœur, et diffuserait la chaleur jusqu'aux extrémités de ses membres.

NE BOUGE PAS.

Il était incapable de se concentrer. Son esprit bondissait de toutes parts comme les innombrables petits arcs-en-ciel dessinés par le jet d'eau. Peut-être qu'en fermant les yeux ça irait mieux.

NE FERME PAS LES YEUX.

Le froid. Il imagina que l'eau sur son corps nu se transformait en glace, que des cristaux parsemaient ses cheveux. Sous peu, il serait victime d'un choc hypothermique. Son cœur cesserait de battre. Il serra les poings, planta ses ongles dans ses paumes. La douleur l'aiderait à se concentrer. Il en allait toujours ainsi.

OUVRE LES MAINS. OUVRE LES YEUX. NE BOUGE PAS.

Il obtempéra. S'il obéissait à chacun de leurs ordres, accédait à toutes leurs demandes, ils n'auraient aucune excuse pour se servir de l'arme contre laquelle il n'avait aucune défense.

Il porterait n'importe quel fardeau, endurerait n'importe quelle épreuve, supporterait n'importe quel tourment si cela pouvait offrir à son Éphémère un seul moment de vie supplémentaire.

Il s'était préparé à sacrifier une civilisation entière pour la sauver. Sa propre vie n'avait aucune importance. Depuis le jour où il l'avait trouvée à moitié enterrée dans la neige, il connaissait le prix à payer pour son salut. Il savait ce qu'impliquait son amour pour elle. La grille de la prison qui se referme, la sentence de mort.

Mais ils ne l'avaient pas amené dans cette pièce glacée à la lumière aveuglante pour le tuer.

Ça, ça arriverait plus tard. Quand ils auraient brisé son corps, annihilé sa volonté et disséqué son esprit jusqu'à la dernière synapse.

L'anéantissement d'Evan Walker avait commencé.

64

LES HEURES S'ÉCOULÈRENT. Il s'engourdit. Il avait l'impression de flotter à l'intérieur de son propre corps, dépourvu de toute sensibilité. Devant lui, les murs blancs s'étiraient à l'infini ; il flottait dans un immense vide sans frontières. Ses pensées se fragmentèrent. Des images de son enfance lui vinrent à l'esprit : les Noëls avec sa famille humaine, les moments de complicité fraternelle, assis avec ses frères sur les marches de la vieille ferme, le banc à l'église. Et des scènes plus anciennes, d'une vie différente : l'époustouflante lumière d'une étoile filante ; effleurer les cimes de montagnes hautes comme trois fois l'Himalaya à bord d'engins argentés, atteindre le sommet d'une colline et voir sous lui une vallée dénuée de vie, les cultures détruites par le poison ultraviolet des rayons de leur soleil agonisant.

S'il fermait les yeux, la voix lui hurlait de les ouvrir. S'il se balançait sur ses talons, la voix lui ordonnait de rester immobile.

Ce n'était qu'une question de temps avant qu'il ne s'écroule.

Il ne se souvint pas d'être tombé. Ni de la voix lui criant de se relever. Un moment il était debout, l'instant d'après il était recroquevillé dans un coin de la pièce blanche. Il ignorait combien de temps s'était écoulé – si même une seule minute s'était écoulée. Le temps n'existait pas dans la pièce blanche.

Il ouvrit les yeux. Un homme se tenait dans l'embrasure de la porte. Grand, une silhouette athlétique, des yeux profonds d'un bleu perçant, vêtu d'un uniforme de commandant. Bien qu'ils ne se soient jamais rencontrés, il connaissait cet homme. Il connaissait son visage, et le visage derrière le visage. Il connaissait son nom de baptême, et son nom humain. Il ne l'avait jamais vu, pourtant il le connaissait depuis dix mille ans.

— Sais-tu pourquoi je t'ai amené ici ?

Evan entrouvrit la bouche. Ses lèvres craquèrent et commencèrent à saigner. Il ne sentait plus sa langue et était bien en peine de la remuer.

— Parce que je vous ai trahi.

— Trahi ? Oh non, c'est tout le contraire. S'il existe un mot pour te décrire, c'est *dévoué.*

L'homme s'écarta d'un pas sur le côté. Une femme vêtue d'une blouse blanche fit avancer un lit à roulettes dans la pièce. Deux soldats la suivaient. Ils s'approchèrent de lui, l'attrapèrent chacun par un bras et l'installèrent sur le lit. Au-dessus de sa tête, une goutte d'eau perlait de l'un des jets. Incapable de détourner le regard, il la fixa. Une menotte lui entrava le bras, il ne la sentit pas. Un thermomètre fut appliqué sur son front, il ne le sentit pas non plus.

La femme scruta ses yeux avec une lumière puissante. Puis elle palpa son corps, appuya sur son estomac, son cou et son pelvis. Ses mains étaient délicieusement chaudes.

— Quel est mon nom ? demanda le commandant.

— Vosch.

— Non, Evan. Quel est mon *nom* ?

Il déglutit. Il était terriblement assoiffé.

— Je ne peux pas le prononcer.

— Essaie.

Il secoua la tête. C'était impossible. Leur langage allait de pair avec une anatomie qui avait énormément évolué. Vosch pourrait aussi bien demander à un chimpanzé de réciter du Shakespeare.

La femme à la blouse blanche et aux mains chaudes inséra une aiguille dans son bras. Son corps se relaxa. Il n'avait plus ni soif ni froid. Son esprit avait retrouvé sa lucidité.

— D'où arrives-tu ? s'enquit Vosch.

— De l'Ohio.

— Avant cela.

— Je suis incapable de prononcer…

— Peu importe le nom. Dis-moi d'où.

— De la constellation boréale de la Lyre, la deuxième planète de l'étoile naine. Les humains l'ont découverte en 2014 et l'ont appelée Kepler 438b.

Vosch sourit.

— Évidemment. Kepler 438b. Et de tous les endroits que tu aurais pu choisir, pourquoi la Terre ? Pourquoi es-tu venu ici ?

Evan tourna la tête vers l'homme.

— Vous connaissez déjà la réponse. Vous connaissez *toutes les réponses.*

De nouveau, le commandant sourit. Néanmoins, son regard était toujours aussi dur et dépourvu d'humour. Il s'adressa à la femme :

— Habillez-le. Il est temps pour Alice d'aller faire un tour dans le terrier du lapin.

65

ILS LUI APPORTÈRENT UNE COMBINAISON BLEUE et une paire de tennis blanches.

— Tout ce qu'il vous raconte n'est que mensonge, annonça-t-il aux soldats qui l'observaient. Il est comme moi. Il vous utilise pour détruire votre propre espèce.

Les garçons ne répondirent rien. Ils caressaient la gâchette de leur arme avec nervosité.

— La guerre dans laquelle vous allez vous engager n'est pas une guerre réelle, poursuivit-il. Vous allez tuer des innocents, des survivants comme vous, jusqu'au dernier, et ensuite nous vous tuerons. Vous participez à votre propre génocide.

— Tais-toi, tu n'es qu'une merde infestée, bredouilla le plus jeune. Et lorsque le chef en aura terminé avec toi, il te livrera à nous. On va se marrer, mec !

Evan soupira. Ces gamins n'étaient pas prêts à accepter la vérité. Cela les briserait.

Désormais, les vices sont des vertus, et les vertus des vices.

Ils quittèrent la pièce, traversèrent un long couloir, descendirent trois volées de marches jusqu'au niveau le plus bas. Un autre long couloir qui s'étend sur toute la longueur de la base, une flopée de portes sans indications des murs d'un gris terne, et la lumière aveuglante de globes fluorescents. Ici, la nuit ne tombe jamais, la lumière est toujours présente.

Ils arrivèrent à la dernière porte au bout du tunnel gris. La centaine de portes qu'ils venaient de dépasser étaient blanches ; celle-là était verte. Elle s'ouvrit en grand à leur approche.

À l'intérieur de la pièce : un fauteuil incliné avec des sangles aux emplacements des bras et des pieds. Une rangée d'écrans et un clavier. Visage impassible, un technicien l'attendait.

Auprès de lui se tenait Vosch.

— Tu sais de quoi il s'agit, affirma-t-il.

Evan acquiesça d'un hochement de tête.

— Wonderland.

— Que puis-je m'attendre à trouver en toi ?

— Rien que vous ne sachiez déjà.

— Si je savais ce que j'ai besoin de savoir, je ne me serais pas donné autant de mal pour t'amener ici.

Le technicien le ligota sur le siège. Evan ferma les yeux. Il savait que le téléchargement de ses souvenirs ne lui causerait aucune douleur physique. Par contre, il avait conscience que cela pourrait être dévastateur sur le plan psychologique. Le cerveau humain a la merveilleuse faculté de pouvoir trier les expériences, se protégeant ainsi contre les images insupportables. Wonderland, en revanche, met ces expériences à nu sans qu'interfère le cerveau, extrayant les archives d'une vie sans interprétation aucune des données. Rien n'y est en contexte, il n'y a ni cause ni effet. Wonderland expose la vie sans filtre, dépouillée du don du cerveau à rationaliser, à se voiler la face et à pratiquer l'amnésie sélective.

Nous nous souvenons de nos vies. Wonderland nous force à les revivre.

Cela dura deux minutes. Deux très longues minutes.

Dans le silence pesant qui s'ensuivit, la voix de Vosch s'éleva :

— Comme tu le sais, il y a une faille en toi. Quelque chose s'est détraqué, il est important que nous comprenions pourquoi.

Ses jambes lui faisaient mal. Ses poignets étaient à vif à force de lutter contre les sangles.

— Vous ne comprendrez jamais.

— Tu as peut-être raison. Mais il est de mon devoir humain d'essayer.

Sur les écrans, des colonnes de chiffres se mirent à défiler : sa vie découpée en séquences de qubits, tout ce qu'il avait vu, ressenti, entendu, dit, goûté, pensé, ainsi que l'information la plus complexe dans l'univers, ses émotions humaines.

— Il faudra un peu de temps pour établir le diagnostic, déclara Vosch. Viens avec moi, je veux te montrer quelque chose.

En descendant du siège, il faillit tomber. Vosch le rattrapa et le remit sur pied avec douceur.

— Que t'est-il arrivé ? Pourquoi es-tu si faible ?

D'un mouvement de tête, Evan désigna les moniteurs.

— Demandez-leur.

— Le douzième système est tombé en panne ? Quand ?

Evan avait fait une promesse. Il devait la retrouver avant que Grâce s'en charge.

Sa course le long de l'autoroute. Sa course jusqu'à ce que le don en lui défaille. Parce que rien d'autre n'importait que la promesse, rien d'autre n'importait qu'elle.

Evan plongea son regard dans les yeux bleu vif de Vosch, si semblables à ceux d'un rapace.

— Que voulez-vous me montrer ?

— Suis-moi, tu verras.

66

TOURNER À GAUCHE APRÈS L'ESCALIER vous amenait dans ce très long couloir qui conduisait jusqu'à la porte verte de Wonderland. Tourner à droite vous amenait juste devant un mur blanc.

Vosch appuya son pouce sur le mur. Un mécanisme grinça et le mur se sépara en deux en son centre, révélant un couloir étroit plongé dans une obscurité totale.

Une voix enregistrée surgit d'un haut-parleur dissimulé quelque part :

Attention ! Vous pénétrez dans une zone réservée strictement au personnel autorisé conformément à l'ordre spécial numéro onze. Toute personne non autorisée qui pénètre dans cette zone sera aussitôt sanctionnée par le conseil de discipline. Attention ! Vous pénétrez dans une zone réservée strictement au personnel autorisé…

La voix les suivit dans l'obscurité. *Attention !* Une légère lueur verte éclairait le bout du couloir. Ils s'arrêtèrent là, devant une porte sans poignée. De nouveau, Vosch pressa son pouce au milieu de la porte, qui s'ouvrit en silence. Il se tourna alors vers Evan.

— Ceci est ce que nous appelons la zone 51, l'informa-t-il sans la moindre trace d'ironie.

La lumière jaillit quand ils franchirent le seuil. La première chose qui capta l'attention d'Evan fut la capsule en forme d'œuf géant, identique à celle dont il s'était servi pour s'échapper de Camp Haven. Hormis pour sa taille : celle-ci était deux fois plus grande. Elle remplissait la moitié de la salle. Au-dessus, il remarqua la rampe de lancement qui conduisait à la surface.

— C'est ça que vous vouliez me montrer ?

Il ne comprenait pas. Il savait que Vosch aurait une capsule pour regagner leur vaisseau après le lancement de la 5e Vague. Dans quelques heures, des capsules similaires émergeraient du ravitailleur pour récupérer les Autres. Pourquoi Vosch tenait-il à ce qu'il voie celle-là ?

— Elle est unique, expliqua Vosch. Il n'y en a que douze autres comme ça dans le monde. Une pour chacun de nous.

Evan commençait à perdre patience.

— Pourquoi faites-vous cela ? Pourquoi vous exprimez-vous par devinettes et mensonges, comme si j'étais l'une de vos victimes humaines ? Je sais qu'il y en a bien plus que douze. Des dizaines de milliers.

— Non, seulement douze.

Vosch eut un vague geste de la main, indiquant un emplacement à leur droite.

— Viens par ici. Je crois que ça va te plaire.

Accroché au plafond, pendant au niveau des yeux, un objet en forme de cigare d'un gris-vert brillant. Après la 3e Vague, des drones semblables avaient empli le ciel.

Les yeux de Vosch, avait-il dit à Cassie. *C'est grâce à eux qu'il vous voit.*

— Un composant important de la guerre, affirma Vosch. Important, mais non crucial. Quand nous les avons perdus, nous avons dû improviser pour continuer notre traque. Tu te demandais pourquoi il était nécessaire de renforcer un humain, n'est-ce pas ?

Il faisait référence à Ringer, mais Evan ne vit pas le lien.

— Pourquoi l'avez-vous fait ?

— Les drones n'étaient pas destinés à traquer les emplacements des survivants – mais à te traquer, *toi.* Toi et les milliers d'êtres pareils à toi. Nous savons que vous abandonnerez vos territoires assignés quand la 5e Vague sera lancée et que vous comprendrez qu'il n'y a aucun sauvetage, aucun moyen de regagner le ravitailleur.

Evan secoua la tête. Vosch était-il devenu fou ? Cela avait été leur plus grande peur quand ils avaient décidé de purifier la Terre de ses habitants. Partager le corps d'un humain pouvait être un fardeau très lourd, une tension impossible à supporter.

— Tu dois te demander si je n'ai pas perdu l'esprit, lâcha Vosch avec un petit sourire. À tes yeux, je ne suis plus la personne que tu as connue durant tes dix mille années de vie. La vérité, c'est que nous ne nous sommes jamais rencontrés, Evan. Jusqu'à aujourd'hui, j'ignorais en fait à quoi tu ressemblais.

Vosch le prit par le coude et le guida vers le fond de la salle.

Le malaise d'Evan s'accrut. Pourquoi Vosch l'avait-il amené ici ? Pourquoi ne l'avait-il pas déjà tué ? Quelle importance si son corps humain mourait ? Sa conscience existait toujours dans le ravitailleur. Pourquoi cette curieuse visite des lieux ?

Dans un coin se trouvait un support en bois sur lequel trônait un gros oiseau de proie, tête penchée en avant, yeux clos, comme endormi. Evan sentit son estomac papillonner. Les années s'évanouirent : il était de nouveau un petit garçon allongé dans son lit, et dans cet intervalle brumeux entre le rêve et l'éveil, il regardait la chouette perchée sur le rebord de la fenêtre, en train de l'observer, ses grands yeux ronds brillant dans le noir. Son corps se figeait, il était incapable de bouger, incapable de détourner les yeux.

Derrière lui, Vosch murmura :

— *Bubo virginianus.* Le grand duc d'Amérique. Magnifique, n'est-ce pas ? Un prédateur nocturne terrifiant et solitaire – sa proie le voit rarement venir jusqu'à ce qu'il soit trop tard. C'est ton programme fantôme, ton animal totem, si tu préfères. Tu as été conçu pour être son équivalent humain.

Les ailes de l'oiseau se déployèrent. Son lourd poitrail se souleva. Sa tête se redressa, ses yeux s'ouvrirent. Leurs regards se croisèrent.

— Bien sûr, il n'est pas réel, poursuivit Vosch. C'est un dispositif de livraison. Une machine. L'un d'entre eux est venu chez ta mère quand tu étais encore dans son ventre, chargé du programme qui a été transmis à ton cerveau. Un autre t'a rendu visite après que ce programme a démarré, lors de ton Éveil, je crois que c'est ainsi qu'on l'appelle, pour te doter du douzième système.

Evan était incapable de se détourner. Les yeux du rapace l'hypnotisaient.

— Il n'y a aucune entité d'alien en toi, expliqua Vosch. Ni en aucun d'entre nous, pas plus qu'à bord du ravitailleur. Comme ton vieil ami ici présent, il est complètement automatisé. Il a été créé après des siècles d'études attentives et de délibérations, puis envoyé sur cette planète pour ramener la population humaine à un niveau raisonnable. Et, bien sûr, pour la garder ici indéfiniment en changeant la nature humaine elle-même.

— Je ne vous crois pas.

Ces yeux. Il ne pouvait s'en détourner.

— Un système autonome parfait, immaculé, dans lequel la confiance et la fraternité ne pourront jamais prendre racine. Le progrès devient impossible, car tous les inconnus sont des ennemis potentiels, des « Autres » qui doivent être traqués sans fin. Tu n'as jamais été destiné à être un agent de destruction, Evan. Tu fais partie du programme de sauvetage de la Terre – ou du moins l'étais-tu jusqu'à ce que ton système déraille. C'est pour cela que je t'ai fait venir ici. Pas pour te torturer ou te tuer. Mais pour te sauver.

Quand il posa sa main sur l'épaule d'Evan, l'emprise du regard de la chouette cessa. Evan se retourna vers son kidnappeur. Il allait le tuer. Il lui ôterait la vie à mains nues.

Son poing ne frappa que l'air. L'élan faillit le faire tomber.

Vosch avait disparu.

67

BIEN QUE TOUJOURS DEBOUT, il eut la curieuse sensation de tomber d'un haut sommet. La pièce tournoya, les murs s'évanouirent. De l'autre côté de la salle, une silhouette se tenait dans l'embrasure de la porte, une ancre visuelle qui lui permit de garder l'équilibre. Il avança d'un pas hésitant, puis s'arrêta.

— Que te rappelles-tu ? demanda Vosch depuis le seuil. Me tenais-je à côté de toi ? Ai-je posé ma main sur ton épaule ? Que sont nos souvenirs sinon la preuve ultime de notre existence ? Et si je te disais que tout ce dont tu te souviens depuis que tu es entré dans cette pièce, absolument tout, n'est que mensonges, faux souvenirs transmis par la « chouette » derrière toi ?

— Je sais que vous mentez. Et je sais aussi qui je suis.

Il tremblait. Il avait encore plus froid que dans la salle blanche sous le jet glacé.

— Oh, ce que tu as « entendu » est bien la vérité. C'est le souvenir qui est faux.

Vosch poussa un soupir.

— Tu es plutôt entêté, n'est-ce pas ?

— Pourquoi devrais-je vous croire ? cria Evan. Qui êtes-vous donc pour que je vous fasse confiance ?

— Je suis l'un des Élus. C'est à moi que l'on a confié la plus grande mission de l'histoire de l'humanité : le salut de notre espèce. Comme toi, je savais depuis mon enfance ce qui allait arriver. Mais contrairement à toi, je connaissais la vérité.

Le regard de Vosch se porta sur la capsule de sauvetage.

— Je ne peux pas te dire à quel point je me suis si souvent senti seul, dit-il d'un ton soudain nostalgique. Seuls quelques-uns d'entre nous connaissent la vérité. Dans un monde aveugle, nous étions les seuls à avoir des yeux pour voir. On ne nous a pas donné le choix – tu dois comprendre cela –, *il n'y avait aucun choix* ! Je ne suis pas responsable. Je suis autant victime qu'eux, que toi !

Tout à coup, il s'emporta.

— C'est le prix ! hurla-t-il. Et je l'ai largement payé ! J'ai fait tout ce que l'on attendait de moi. J'ai rempli ma promesse, à présent mon travail est achevé.

De la main, il lui fit signe d'approcher.

— Accompagne-moi. Laisse-moi t'offrir un dernier cadeau. Viens avec moi, Evan Walker, et dépose ton fardeau.

68

IL SUIVIT VOSCH – avait-il le choix ? Ils reprirent le long couloir jusqu'à la porte verte. À leur entrée, le technicien se mit au garde-à-vous.

— J'ai refait les tests trois fois, mon commandant, mais je ne trouve toujours aucune anomalie dans le programme. Voulez-vous que je recommence ?

— Oui, mais pas maintenant.

Vosch se tourna vers Evan.

— S'il te plaît, assieds-toi.

Il adressa un hochement de tête au technicien, qui attacha Evan sur le siège inclinable. Le système hydraulique chuinta ; Evan contempla le plafond blanc. Il entendit la porte s'ouvrir. La femme qui l'avait examiné dans la salle blanche entra, faisant rouler devant elle un plateau d'acier immaculé sur lequel s'alignaient, en un rang parfait, une douzaine de seringues remplies d'un fluide de couleur ambre.

— Tu sais ce que c'est, dit Vosch.

Evan acquiesça. Le douzième système. Le cadeau. Pourquoi le lui implanter de nouveau ?

— Parce que je suis un optimiste, un incurable romantique, comme toi, déclara Vosch, semblant lire dans son esprit. Je suis convaincu que tant qu'il y a de la vie, il y a de l'espoir.

Il sourit.

— Mais si je fais cela, c'est surtout parce que cinq jeunes soldats sont morts, ce qui signifie qu'elle est peut-être encore vivante. Et si elle est en vie, il ne lui reste plus qu'une option.

— Ringer ?

Vosch hocha la tête.

— Elle est ce que j'ai fait d'elle ; et je sais qu'elle va venir me trouver pour que je réponde de mes actes.

Il se pencha vers Evan : ses yeux brûlaient d'un feu iridescent dont les flammes bleues le transperçaient jusqu'à la moelle.

— Tu seras ma réponse.

Vosch se tourna alors vers le technicien, qui tressaillit sous l'intensité de son regard.

— Elle a peut-être raison : il se peut que l'amour soit une singularité, le mystère inexplicable, ingouvernable, ineffable, impossible à prédire ou à contrôler, le virus qui a planté un programme élaboré par des êtres à côté desquels nous ne sommes pas plus évolués que des cafards.

Il reporta son attention sur Evan.

— Je vais donc accomplir ma mission : brûler le village pour le sauver.

Il recula d'un pas.

— Téléchargez-le de nouveau. Puis effacez-le.

— Que je l'efface, mon commandant ?

— Effacez l'humain. Laissez le reste.

La voix de Vosch emplit soudain la petite pièce :

— Il nous est impossible d'aimer ce dont nous ne nous souvenons pas.

69

DANS LES BOIS, durant l'automne, il y avait une tente, et sous cette tente, une jeune fille qui dormait avec un fusil dans une main et un ours en peluche dans l'autre. Et tandis qu'elle dormait, un chasseur veillait sur elle, un compagnon invisible qui disparaissait à son réveil. Il était venu pour la tuer ; elle était là pour lui sauver la vie.

Il ne cessait de s'interroger. La vanité de ses motivations entraînait la question impossible : *Pourquoi une personne aurait-elle le droit de vivre alors que le monde entier est en train de périr ?* Plus il cherchait la réponse, plus celle-ci s'éloignait.

On lui avait confié une mission qu'il était incapable de mener à bien. Il avait le cœur d'un chasseur à qui manquait l'envie de tuer.

Dans son journal intime, la fille avait écrit : *Je suis l'humanité,* et quelque chose dans ces mots l'avait brisé.

Elle était l'Éphémère, ici aujourd'hui, disparue demain. Elle était la dernière étoile, brillant avec passion dans une mer d'un noir infini.

Effacez l'humain.

Dans un éclat de lumière aveuglante, l'étoile Cassiopée explosa. L'univers devint entièrement noir.

Evan Walker venait d'être anéanti.

70

CASSIE

ÇA NE FAIT PAS DIX MINUTES QUE JE SUIS LÀ-DEDANS, et déjà je me dis que cette mission est impossible. Ce truc de tuer Vosch et de sauver Evan est une très mauvaise idée.

Bob, notre pilote borgne, crie : *Dix secondes !* Ringer ferme les yeux, et durant un horrible instant, je suis persuadée que nous avons été piégés. C'était son plan depuis le début. Abandonner Ben et les enfants sans défense, puis nous tuer toutes les deux dans le style kamikaze à cinq mille pieds d'altitude, parce qu'après tout, quelle importance ? Il y a une copie d'elle dans Wonderland. Une fois que nous serons tous morts, elle sera de nouveau téléchargée dans un autre corps.

C'est le moment, Cassie. Tu tiens enfin ta chance. Prends ton couteau ! Arrache-lui le cœur… si tu peux le trouver. Si elle en a un.

— Ils rompent leur formation ! annonce Bob.

Ringer entrouvre les yeux. Ma chance disparaît.

— Garde le cap, Bob, ordonne-t-elle d'un ton détaché.

Les hélicoptères foncent sur nous. Bob maintient sa trajectoire, mais nous couvre en verrouillant un missile sur celui de tête. Son pouce joue au-dessus du bouton. C'est quand même dingue la vitesse à laquelle ce type a changé de bord. Ce matin, quand il a ouvert les yeux, *ses deux yeux*, il était persuadé de savoir à quelle équipe il appartenait. Puis, en un clignement d'œil (*Ha ! Toujours aussi comique, Cassie. Désolée, Bob*), il a changé d'avis, et le voilà prêt à exterminer ses frères et ses sœurs d'armes. N'empêche que ça me donne envie de lui faire un gros câlin.

— Ils vont nous percuter ! hurle Bob. Il faut qu'on plonge, il faut qu'on plonge !

— Pas question, tempère Ringer. Fais-moi confiance, mec.

Bob lâche un rire hystérique. Nous fonçons vers l'hélicoptère de tête, aussi vite qu'il fonce sur nous.

— Oh, bien sûr ! Pourquoi est-ce que je ne te ferais pas confiance ?

Il agrippe le manche de toutes ses forces, son pouce caresse le bouton, et dans quelques secondes, peu importeront les ordres de Ringer, il fera feu. En fait, Bob n'est du côté de personne, sauf du sien.

— Dégage, chuchote Ringer au gros point noir qui arrive sur nous. Dégage.

Trop tard. Bob déclenche le tir, le Black Hawk tremble comme s'il avait été frappé par le coup de pied d'un géant, et un missile Hellfire fuse. Le cockpit s'éclaire puissamment. Quelqu'un hurle (je crois que c'est moi). Un tourbillon de feu nous engloutit durant une demi-seconde – des débris fouettent notre coque – puis nous émergeons de l'autre côté de la boule incandescente.

— Puuuuuuutaaaaaiiin de bordel de merde ! hurle Bob.

Tout d'abord, Ringer ne dit rien. Elle fixe l'écran et observe les cinq points restants. Quatre s'écartent, deux à droite et deux à gauche, mais le cinquième continue d'avancer, se dirigeant droit au milieu de l'écran. *Oh non. Où est-ce qu'il va comme ça ?*

— Contacte-les, ordonne Ringer à Bob. Dis-leur que nous nous rendons.

— Nous nous rendons ? crie Bob en même temps que moi.

— Puis maintiens ton cap, poursuit Ringer avec flegme. Ils ne vont pas nous obliger à ralentir, ni nous tirer dessus.

— Qu'est-ce que tu en sais ? lâche Bob.

— Parce que sinon, ils l'auraient déjà fait.

— Et le dernier ? je demande. Il est parti. Il ne nous suit plus.

Ringer me jette un regard acéré.

— Et où va-t-il, à ton avis ? me lance-t-elle avant de se retourner. Ne t'inquiète pas, Sullivan. Zombie saura quoi faire.

Comme je l'ai dit, c'était une très mauvaise idée de les laisser seuls dans les cavernes.

71

JE ME LAISSE TOMBER DANS MON SIÈGE et m'oblige à respirer. Ce que j'avais un peu oublié de faire jusqu'à présent. Je meurs de soif. J'avale quelques gorgées d'eau, juste assez pour m'humecter la bouche, car j'ai peur d'avoir envie de faire pipi durant l'opération. Ringer m'a décrit la base dans tous les détails, y compris l'emplacement de la salle Wonderland, mais je ne lui ai jamais demandé où se trouvaient les toilettes.

La voix de Ringer surgit justement dans mon casque :

— Repose-toi un peu, Sullivan. On a encore quelques heures de vol avant d'arriver au Canada.

L'aube ne sera plus très loin. On n'a peut-être pas le bon timing. Je ne suis pas experte dans ce genre d'opérations, mais je crois qu'elles sont un peu plus faciles dans l'obscurité, non ? De plus, si Evan a raison, ce sera le Green Day, le jour où les bombes de l'enfer tomberont du ciel.

Je fouille dans toutes mes poches jusqu'à ce que je trouve une barre protéinée, aliment magique selon Ben Parish. L'alternative, c'est de fondre en larmes. Or je suis déterminée à ne verser aucune larme avant de revoir Sam. Il est la seule chose qui vaille la peine que je pleure.

Et, bordel, qu'est-ce que ça veut dire : *Zombie saura quoi faire* ? C'est bon, Sullivan, il a intérêt à savoir, parce que toi, c'est sûr, tu n'en as pas la moindre putain d'idée. Si tu savais quoi faire, tu ne serais pas dans cette saloperie d'hélico. Tu te trouverais auprès de ton petit frère. Tu sais exactement pourquoi tu es là. Tu peux toujours te raconter que c'est pour Sam, tu ne dupes personne.

Mon Dieu, je suis une personne horrible. Pire que Bob le borgne. J'ai abandonné mon petit frère, ma vie, mon sang, pour *un mec.* Et c'est tellement *mal* que tous les autres mauvais choix que j'ai pu opérer semblent bons en comparaison. Ben m'a dit qu'Evan mentait, qu'il était fou, voire les deux à la fois, parce que qui irait détruire sa propre civilisation pour *une fille* ? *Oh, j'en sais rien, Ben. Peut-être le même genre de personne qui irait sacrifier le seul être de son sang pour payer une dette qu'elle n'a même pas contractée.*

C'est pas comme si je lui avais demandé de me sauver toutes les fois où il l'a fait. Pas plus que je lui avais demandé de me tirer dans la jambe. Je ne lui ai jamais rien demandé. Il s'est contenté de donner. De donner au-delà du raisonnable. Est-ce que c'est cela, l'amour ?

Comment le savoir ? Je ne l'ai jamais éprouvé, ni pour lui, ni pour Ben Parish, ni pour qui que ce soit.

Oh, pitié ! Que mon cerveau la boucle un peu ! Assez avec ces histoires de Vermont et de chien qui gambade dans la forêt. Je promets de ne plus réfléchir autant. J'ai toujours trop réfléchi. Je décortique tout, toutes les situations : pourquoi les Autres sont venus sur Terre, qui est exactement Evan Walker – *qu'est-il ?* –, pourquoi suis-je encore vivante alors que presque toute l'humanité est morte ? Pourquoi cette fille devant moi a les plus beaux cheveux que j'aie jamais vus, pourquoi pas moi, pourquoi elle a ce teint parfait de porcelaine, et encore une fois pourquoi pas moi ? Et cette histoire de nez ! Bon sang, quelle idiote je suis ! Quelle perte de temps ! Si elle est aussi parfaite, c'est juste à cause de ses gènes mélangés à un peu de technologie extraterrestre, c'est tout !

Je termine ma barre protéinée et froisse l'emballage dans ma main. Malgré l'état du monde, ça ne me semble pas correct de le jeter par terre.

Ce serait le moment idéal pour prier, mais j'ai le cerveau tellement encombré que je suis incapable de penser à ce que je pourrais dire à Dieu. De toute façon, je ne suis pas certaine d'avoir envie de converser avec lui, cet insondable enfoiré. On dirait qu'il nous a tourné le dos, qu'il se moque complètement de notre sort, et je me demande si c'est ce qu'a ressenti Noé à bord de son arche. *OK, Seigneur, j'apprécie vraiment ce que tu as fait pour moi, mais qu'as-tu fait pour* eux ? Et Dieu dit : *Arrête de poser tant de questions, Noé. Regarde ! Je t'ai fait un arc-en-ciel !*

La seule chose qui me vient à l'esprit, c'est la prière du soir de Sammy ; alors, un peu désespérée, je l'entame :

— Maintenant, je m'allonge pour dormir…

Bon, pas vraiment.

— Quand je me réveille le matin…

Ça n'arrivera peut-être pas.

— Montre-moi le chemin de l'amour…

OK, ça, c'est bon ! S'il te plaît, Dieu ! Je ne te demande que ça. Ne me laisse pas tomber.

Apprends-moi.

72

ZOMBIE

DE GARDE À L'ENTRÉE DES CAVERNES, j'admire le ciel sombre – mis à part ce petit point vert suspendu au-delà de l'horizon – quand l'une des étoiles se décroche du ciel pour fondre sur nous. Vite. Très vite. Nugget me tire par la manche.

— Regarde, Zombie ! Une étoile filante.

Je m'écarte de la vieille rambarde bancale sur laquelle j'étais appuyé.

— Ce n'est pas une étoile, mon pote.

— C'est une bombe ?

Ses yeux s'écarquillent de terreur.

Pendant une horrible seconde, je pense qu'il a peut-être raison. Que, pour une raison ou une autre, ils ont pris de l'avance sur leur programme, et que la destruction des villes a commencé.

— On retourne en bas. Vite !

Je n'ai pas besoin de le lui dire deux fois. Il est déjà loin devant moi quand j'atteins la première grotte. J'attrape Megan, assise par terre. Elle fait tomber son ours en peluche. Nugget revient sur ses pas pour le récupérer. J'installe Megan sur ma hanche, du côté de ma jambe valide, pour l'emporter plus bas dans les cavernes, mais chaque pas déclenche en moi une telle douleur que j'ai l'impression que ma tête va exploser. Il y a un renfoncement taillé dans la roche par l'érosion, d'un mètre de hauteur et d'un mètre cinquante de profondeur. Parfait. J'y dépose Megan, elle recule jusqu'à ce que l'ombre l'engloutisse. Merde. J'ai failli oublier. D'un geste de la main, je lui fais signe de revenir vers moi.

Je sors de ma poche le traceur de l'une des recrues décédées. C'est l'idée de Ringer, elle est diablement bonne.

— Mets ça dans ta bouche, je dis à Megan.

Elle est abasourdie. Comme si je lui avais demandé de se trancher la gorge. Évidemment, je viens de toucher un sujet sensible.

— Regarde, Nugget va en faire autant.

Je dépose le traceur dans la main de Sam.

— Juste ici, soldat.

Du doigt, je lui montre ma joue. Je me retourne vers Megan.

— Tu vois ? Comme ça.

Mais Megan s'est déjà retirée dans l'ombre. *Bordel.* Je donne à Nugget un second traceur.

— Assure-toi qu'elle le met dans sa bouche, d'accord ? Toi, elle t'écoute.

— Oh non, Zombie, répond Nugget d'un ton sérieux. Megan n'écoute personne.

Il lance l'ours en peluche dans le petit espace, et appelle sa copine :

— Megan ! Prends Nounours ! Il te protégera. C'est comme la gravité.

Après ce discours que seul un enfant peut comprendre, il remonte son pantalon, serre les poings, redresse le menton et affirme :

— Ils arrivent, n'est-ce pas ?

Alors nous l'entendons tous les deux, comme une réponse à sa question : le bruit des moteurs d'un hélicoptère, qui augmente de volume à chacune de nos respirations. À l'entrée des grottes, la lueur blanche de son projecteur découpe l'obscurité.

— Nugget ! Rentre là-dedans avec Megan.

— Non, je veux me battre avec toi, Zombie.

Bien sûr qu'il le veut. Par-dessus son épaule, je vois le projecteur éclairer la caverne où sont stockées les armes. *Double bordel de merde.*

— Voilà ce que tu vas faire : tu tires sur cette lumière, ensuite tu me retrouves ici. Si nous avons de la chance, ils ne se poseront même pas.

— De la chance ?

J'ai la curieuse impression qu'il souhaite que l'équipage débarque afin de se battre.

— N'oublie pas, Nugget, on est tous du même bord.

Il fronce les sourcils.

— Comment on peut être du même bord s'ils veulent nous tuer, Zombie ?

— Parce qu'ils ignorent que nous sommes du même côté. Allez, vas-y ! Éteins cette putain de lumière – vas-y !

Il file sur le sentier. La lumière de l'hélicoptère s'estompe, mais pas le bruit de ses moteurs. L'appareil doit être en train d'effectuer un demi-tour. À mon avis, nous sommes suffisamment loin sous terre pour duper son système infrarouge, mais je n'en ai aucune garantie.

Le projecteur s'éteint, les grottes sont plongées dans l'obscurité. Je ne vois pas à plus d'un centimètre. Après quelques secondes, un petit corps fonce sur moi. Je sais que c'est lui. Enfin, je le sais parce que quand je chuchote : « Nugget ? » il me répond, toujours aussi sérieux :

— Tout va bien, Zombie. J'ai pris un flingue.

73

JE SAIS QUE J'AI OUBLIÉ QUELQUE CHOSE, MAIS QUOI ?

— Tiens, Zombie, tu avais oublié ça.

Nugget me plaque un masque à gaz sur la poitrine. Que Dieu le bénisse. Et que Dieu bénisse les Silencieux comme Grâce et le prêtre d'avoir fait des réserves pour tenir jusqu'à la fin du monde.

Nugget a déjà enfilé le sien.

— Tu en as pris un pour Megan ?

Idiot, évidemment qu'il en a pris un.

— OK, mon vieux, va te planquer avec elle.

— Zombie, écoute…

— C'était un ordre, soldat.

— Non, Zombie ! *Écoute.*

J'écoute. Mais je n'entends rien à part mon propre souffle qui va et vient dans le masque.

— Ils sont partis, affirme Nugget.

— Chhhuut !

Tac-tac-tac. Un bruit de métal sur les roches.

Bordel, Ringer, c'est vraiment pénible que tu aies toujours raison.

Ils ont lancé des grenades de gaz lacrymogène.

74

— *SI TU N'AS PAS RÉUSSI À LES REPOUSSER, qu'est-ce qu'on fait ?* avais-je demandé à Ringer pendant que nous barricadions l'entrée arrière.

— *Décidément, toi, tu ne faisais jamais attention en cours.*

— *Pourquoi est-ce qu'on ramène toujours tout à moi ?*

Une fois de plus, j'avais essayé de lui arracher un sourire, sans succès.

— *Ils utiliseront le gaz pour commencer.*

— Tu crois ? Perso, je condamnerais les issues avec des pains de plastic C-4, puis je finirais le boulot avec quelques bombes à charge pénétrante.

— Oui, ça sera probablement leur deuxième étape…

Derrière nous, vers l'entrée principale, les grenades explosent en quatre grands *pop*. J'attrape Nugget par la taille et le soulève pour le planquer avec Megan.

— Mets-lui le masque !

Je me dirige vers le sentier. *Les masques. Dieu merci, il s'en est souvenu ! Ce gamin mérite une promotion.*

Une chose est sûre, avait dit Ringer. *Ils ne vont pas s'installer pour entreprendre un siège. S'ils entament un combat rapproché ils passeront certainement par l'entrée principale, ce qui vous donnera un léger avantage : c'est très étroit.*

Je cours à l'aveuglette. Enfin, *courir* est un terme un peu exagéré. Grâce à tous les antalgiques, ma jambe ne me fait pas trop souffrir. Et, bien sûr, l'adrénaline fait son effet. Je vérifie mon fusil. Ainsi que les élastiques de mon masque. Tout cela dans une obscurité totale. Et dans une incertitude absolue.

S'ils surgissent par l'entrée arrière pour nous prendre en tenaille, on est baisés. S'ils décident de passer en force par l'avant, on est baisés. Si je me fige ou que je merde au moment critique, on est baisés.

Piégés comme à Dayton. Baisés comme à Urbana. Je ne cesse de revenir au même point, ce point où j'ai perdu ma petite sœur, quand j'ai fui au lieu de me battre. La chaîne qui est tombée de son cou me retient toujours prisonnier. Oompa. Dumbo. Poundcake. Même Teacup : elle serait encore en vie si j'avais fait mon boulot.

À présent, cette chaîne se resserre comme un nœud coulant autour de Nugget et de Megan – le cercle se referme.

Pas cette fois, Parish, espèce d'enfoiré de zombie. Cette fois, tu brises la chaîne, tu coupes le nœud coulant. Tu sauves ces gosses, quel qu'en soit le prix.

Je les tuerai dès qu'ils entreront. Je les tuerai tous. Peu importe qu'ils ne soient pas différents de moi. Peu importe qu'ils aient été piégés dans le même jeu infernal, un jeu que nous n'avons pas choisi. Je les tuerai un par un.

Obscurité totale. Certitude absolue.

L'explosion me fait décoller. Je voltige en arrière, ma tête heurte la roche, l'univers tourbillonne. L'entrée de la grotte s'écroule, l'air résonne de bruits de roches qui s'entrechoquent.

Au moment où je me cogne, mon masque glisse, j'inspire une bouffée de gaz nocif. C'est comme si l'on me plongeait un poignard en pleins poumons, le feu brûle ma bouche. Je roule sur le côté, toussant, haletant.

J'ai perdu mon fusil dans ma chute. Je balaie à grands gestes l'espace autour de moi, impossible de le trouver, tant pis, j'ai d'autres priorités. Je me relève, remets le masque en place – j'ai un goût de poussière minérale dans la bouche – et je repars par où je suis venu, à reculons, une main tâtonnant dans l'obscurité, l'autre serrée sur mon revolver, sachant très bien ce qui va arriver ensuite. Je hurle à travers mon masque : « Ne bouge pas, Nugget ! Ne bouge pas ! », mais j'ai bien peur qu'à part moi, personne n'entende ma voix.

Une seconde explosion a lieu, cette fois à l'entrée arrière. Je parviens à rester debout, même quand le sol tremble, que des stalactites se décrochent, tombent, comme celui qui vient de rater mon crâne de quelques centimètres. J'entends Nugget m'appeler, d'une petite voix. Me fiant au son, je retrouve la cachette, et l'en extirpe.

— Ils nous ont bloqués à l'intérieur, je murmure.

Ma gorge me brûle. J'ai l'impression d'avoir avalé du feu.

— Où est Megan ? je demande.

Je sens Nugget frémir contre moi.

— Elle va bien. Elle a Nounours.

J'appelle la gamine. Une petite voix assourdie par un masque à gaz me répond. De ses deux mains, Nugget agrippe ma veste, comme si l'obscurité risquait de m'engloutir si jamais il me lâchait.

— On n'aurait pas dû rester ici ! crie-t-il.

La vérité sort peut-être de la bouche des enfants, mais nous n'avions nulle part où fuir, nulle part où nous cacher. Nous avons présumé que l'hélicoptère de Bob les repousserait, mais nous avons perdu. À présent, le bombardier doit être en route avec à son bord une charge qui transformera ces cavernes vieilles de plus de deux cent cinquante mille ans en une piscine de deux kilomètres de long et une centaine de mètres de profondeur.

Il ne nous reste que quelques minutes.

J'agrippe Nugget par les épaules et le serre fort.

— Deux choses, soldat. On a besoin de lumière et d'explosifs.

— Mais Ringer a emporté toutes les bombes !

— Alors tu vas en fabriquer une autre, et vite !

Nous regagnons la grotte où se trouvent les armes, Nugget en tête, moi derrière, mes mains sur ses épaules. Je le soutiens, il me soutient, la chaîne qui nous lie, la chaîne qui nous libère.

75

J'OUBLIE QUELQUE CHOSE. Mais quoi ?

Nugget est concentré sur sa tâche. L'air est étouffant. La grotte regorge de fumée et de poussière ; c'est comme essayer d'assembler les pièces d'un puzzle au cœur d'un épais brouillard – rien de très différent de toute cette putain d'invasion. Notre univers familier a explosé en un million de fragments, un fouillis impossible où aucune pièce ne correspond plus à aucune autre. L'ennemi est parmi nous. Il n'y a pas d'ennemi. Ils sont ici-bas, là-haut, nulle part. Ils veulent la Terre, ils veulent qu'elle soit nôtre. Ils sont venus pour nous exterminer, pour nous sauver. La vérité s'éloigne sans cesse, l'unique certitude est l'incertitude, et les paroles de Vosch me rappellent la seule vérité à laquelle il vaille la peine de s'accrocher : *Vous allez mourir. Vous allez mourir, et ni vous, ni moi, ni personne ne pourra l'empêcher.* Ça, c'était vrai avant leur Arrivée, et ça l'est toujours : la seule certitude est l'incertitude, sauf votre propre mort qui, elle, est bien certaine.

Les doigts de Nugget tremblent. Son souffle est lourd et saccadé à travers le masque. Un seul faux mouvement, et il nous fera tous sauter. Ma vie est à présent entre les mains d'un gamin. Explosifs. Détonateur. Mèche. Sullivan est peut-être fâchée que son frère ait oublié son alphabet, mais au moins ce petit con sait fabriquer une bombe.

— C'est bon ? je demande.

— C'est bon !

Il lève son dispositif d'un air triomphant. Je le lui prends des mains. *Oh mon Dieu, j'espère que tu as raison, Nugget.*

J'oublie quelque chose. Quelque chose d'important. Quoi ?

76

ET MAINTENANT, nouveau dilemme : s'échapper par l'entrée arrière ou par l'avant ?

Une seule bombe. Une seule chance. Je laisse Nugget avec Megan et je pars vérifier en premier l'entrée arrière. Un mur de roches épais d'environ un mètre quatre-vingts, si je me souviens bien de mes points de repère. Je retraverse la caverne jusqu'à l'entrée avant. Bordel, je ne vais pas assez vite. Je prends trop de temps. J'y arrive enfin, et je trouve exactement ce que je m'attendais à trouver : un autre mur de roches, mais qui sait de quelle épaisseur ? Et comment deviner si c'est là la meilleure issue ?

Oh, merde.

J'insère le tuyau de PVC dans la plus profonde et plus haute faille que je suis capable d'atteindre. La mèche me paraît trop courte ; je n'aurais peut-être pas le temps de m'éloigner suffisamment.

La certitude de l'incertitude.

J'allume la mèche, et fuis aussi vite que possible, malgré ma jambe invalide. Le *bang* de l'explosion semble assourdi, pitoyable écho des deux explosions qui nous ont bloqués ici.

Dix minutes plus tard, je tiens Nugget par une main et Megan par l'autre. Nugget a eu quelques difficultés à la faire sortir de sa cachette. Elle se sentait en sécurité dans cette petite niche, et peu lui importent les ordres. La seule personne à qui Megan obéit, c'est elle-même.

L'ouverture en haut des gravats ne semble ni très large ni très stable, mais de l'air frais passe à travers et j'aperçois même un rai de lumière.

— On devrait peut-être rester ici, Zombie, déclare Nugget.

Il doit penser la même chose que moi : une fois les points d'entrée scellés, il ne leur restait plus qu'à installer des tireurs d'élite de chaque côté, puis à attendre.

Plus personne ne fabrique de bombes à charge pénétrante. Pourquoi gâcher de précieuses munitions utiles en temps de véritable guerre pour deux gamins et un estropié ? Ils sortiront. Ils sortiront forcément. C'est beaucoup trop risqué de rester là-dedans.

— On n'a pas le choix, Nugget.

Pas le choix non plus de savoir qui passe en premier. Je l'attrape par la manche pour l'écarter de Megan. Pas question qu'elle entende ce que j'ai à lui dire.

— Tu attends mon signal, compris ?

Il acquiesce.

— Qu'est-ce que tu fais si je ne reviens pas ?

Il secoue la tête. La lumière est trop faible, et mon masque trop embué pour que je puisse voir ses yeux, mais sa voix tremble comme s'il allait pleurer :

— Mais tu vas revenir, Zombie, hein ?

— Bien sûr. Mais dans le cas contraire, qu'est-ce que tu feras ?

Il redresse le menton et bombe le torse.

— Je les abattrai tous d'une balle dans la tête.

Je me hisse dans le trou. Mon dos cogne contre une crête, mes épaules contre les côtés de la paroi. Le passage est vraiment serré. À mi-chemin, je décide de retirer mon masque. Je ne supporte plus cette sensation d'étouffement. L'air frais baigne enfin mon visage. *Bordel, que c'est bon !*

L'entrée ne serait même pas assez large pour les chats de la vieille Silencieuse. Je déblaie les pierres à mains nues. Un bout de ciel étoilé, de l'herbe, le chemin. Aucun bruit, mis à part le vent. *OK. J'y vais !*

Je rampe à l'extérieur. Je cherche mon fusil par-dessus mon épaule, mais il n'y a aucun fusil sur mon épaule. J'ai oublié de le ramasser en chemin. Alors, c'est donc ça que j'ai oublié ? Mon fusil ?

Mon revolver à la main, je m'agenouille et j'observe. *Ne te précipite pas, inspecte les alentours.* C'est génial de s'échapper de ce piège, mais maintenant on fait quoi ?

On va où ? L'aube n'est pas très loin. Le ravitailleur va entamer sa tournée. Je le vois flotter à l'horizon, aussi vert qu'un feu de signalisation.

Je me redresse. Une manœuvre délicate étant donné l'état de ma jambe. M'appuyer dessus me fait un mal de chien.

Je suis là, les mecs ! Allez-y, visez-moi !

Il n'y a rien à voir autour de moi sauf la route, l'herbe et le ciel. Aucun bruit mis à part le souffle du vent.

Je siffle dans le trou, signal convenu avec Nugget. Deux sifflements courts, un long. Un siècle plus tard, sa petite tête émerge du passage, puis ses épaules. Je l'agrippe. Il retire son masque, inhale une bouffée d'air frais, et attrape son Beretta planqué dans son dos, dans la ceinture de son pantalon. Arme pointée devant lui, genoux légèrement fléchis, il pivote de droite à gauche, comme des millions de gamins l'ont fait avant lui avec des pistolets en plastique.

Je siffle de nouveau, à l'attention de Megan cette fois. Pas de réponse. J'appelle :

— Megan ! Allez, viens !

À côté de moi, Nugget pousse un lourd soupir.

— Quelle casse-pieds, celle-là !

Il me fait tellement penser à sa sœur en cet instant que je manque d'éclater de rire. Il m'observe soudain d'un air intrigué, tête légèrement penchée d'un côté.

— Hé, Zombie ? C'est bizarre, tu as un point rouge en plein milieu du front.

77

À URBANA, Dumbo n'a pas hésité une seule seconde. Pas plus que moi en cet instant.

Je plonge sur Nugget et le plaque au sol. La balle claque dans l'amas de roches derrière nous. Une seconde plus tard, j'entends le bruit du fusil du tireur d'élite. Le coup est venu par la droite, du côté du bosquet d'arbres sur la route principale.

Nugget commence à se relever. Je l'attrape par la cheville et le force à rester à terre.

— On rampe très lentement, je lui chuchote à l'oreille. Comme on a appris au camp, tu te rappelles ?

Il recule vers le trou et la fausse sécurité des cavernes où s'entassent armes et provisions. Je ne peux pas le blâmer : c'est ce que j'ai failli faire d'instinct, moi aussi. Mais reculer ne ferait que repousser l'inévitable. S'ils ne parviennent pas à nous enfumer ou à nous abattre, ils passeront aux *bunker busters*[1].

— Suis-moi, Nugget.

Je rampe vers le pavillon d'accueil. Le toit offre un parfait poste d'observation pour un tireur d'élite, et notre meilleure option est de nous en éloigner.

— Megan…, halète-t-il. Et Megan ?

Et Megan ?

— Elle ne sortira pas, je chuchote.

Ne sors pas de là, Meg !

---

1. Bombes à charge pénétrante. (*N.d.T.*)

— Elle attendra.

— Qu'est-ce qu'elle attendra ?

Que l'histoire se répète. Que le cercle se referme.

Il n'y a qu'un seul endroit où nous serons parfaitement en sécurité. Ça ne me réjouit pas, et il est certain que ça ne va pas plaire à Nugget. Mais ce gamin est fort. Plus que fort.

— On dépasse le pavillon, et on continue sur une vingtaine de mètres, je lui dis, tandis que nous rampons à plat ventre. Tu verras. Un grand trou. Rempli de corps.

— De corps ?

J'imagine un point rouge se balader entre mes épaules ou sur la nuque de Nugget. Je ne quitte pas mon petit soldat des yeux. Nous approchons enfin de la fosse, et alors nous la sentons, cette puanteur qui donne des haut-le-cœur à Nugget. Je lui agrippe le bras, et l'entraîne vers le bord. Il n'a pas envie de regarder, mais il regarde quand même.

— Ce ne sont que des personnes décédées, je dis. Viens, je vais te faire descendre.

Il me repousse.

— Je ne pourrai jamais ressortir de là.

— Tu seras en sécurité là-dedans, Nugget. Parfaitement en sécurité.

Ils nous auraient déjà tiré dessus s'ils savaient que nous étions là.

Il acquiesce d'un signe de tête.

— Mais Megan…

— Je vais retourner la chercher.

Il me regarde comme si j'avais perdu l'esprit. Je l'attrape par les poignets, et le fais descendre dans le trou.

— Si t'entends quoi que ce soit, tu fais le mort, je lui rappelle.

— Je vais être malade.

— Respire seulement par la bouche.

Ses lèvres s'entrouvrent. Je vois le traceur briller dans sa bouche. Pouces en l'air, je lui fais signe que tout est OK. Il lève lentement la main droite, et la porte à son front pour me saluer, en bon soldat qu'il est.

78

Je rampe de nouveau, mais cette fois pour m'éloigner du charnier. Je sais très bien ce qui va se passer. Je vais mourir.

Je vis en sursis, mais on ne peut pas éternellement plaisanter avec la mort. Tôt ou tard, il faut payer, et souvent avec les intérêts. Mon Dieu, faites que Nugget et Megan ne soient pas le prix à payer pour avoir abandonné ma sœur. Je m'adresse à Dieu : *Tu as déjà pris Dumbo, Poundcake et Teacup. Ça suffit. Je t'en prie, ça suffit. Prends-moi si tu veux, mais laisse ces gamins en vie.*

Le sol explose soudain devant moi. Des mottes de poussière et de gravats me tombent dessus. Merde. Ça ne sert plus à rien de ramper, maintenant. Je me lève, mais ma jambe flanche – je tombe. Le tir suivant atteint ma manche, la balle m'érafle le biceps avant de ressortir de l'autre côté, je la sens à peine. D'instinct, je me recroqueville à terre et j'attends le tir final. Je sais ce qui est en train de se passer. Ce sont les soldats de la 5e Vague. Leurs cœurs ont été remplis de haine, leurs cerveaux conditionnés pour s'adonner à la pire des cruautés. Ils jouent avec moi. *On va faire durer la plaisanterie, espèce de salopard d'Infesté. On va se marrer !*

Le visage de ma sœur devant moi, ceux de Bo, de Cake et de Cup, puis bien plus de visages que je ne peux en compter. J'en reconnais certains et d'autres pas. Je vois Nugget, Megan, Cassie et Ringer, les recrues du camp et les cadavres du hangar T§E[1], des centaines de visages, des milliers, des dizaines de milliers, vivants et morts, mais surtout morts. Dans la fosse derrière moi, un seul visage vivant parmi des centaines qui ne le sont plus, et les règles de Vosch qui s'appliquent à lui aussi.

Son bras levé pour me saluer. Sa bouche ouverte, et le traceur qui brille à l'intérieur.

Bordel de merde, Parish, le traceur ! Voilà ce que tu as oublié.

J'attrape le petit dispositif dans ma poche, et me le glisse dans la bouche. Dans le bosquet d'arbres de l'autre côté de la route, sur le toit du centre d'accueil et dans tous les putains d'endroits où ils se trouvent, les soldats retiennent leur tir quand le brasier vert qui entoure ma tête s'éteint.

---

1. Voir tome 1. (*N.d.T.*)

79

Appelez-moi Zombie.

Tout me fait mal. Même ciller. Mais je me lève. C'est ce que font les zombies.

Nous nous levons.

Peut-être que les tireurs ne m'ont pas remarqué. Peut-être qu'ils ont reporté leur attention ailleurs, à la recherche de cibles vertes. Quelle que soit la raison, quand je me lève, personne ne m'abat. Cette fois, je ne clopine pas, je n'agrippe pas ma jambe blessée à deux mains, je ne traîne pas des pieds dans la poussière comme un putain de zombie. Je cours à toute allure malgré la douleur, et voilà, je crie le nom de Megan, mes doigts tâtonnent dans l'obscurité jusqu'à ce qu'ils se referment sur son poignet.

Je la sors de là. Son bras autour de mon cou. Son souffle dans mon oreille.

Je sais que la boucle est bouclée. Que je dois payer ma dette. Mais, mon Dieu, laisse-moi d'abord la sauver, fais en sorte qu'elle ne meure pas.

Je ne le vois pas venir, mais Megan, si. Sa bouche s'ouvre en un cri silencieux, elle fait tomber Nounours par terre.

Quelque chose me frappe l'arrière du crâne. Je suis complètement ébloui, puis soudain, il n'y a plus rien, plus rien du tout.

80

CASSIE

ON LA VOIT À DES KILOMÈTRES : la base militaire, véritable îlot de blancheur éclatante dans une infinie mer obscure, symbole étincelant de civilisation au milieu d'un noir terrain vague, même si *civilisation* est un terme beaucoup trop aimable en l'occurrence. Voilà ce qui reste de nous. Des bases dirigées par des fous déterminés à nous exterminer.

L'hélico vire à gauche pour s'approcher de la base par l'est. Nous survolons une rivière dont l'eau sombre réfléchit les étoiles. Puis, vierge de tout arbre, voici la zone tampon qui entoure le camp : fossés, barbelés, pièges minés, puissant arsenal de protection contre un ennemi qui ne viendra jamais, qui n'est pas là, et peut-être même pas là-haut – dans ce ravitailleur qui se balance devant nous lorsque nous virons pour l'approche finale. Je l'observe. J'ai l'impression qu'*il* fait de même.

Qui êtes-vous ? Que voulez-vous ? Mon père vous appelait les Autres, mais n'est-ce pas ce que nous sommes aussi pour vous ? Autres que nous, différents, et donc indignes de nous. Indignes tout court. Indignes de vivre.

Qui êtes-vous ? Le berger décime son troupeau. La femme au foyer achète un insecticide. Le sang de l'agneau à genoux, les mouvements spasmodiques du cafard tombé sur le dos. Ils ne soupçonnent ni le couteau ni l'insecticide. Ni le berger ni la femme au foyer ne perdront le sommeil à cause de leur acte. Il n'y a rien d'immoral là-dedans. Il s'agit de meurtre sans crime, de crime sans péché.

Voilà ce qu'ils ont fait. Voilà leur leçon. Ils nous ont rappelé ce que nous sommes – pas grand-chose – et nous ont fait comprendre que nous étions trop nombreux. Les cafards peuvent détaler, les agneaux s'enfuir, ce n'est pas un problème. En ce qui nous concerne, ils veilleront à ce que nous n'allions nulle part. Je suis en train de contempler un objet dans notre ciel qui sera encore là lorsque notre ciel aura disparu.

Nos escortes se détachent de la formation alors que nous nous dirigeons droit vers la piste. Les Black Hawk stationnent au-dessus de nous pour surveiller la situation après notre atterrissage. Une immense activité règne au sol, des camions et des Humvee lourdement équipés d'armes foncent à notre rencontre sur la piste, des troupes fourmillent de toutes parts. Hurlements de sirènes, projecteurs qui fouillent le ciel, mitrailleuses antiaériennes en position. On va sûrement se marrer.

Ringer tapote l'épaule de Bob.

— Bon boulot, Bob.

— Va te faire foutre !

Oh, Bob ! Tu vas me manquer. Tu vas *tellement* me manquer.

Ringer regagne la soute à mes côtés, attrape le sac empli des bombes concoctées par Sammy, et se laisse tomber dans le siège de l'autre côté de l'allée. Ses yeux sombres brillent. Elle est la balle du barillet, la poudre de la bombe.

J'ai soudain envie de faire pipi.

— *VQP*, Sullivan ! crie-t-elle.

Nous avons retiré nos casques. J'acquiesce d'un hochement de tête, et lève le pouce en signe de victoire. VQP, *carrément !*

Nous entamons notre descente. La soute est éclairée par des projecteurs. Des grains de poussière chatoient et tourbillonnent autour de sa tête : sainte Ringer, l'ange de la mort aux cheveux de jais. À l'extérieur du cercle bleu sur lequel Bob entreprend de nous poser, un alignement de soldats cernés par une barricade de véhicules blindés, eux-mêmes protégés par des snipers en faction dans les miradors, le tout sous les quatre hélicoptères d'attaque qui patrouillent au-dessus de nos têtes.

Charmant comité d'accueil.

81

RINGER S'ADOSSE À SON SIÈGE et ferme les yeux comme si elle allait piquer un petit somme. Sac dans une main, détonateur dans l'autre. Pour ma part, j'ai un fusil, une arme de poing, un couteau de combat, quelques grenades, une bouteille d'eau à demi remplie (*Pense positif, Sullivan !*), deux barres énergétiques et une vessie archipleine. Bob pose l'hélicoptère en douceur. À présent, nous percevons nettement les hurlements des sirènes. Ringer ouvre les yeux, me fixe comme si elle voulait mémoriser mon visage – je préfère choisir cette interprétation plutôt que de faire une fixette sur mon nez tordu –, et dit d'une voix si basse que je l'entends à peine :

— On se retrouve au poste de contrôle, Sullivan.

Bob le borgne se débarrasse de son harnais. Il se retourne, et crie à Ringer :

— Pourquoi crois-tu que tu es encore en vie, espèce de garce ! Il voulait que tu reviennes.

Puis il bondit hors du cockpit, et hurle pour être entendu malgré les sirènes :

— Reculez ! Reculez ! Elle va le faire sauter ! ELLE VA LE FAIRE SAUTER !

Nous quittons le Black Hawk à la suite de Bob. Ringer prend à droite et moi à gauche, vers des soldats vêtus d'uniformes identiques au mien, fusils pointés droit sur ma tête. Le premier rang de ces soldats a un genou à terre, le deuxième se tient debout juste derrière eux et, alors, Ringer presse le détonateur et l'hélicoptère explose en un bruit assourdissant. La violente secousse me propulse droit dans la rangée de soldats, la chaleur de l'explosion embrase leurs visages, me chauffe la nuque. Je me fonds dans le groupe, pendant que, d'instinct, et comme l'a prévu Ringer, chaque soldat s'allonge illico sur le tarmac, mains sur la tête pour se protéger.

Au lieu de fuir, il te faudra rester là, m'a prévenue Ringer quand nous étions encore dans la cave de l'ancienne maison sécurisée. *Une fois que l'hélico aura explosé, ils ne feront plus attention à toi, tu n'auras plus qu'à attendre que je passe à l'action.*

Me voilà donc, soldate parmi les soldats, allongée sur le ventre comme les autres, mains sur la tête, joue plaquée contre le béton glacé. Vêtue comme eux, agissant comme eux : le jeu de Vosch se retourne contre lui.

Des gens hurlent des ordres, mais personne ne les entend à cause du bruit des sirènes. J'attends jusqu'à ce que quelqu'un me tape sur l'épaule, mais je suis encore à quatre pattes quand Ringer déclenche son engin explosif, quelque part à proximité du hangar. C'est la panique totale. Le chaos. Chacun court pour se mettre à l'abri. Je me dirige vers la tour de contrôle et les petits bâtiments blancs au-delà.

Une main m'agrippe l'épaule, me force à me retourner. Je me retrouve face à un gamin en uniforme, surgi de nulle part. Pas de chance pour lui, je vais être obligée de le tuer.

— Putain, tu es qui, toi ? me hurle-t-il au visage.

Son corps se crispe soudain. Une seule balle. Pas la mienne. Je n'ai même pas encore eu le temps de sortir mon arme de son étui. C'est Ringer qui vient de l'abattre. La créature de Vosch, l'humaine inhumaine, a tiré d'une distance qui doit faire la moitié d'un terrain de football. Le gosse est mort avant de toucher le sol. Je reprends ma course.

Je ne me retourne qu'une fois arrivée au pied de la tour de contrôle. Des projecteurs balayent les lieux, l'hélico crame, les équipes s'éparpillent, les Humvee foncent dans toutes les directions. Ringer a promis le chaos. Promesse tenue.

Je prends mon fusil en main et file vers les bâtiments, vers le centre de commandement situé au milieu du complexe. Là-bas je trouverai (enfin j'espère) la clé du cadenas qui verrouille la porte menant à la salle qui me permettra de mettre mon petit frère en sécurité.

Alors que j'arrive sur les talons d'un groupe de recrues massé devant la porte du premier immeuble, Ringer déclenche une nouvelle bombe. Quelqu'un crie : « Oh mon Dieu ! » La porte cède, et nous trébuchons tous à l'intérieur.

Une partie de moi espère le trouver en premier. Pas Evan, mais le créateur de Ringer. J'ai passé pas mal de temps à imaginer ma vengeance – comment je le ferai payer pour tout le sang versé. Le sang de sept milliards d'humains. Mais l'essentiel de ces fantasmes de représailles est trop gore pour que je les détaille ici.

À présent, je suis dans le hall du bâtiment principal. D'immenses banderoles pendent du plafond : NOUS SOMMES L'HUMANITÉ. NOUS SOMMES UNIS. Une pancarte mentionne : TOUS UNIS, et une autre : COURAGE. La plus grande s'étend sur toute la longueur d'un mur : *VINCIT QUI PATITUR.*

Une lumière rouge clignote dans le couloir de l'autre côté du hall. Une voix surgit soudain du plafond, me faisant sursauter : ALERTE NUMÉRO QUATRE ! JE RÉPÈTE : ALERTE NUMÉRO QUATRE ! CECI N'EST PAS UN EXERCICE. VOUS AVEZ CINQ MINUTES POUR REJOINDRE VOTRE ZONE DE SÉCURITÉ. JE RÉPÈTE : CECI N'EST PAS UN EXERCICE. VOUS AVEZ CINQ MINUTES POUR REJOINDRE…

Je franchis la porte. Traverse le couloir. Grimpe l'escalier droit jusqu'à la porte suivante. Fermée. Avec un clavier numérique. Je me plaque dos au mur à côté du clavier et j'attends. Un, deux, trois… pendant que je compte, une autre bombe explose à l'extérieur avec un *pop* étouffé. Comme si quelqu'un toussait au loin. Puis j'entends les *pop-pop, pop-pop-pop-pop* d'armes de petit calibre. À huit, la porte s'ouvre en grand et une escouade en surgit. Les soldats passent devant moi sans me jeter un seul regard. C'est vraiment trop facile, j'ai l'impression d'utiliser mes points de chance beaucoup trop tôt dans la partie.

Je franchis le seuil et enfile un autre couloir, absolument identique au premier. Même lumière rouge, même sonnerie stridente des sirènes, même voix désincarnée : ALERTE NUMÉRO QUATRE ! JE RÉPÈTE : ALERTE NUMÉRO QUATRE ! CECI N'EST PAS UN EXERCICE. VOUS AVEZ TROIS MINUTES POUR REJOINDRE VOTRE ZONE DE SÉCURITÉ. JE RÉPÈTE : CECI N'EST PAS UN EXERCICE. VOUS AVEZ TROIS MINUTES POUR REJOINDRE…

C'est comme un rêve dont on ne peut se réveiller. À l'extrémité de ce couloir se trouve une porte identique, avec un clavier lui aussi similaire au précédent. La seule différence est la vitre juste à côté de la porte.

Je la brise d'un coup de crosse de mon M16. Le verre éclate en mille morceaux. Je franchis l'ouverture. Défiance, un nom de guerre qui m'irait bien. Me revoilà dans l'air frais canadien. Je cours sur la petite piste qui relie les bâtiments. Une voix surgit de l'obscurité : *Halte !* Aussitôt, je fais feu dans cette direction, sans même regarder. Alors que je m'engage sur la gauche, une nouvelle bombe explose. Un hélicoptère rugit au-dessus de ma tête, ses projecteurs balayent l'espace, je me réfugie sur le côté de l'immeuble et me plaque contre le mur de béton.

L'hélico s'éloigne, moi j'avance, je contourne l'immeuble, un mur d'un côté et, de l'autre, une clôture grillagée haute de trois mètres, surmontée de barbelés. Il doit y avoir une grille cadenassée à l'autre extrémité.

— *Le cadenas, je le fais sauter ?* j'ai demandé à Ringer, quand nous étions dans les cavernes.

— *Ça, ça marche que dans les films, Sullivan.*

Oui, tu as raison : heureusement que nous ne sommes pas dans un film, sinon l'un des personnages secondaires – le plus saoulant, genre la madame je-sais-tout du groupe – serait déjà mort.

ALERTE NUMÉRO QUATRE ! CECI N'EST PAS UN EXERCICE. ALERTE NUMÉRO QUATRE ! VOUS AVEZ DEUX MINUTES POUR REJOINDRE…

OK, ça va, j'ai compris. L'alerte numéro quatre est en marche. Mais bordel, qu'est-ce que c'est que cette alerte numéro quatre ? Ringer n'a jamais parlé d'alertes, pas plus de la numéro quatre que d'une autre. Ça doit signifier une fermeture totale de la base, ou un truc dans ce goût-là. Enfin, à mon avis. De toute façon, ce qu'ils font ne change rien à ce que *j'ai à faire.*

Je coince une grenade dans un trou de la clôture, juste au-dessus du verrou, je la dégoupille, puis je m'éloigne, assez loin pour ne pas me faire tuer par des éclats. Hélas, je n'ai pas reculé suffisamment, et je me retrouve criblée d'un millier de minuscules aiguilles. Si je ne m'étais pas retournée à la dernière seconde, j'aurais eu le visage réduit en lambeaux. La plus acérée atterrit droit au milieu de mon dos – j'ai l'impression d'avoir été piquée par une douzaine de guêpes. Ma main gauche me brûle aussi. Je baisse les yeux. À la lueur des étoiles, j'entrevois une large coulure de sang. Ma main est comme un gant écarlate.

La grenade ne s'est pas contentée de pulvériser le verrou ; elle a fait sauter la grille, qui se retrouve au milieu de la cour, juste à côté de la statue d'un héros de guerre, du temps où les guerres avaient des héros. Vous savez, ce bon vieux temps où l'on se massacrait les uns les autres pour des raisons valables.

Je cours vers l'immeuble de l'autre côté de la cour. Le long du mur qui me fait face se trouvent trois portes et, d'après Ringer, de l'une d'elles, de deux d'entre elles, ou de toutes les trois, je dois m'attendre à un comité d'accueil. Je ne suis pas déçue. La porte du milieu s'ouvre en grand. Je lance illico ma deuxième grenade dans cette direction. Prévisiblement, quelqu'un hurle : « Grenade ! », sauf qu'il referme la porte – *avec ma grenade à l'intérieur.*

L'explosion projette la porte sur moi, droit sur ma tête. Je plonge aussitôt sur le côté.

— *C'est là que ça devient chaud,* a dit Ringer. *Il va y avoir du sang.*

— *Quelle quantité de sang ?*

— *Combien peux-tu en supporter ?*

— *Pour qui tu te prends ? Mon maître* sensei *? Combien de soldats de la 5e Vague j'aurai à tuer ?*

D'après ce que je vois, au moins trois. Je compte plusieurs fusils semi-automatiques par terre, de l'autre côté de la porte qui n'est plus là, mais ce n'est qu'une déduction logique. Enfin, presque logique. C'est plutôt difficile à dire, vu que les corps ont été déchiquetés. Je me faufile à travers ce carnage et fonce vers le hall, laissant des empreintes ensanglantées derrière moi.

Lumière rouge. Sirènes. Voix désincarnée. ALERTE NUMÉRO QUATRE ! IL VOUS RESTE UNE MINUTE POUR REJOINDRE…

Quelque part sur la base, une nouvelle bombe explose, ce qui signifie deux choses : Ringer court toujours, et il lui reste une bombe. Je suis arrivée au centre de commandement, sous lequel se trouve le bunker où est situé Wonderland. C'est aussi, comme Ringer me l'a fait remarquer plusieurs fois, une impasse. Si nous nous faisons enfermer là-bas, il n'y aura pas de *VINCIT* à notre *PATITUR*.

Généralement Donald Duck Gravit l'Himalaya. C'est le super moyen mnémotechnique que je me suis inventé pour trouver mon chemin dans cet avant-dernier bâtiment. Je prends à gauche au premier croisement, puis à droite, puis à nouveau à droite avant de tourner à gauche. Le *H* de *Himalaya* désigne le haut, signifiant que je dois emprunter le premier escalier vers le haut après mon tournant à gauche.

Je ne vois personne, n'entends personne, sauf cette étrange voix désincarnée de l'alerte numéro quatre qui résonne dans les couloirs vides – VOUS AVEZ TRENTE SECONDES. Soudain, je commence à me sentir vraiment mal avec cette histoire d'alerte numéro quatre. Je maudis Ringer, parce qu'à l'évidence cette putain d'alerte numéro quatre est une info méga-importante qu'elle aurait dû connaître. À moins qu'elle ait délibérément choisi de ne pas en parler, pour des raisons que j'ignore.

Pendant que je monte l'escalier à toute allure, le compte à rebours final s'égrène :

DIX SECONDES… NEUF… HUIT… SEPT… SIX…

Palier. Encore un étage. Puis droit vers la passerelle qui relie cet immeuble au centre de commandement. *Tu y es presque, Cassie. Tu vas réussir.*

TROIS… DEUX… UN.

J'ouvre la porte.

L'obscurité s'abat sur moi.

82

PLUS DE LUMIÈRE. Plus de sirène. Plus de voix désincarnée. Obscurité totale, silence complet. Ma première pensée est que Ringer a dû couper le courant. Ma deuxième pensée est que ce serait curieux, vu que nous n'avons jamais envisagé de couper le courant. Ma troisième pensée ? La même que dans l'hélicoptère : Ringer est une taupe, un agent double qui travaille main dans la main avec Vosch pour accomplir son vil plan de dominer le monde. Ils ont dû trouver un compromis : *OK, on fait comme ça. Toi, tu contrôleras tous les territoires à l'ouest du Mississippi. Moi…*

Je fouille dans mes poches, cherchant ma torche. Je sais que j'en ai pris une. Je me souviens parfaitement avoir vérifié les piles avant de la ranger. Dans ma panique – bon, il ne s'agit pas de panique, mais de hâte –, je tire de ma poche une barre énergétique et j'appuie sur le bouton qui ne s'y trouve pas. *Sois maudit, Ben Parish, toi et tes putains de barres énergétiques !* Dépitée, je lance la barre dans le vide.

Je ne suis pas désorientée. Je sais parfaitement où je suis. Droit devant se dessine l'allée qui mène au centre de commandement. Une fois que je serai dans la place, il me faudra passer plusieurs postes de contrôle, franchir d'épaisses portes en acier verrouillées par des serrures électroniques, gravir quatre étages, traverser un couloir d'un kilomètre de long se terminant par une porte verte, dont je serai bien incapable de dire si elle est verte tant que *j'aurai pas retrouvé ma putain de lampe.*

J'avance, une main tâtonnant devant moi, l'autre tapotant mes poches, y plongeant, fouillant mon uniforme. Trop de poches. Trop de putains de poches. J'ai le souffle court. Mon cœur bat la chamade. Ne ferais-je pas mieux de m'arrêter pour vider toutes mes poches ? Je gagnerais peut-être du temps, non ? Je continue ma progression, une part de moi s'émerveillant que la simple perte d'une torche puisse être aussi déstabilisante.

Un peu de sang-froid, Cassie. Dans une telle situation, l'obscurité est ton amie.

À moins qu'ils aient des lunettes infrarouges. *Idiote ! Bien sûr qu'ils en ont !* J'avance à l'aveuglette dans le noir, mais Eux, ils me voient.

Et ils vont me cribler de balles comme une cible en carton au champ de tir.

J'avance toujours. En hâte. Sans paniquer.

À présent, je suis à mi-chemin de la passerelle. Je le sais parce que je trouve enfin ma torche, que j'allume. La lueur éclaire les portes en verre dépoli, droit devant, taches floues, brillantes. Je saisis mon revolver. De l'autre côté de ces portes, selon Ringer, se situe le premier point de contrôle. C'est aussi notre lieu de rendez-vous, étant donné que c'est le plus loin où je puisse arriver en tant qu'humaine ordinaire, simple mortelle *non renforcée.*

Le centre de commandement est le bâtiment le plus fortifié de la base, gardé par des troupes d'élite, et protégé par un système de surveillance de la plus haute technologie. Une fois sa dernière bombe lancée, Ringer est supposée gagner le centre par le côté opposé pour me retrouver ici, après avoir fait ce qu'elle fait le mieux : tuer des gens.

— *Est-ce que tu vas tuer Vosch avant de me rejoindre ?*

— *Si je peux le trouver avant, oui.*

— *Ne te mets pas en retard. Plus vite on aura accès à Wonderland…*

Elle m'avait lancé un regard genre : *Inutile de me le dire.* Auquel j'avais répondu avec un regard style : *Je te le dis quand même.*

Il ne me reste plus qu'à patienter. Je me plante contre le mur. J'échange mon revolver contre mon fusil. J'essaie de ne pas trop m'inquiéter. Où est Ringer ? Qu'est-ce qui lui prend si longtemps ? J'ai envie de faire pipi.

— *Donc, quand je t'entends déclencher la septième bombe…*

— *La sixième. Je garde la dernière en réserve.*

— *Pour quoi ?*

— *Pour la lui fourrer dans la bouche avant de l'allumer.*

Elle a dit cela sans aucune émotion. Certes, Ringer ne fait jamais preuve d'émotion, mais ça, c'est quand même un de ces moments où l'on attend un peu de passion.

— *Tu dois vraiment le haïr.*

— *La haine n'est pas la réponse.*

— *Je n'ai pas posé de question.*

— *Ce n'est ni la haine ni la rage, Sullivan.*

— *OK. Quelle est la réponse ?*

Terrible sensation d'avoir été manipulée pour m'obliger à poser la question.

Elle s'était détournée.

J'attends à côté des portes vitrées. Les minutes s'étirent. Bon sang, combien de temps faut-il à une arme de destruction massive surhumaine pour venir à bout de quelques gardes et contrecarrer un système de sécurité de haute technologie ? Après ma course précipitée pour atteindre cet endroit, je n'ai plus rien à faire. Je m'ennuierais carrément grave si je n'étais pas aussi effrayée. *Bordel, mais où est Ringer ?*

Clic. J'éteins ma lampe pour économiser les piles. Le problème, c'est que je me retrouve dans l'obscurité. *Clic.* J'allume. *Clic.* J'éteins. *Clic, clic, clic, clic.*

Pschhhhhhhhhhhhhhh. J'entends le bruit avant de sentir l'eau.

Il pleut.

83

Clic. Je braque ma lampe vers le plafond. Les sprinklers fonctionnent à plein régime. De l'eau fraîche me ruisselle sur le visage.

Super. Une des bombes de Ringer doit avoir détraqué le système.

Je suis trempée en quelques minutes. Ce n'est pas juste, je sais, mais je ne peux pas m'empêcher de la maudire. Je suis mouillée, j'ai froid, je suis shootée à l'adrénaline et maintenant, j'ai vraiment envie de faire pipi.

Et toujours pas de Ringer.

— *Combien de temps je t'attends ?*

— *J'ignore combien de temps ça prendra.*

— *D'accord, mais à un moment ou un autre, il sera peut-être évident que tu ne viens pas ?*

— *Eh bien, à ce moment-là, tu arrêteras d'attendre, Sullivan.*

OK, bon. Je regrette vraiment de ne pas lui avoir pété le nez quand j'en ai eu l'occasion. Attendez. En fait, je lui ai pété le nez quand j'en ai eu l'occasion. Parfait. Une chose en moins sur ma liste.

Je ne peux pas rester ici jusqu'à la fin des temps, recroquevillée comme ça, trempée et pitoyable. Si c'est mon destin d'être pitoyable, je l'affronterai debout. Je vais tester ces portes. Les pousser juste un petit peu pour voir si elles s'ouvrent. Il n'y a sûrement personne de l'autre côté, sinon ils auraient remarqué ma lumière ou mon ombre et ils se seraient déjà rués sur moi.

La pluie artificielle coule sur mon front, perle à mes cheveux, effleure mes joues, me caresse la mâchoire comme les doigts d'un amant. L'eau gargouille sous mes bottes. Ma main blessée commence à me piquer, me piquer fort, comme si un millier d'aiguilles s'acharnaient sur ma peau, et soudain, je prends conscience de la sensation de brûlure sur mon crâne. Cette horrible sensation s'étend. Mon cou, mon dos, ma poitrine, mon ventre, mon visage. Mon corps entier est en feu. Je m'écarte des portes pour me réfugier contre le mur. Quelque chose cloche. *Quelque chose cloche vraiment.*

J'allume ma torche et dirige le faisceau de lumière sur ma main. De grosses zébrures strient ma peau. Du sang frais suinte des blessures causées par les éclats de la grenade. Le rouge écarlate se transforme très vite en un pourpre profond, comme si mon sang réagissait à un produit dans l'eau.

Un produit dans l'eau.

La chaleur devient bientôt insupportable. J'ai l'atroce impression d'être aspergée d'eau brûlante, sauf que celle qui tombe sur moi est froide. J'éclaire mon autre main. Elle est recouverte de gros points d'un rouge luisant. J'ouvre ma veste en hâte – sans paniquer –, soulève ma chemise, et découvre une multitude d'autres points rouges brillant sur ma peau pâle.

J'ai trois options : rester bêtement sous les jets de poison, bondir tout aussi bêtement à travers les portes vitrées pour atterrir au milieu de Dieu seul sait quoi, ou quitter sagement cet immeuble avant que ma peau se liquéfie et se mette entièrement à peler.

Je choisis l'option numéro trois.

Ma petite lampe éclaire la brume, dessinant des arcs-en-ciel dans ma course. Je me rue dans la cage d'escalier, rebondis contre un mur, glisse sur le béton, dégringole jusqu'au palier. Dans ma chute, je perds ma torche, qui s'éteint. *Sors de là, sors de là, sors de là.* Une fois dehors, je retirerai tous mes vêtements et me roulerai nue dans la boue comme un cochon. Des larmes coulent sur mes joues, mes yeux me brûlent, tout comme ma bouche et ma gorge. Chaque centimètre de mon corps est couvert de furoncles pestilentiels.

Qu'est-ce que c'est, Cassie ? Quel genre de furoncles ?

Soudain, je comprends.

Couper le courant. Ouvrir les vannes. Déclencher la pandémie.

L'alerte numéro quatre est la réplique de leur invasion au format microscopique, la version acoustique des trois premières vagues, même air, notes différentes.

Dehors, dehors, dehors ! Me voilà au rez-de-chaussée, le rez-de-chaussée *dépourvu de fenêtres* si j'en crois ma mémoire, étant donné que je n'ai plus de torche et aucune lumière rouge signalant la sortie pour me guider. Il n'est plus question de hâte, là. Mais de panique totale.

Parce que je suis déjà passée par cette étape. Je sais ce qui arrive après la 3e Vague.

84

LE SILENCIEUX

DIX MILLÉNAIRES À LA DÉRIVE.

Dix mille ans dépourvus d'espace et de temps, de sens, à n'être qu'une pure conscience, une substance sans forme, mouvement sans geste, force paralysée.

Puis le voile de l'obscurité se déchira, et la lumière fut.

L'air emplit ses poumons. Le sang afflue dans ses veines. Prisonnier pendant dix millénaires dans son esprit illimité. Désormais, il est libre.

L'alien grimpe l'escalier vers la surface.

Lumière rouge clignotante. Hurlements de sirène. Une voix humaine assaille ses oreilles :

ALERTE NUMÉRO QUATRE ! IL VOUS RESTE UNE MINUTE POUR REJOINDRE VOTRE ZONE DE SÉCURITÉ.

Il s'élève des profondeurs.

Au-dessus de lui, une porte s'ouvre en grand et une troupe de cette vermine mammalienne fonce vers lui. Des adolescents armés. Dans l'espace confiné de la cage d'escalier, leur puanteur humaine est oppressante.

— Alors, espèce de taré, tu es sourd ou quoi ? crie l'un d'eux.

La voix est grinçante, désagréable. Leur langage insupportable.

— C'est l'alerte numéro quatre, espèce de merde ! Ramène ton cul dans le bunk...

Il frappe l'adolescent à la nuque, puis tue ses congénères avec la même efficacité, la même vitesse. Leurs corps s'écroulent à ses pieds. Nuques brisées, cœurs éclatés, os explosés. Une seconde avant de mourir peut-être l'ont-ils regardé au fond des yeux, ses yeux vides, pareils à ceux d'un requin, le prédateur sans âme s'élevant des profondeurs.

TROIS... DEUX... UN.

L'obscurité envahit la cage d'escalier. Un humain ordinaire n'y verrait rien. L'être a l'enveloppe d'un humain, mais il n'a rien d'humain.

Il a été renforcé.

Dans le couloir du premier étage du centre de commandement, le système de jets se met en marche. Le Silencieux lève le visage et boit l'eau tiède. Il n'a pas avalé la moindre goutte d'eau depuis dix millénaires, et la sensation est à la fois étonnante et enivrante.

Le couloir est désert. La vermine s'est retirée dans des salles sécurisées, où elle restera jusqu'à ce que les deux intruses aient été réduites au silence.

Réduites au silence par la chose inhumaine dans son corps humain.

Sous l'averse des jets, sa combinaison se moule rapidement à sa silhouette athlétique. Son corps est léger de n'avoir ni histoire ni passé. L'alien n'a aucun souvenir de son enfance ni de la ferme dans laquelle il a été élevé, pas plus que de la famille humaine qui l'a aimé et nourri, ces gens qui sont morts l'un après l'autre alors qu'il se tenait à côté, sans leur prêter la moindre assistance. Bien au contraire.

Il ne se souvient pas non plus de cette fille qui se cachait sous une tente dans les bois, un fusil dans une main et un ours en peluche dans l'autre. Jamais il n'a porté son corps brisé à travers un océan de neige, pas plus qu'il ne l'a ramenée à la vie. Jamais il ne les a sauvés, elle et son petit frère, jamais il n'a juré de la protéger à n'importe quel prix.

Il n'y a plus rien d'humain en lui. Plus rien du tout.

L'alien ne se rappelle pas le passé, donc le passé n'existe pas. Son humanité n'existe pas.

Cette créature n'a même pas de nom.

Son système l'informe que des produits chimiques ont été versés dans l'eau. Il ne ressentira aucun des effets du poison. Il a été créé pour supporter la douleur, être immunisé contre la souffrance, la sienne et celle de ses victimes. Les Anciens avaient une devise pour cela : *Vincit qui patitur*, qui s'appliquait aussi bien au vaincu qu'au vainqueur. Pour conquérir, vous devez endurer votre propre souffrance ainsi que celle des autres. L'indifférence est la réussite ultime de l'évolution, le barreau le plus haut sur l'échelle de la nature. C'est ce qu'ont compris les créateurs du programme dirigeant le corps humain qui s'appelait autrefois Evan Walker. Ils ont étudié ce problème pendant des milliers d'années.

La faille fondamentale de l'humanité était justement son humanité. Cette tendance humaine autodestructrice et inutile, déconcertante, à éprouver de l'empathie, à se sacrifier, à avoir confiance, à imaginer quoi que ce soit en dehors des frontières de son propre organisme, a conduit l'espèce au bord de la destruction. Et pire, cela a même menacé la survie de toute espèce sur la Terre.

Les créateurs du Silencieux n'ont pas eu à chercher bien loin une solution. La réponse se trouvait chez l'espèce qui avait conquis l'intégralité de son domaine, le gouvernant avec une autorité sans faille depuis des millions d'années. Si les requins dominent les océans, c'est parce qu'ils sont indifférents à tout. Ce qui compte pour eux ? Se nourrir, procréer et défendre leur territoire. Le requin ne connaît pas l'amour. Il n'éprouve aucune empathie. Il ne fait confiance à rien. Il vit en parfaite harmonie avec son environnement car il n'a aucune aspiration, aucun désir. Et aucune pitié. Le requin ne ressent ni chagrin ni remords. Il n'espère rien, ne rêve de rien, n'a aucune illusion sur lui-même ou sur quoi que ce soit.

Il était une fois un humain nommé Evan Walker. Cet humain avait un rêve – dont il est incapable de se souvenir – et dans ce rêve il y avait une tente dans les bois, et sous cette tente, une fille qui prétendait être l'humanité. La vie de cette fille valait bien plus que sa vie à lui.

Ce n'est plus le cas, à présent.

Quand il la trouvera, et *il la trouvera,* il la tuera. Sans remords, sans pitié. Il tuera cette fille qu'aimait Evan Walker sans éprouver plus d'émotion qu'un homme écrasant un cafard.

Le Silencieux s'est éveillé.

85

ZOMBIE

La première personne que je vois, c'est Dumbo.

C'est comme cela que je sais que je suis mort.

J'irai où tu iras, sergent.

Eh bien, Dumbo, je crois que cette fois, c'est moi qui t'ai rejoint.

Complètement dans le brouillard, je l'observe tandis qu'il sort une poche de glace chimique de sa trousse médicale, et l'active. Cet air sérieux sur son visage – comme si le bien-être du monde reposait sur ses épaules – me manquait.

— Une poche de glace ? Dans quel genre de paradis je me trouve ? je lui demande.

Il me lance son fameux regard style : *Chut, je bosse.* Puis il me plaque la poche de glace dans la main et m'enjoint de la tenir contre ma nuque. Dans le brouillard, ses oreilles semblent plus petites. Peut-être que c'est un cadeau du paradis : des oreilles plus petites.

— J'aurais pas dû t'abandonner, Dumbo. Je suis désolé.

Il s'évanouit dans le brouillard. Qui vais-je voir ensuite ? Teacup ? Poundcake ? Peut-être Flintstone ou Tank. Pourvu que je ne revoie pas mon vieux compagnon de tente, Chris. Mes parents ? Ma sœur ? Penser à elle me crispe l'estomac. Mon Dieu, on sent encore son estomac quand on est au paradis ? Qu'est-ce qu'ils ont comme bouffe, ici ?

Le visage qui apparaît ensuite m'est inconnu. C'est une fille black d'à peu près mon âge, aux pommettes parfaitement ciselées, avec des yeux magnifiques, mais totalement dépourvus de chaleur. Ils brillent comme du marbre poli. Elle porte un uniforme avec des galons de sergent sur les manches.

Bordel. Ma vie après la mort est aussi déprimante que celle d'avant.

— Où est-elle ? me demande la fille.

Elle s'agenouille devant moi et pose ses avant-bras sur ses cuisses. Elle a un corps mince, élancé, comme celui d'un coureur. De longs doigts fins, gracieux, aux ongles parfaitement soignés.

— Je vais te faire une promesse, lâche-t-elle. Je ne te raconterai pas de conneries si toi tu ne m'en racontes pas. Où est-elle ?

Je secoue la tête.

— J'ignore de qui tu parles.

La compresse de glace fait un bien fou à mon mal de crâne. Qui sait, peut-être que je ne suis pas mort, finalement ?

La fille fouille dans la poche poitrine de sa veste, en retire un morceau de papier froissé et le pose sur mes genoux. C'est une sorte de capture d'écran d'une caméra. Je vois Ringer allongée dans un lit d'hôpital avec des tubes qui lui sortent de partout. Ce cliché a dû être pris quand Vosch lui inoculait le douzième système.

Je lève les yeux vers le sergent et lui réponds :

— Je n'ai jamais vu cette personne de ma vie.

Elle pousse un soupir, ramasse la photo et la remet dans sa poche. Son regard s'égare à travers les champs qui luisent sous les étoiles. Le brouillard s'éclaircit un petit peu. Une rampe en bois, brisée, le mur grisâtre d'une ferme, et la silhouette d'un silo par-dessus son épaule. Je suppose que nous sommes sous le porche avant.

— Où est-elle ? insiste la fille. Et qu'a-t-elle l'intention de faire une fois là-bas ?

— À en juger par cette photo, elle n'est pas près d'aller où que ce soit dans l'immédiat.

Les enfants. Qu'avez-vous fait de Megan et Nugget ? Je serre les lèvres pour retenir cette question. Ils ont Megan, ça c'est certain – elle était avec moi quand le mont Rushmore m'est tombé sur la tête. Mais peut-être pas Nugget. Peut-être qu'il est toujours caché dans la fosse aux cadavres.

— Tu t'appelles Benjamin Thomas Parish, affirme-t-elle. Connu sous le nom de Zombie, ancienne recrue et actuel sergent de l'escouade 53, qui a crisé façon Dorothée l'automne dernier, et se trouve en fuite depuis l'opération que tu as menée sur Camp Haven. Ton ancienne escouade est décimée ou déclarée perdue en mission, sauf le soldat dont je t'ai montré la photo. Marika Kimura – connue sous le nom de Ringer –, qui a détourné l'un de nos hélicoptères et se dirige à présent vers le nord. Nous pensons connaître sa destination, mais nous aimerions savoir pourquoi elle se rend là-bas. Quelles sont ses intentions ?

Elle se tait. J'imagine qu'elle attend une réponse de ma part. Ainsi, le véritable nom de Ringer est Marika Kimura. Pourquoi dois-je l'apprendre de la bouche d'une inconnue ?

Le silence se prolonge. Le sergent se comporte comme si elle pouvait attendre une éternité, même si nous savons très bien tous les deux que nous n'avons pas autant de temps.

— Je ne suis pas devenu Dorothée, je lâche enfin. L'un de nous l'est, mais pas moi.

De ses longs doigts, le sergent m'attrape le menton, et serre. Fort.

— Je n'ai pas la patience de jouer, et nous n'avons pas non plus le temps. Quel est le plan, sergent Zombie ? À quoi joue Ringer ?

Putain, elle est musclée. J'ai carrément du mal à ouvrir la bouche pour parler.

— Aux échecs.

Elle me serre un peu plus le menton, puis le relâche avec dédain. D'un doigt, elle fait un signe en direction de l'entrée. Deux silhouettes en émergent, l'une grande, l'autre petite – Nugget.

Le sergent se relève, positionne Nugget devant elle et lui agrippe les épaules.

— Parle, ou il est mort.

Les yeux de Nugget fixent les miens.

— Dis quelque chose !

Elle saisit son revolver et en presse le canon contre la tempe de Nugget. Mon soldat ne flanche même pas. Il ne gémit pas, ne crie pas. Il se tient bien droit, garde ses yeux rivés aux miens, ses yeux qui me disent : *Non, Zombie. Non. Ne dis rien !*

— Vas-y, appuie, tu verras ce que je te réserve, je dis à la fille.

— Continue comme ça, et je les bute tous les deux, me promet le sergent. D'abord lui, ensuite la petite.

Elle déplace son arme sur l'arrière de la tête de Nugget. Tout d'abord, je ne comprends pas l'intérêt de la manœuvre, puis je regrette d'avoir compris : quand elle pressera la détente, le cerveau de Nugget me giclera au visage.

— OK, fais-le, je réponds, d'une voix aussi détachée que possible. Ensuite, tu pourras me tuer. Comme ça, nous serons tous morts, et tu n'auras plus qu'à expliquer ce petit inconvénient à ton commandant.

Puis je fais quelque chose qui la perturbe complètement, ce qui est bien le but – ce truc génial qui a toujours marché depuis que j'ai douze ans : je souris. Et je lui offre la totale, le méga-Ben-Parish-spécial-grandes-occasions.

— C'était quoi ton loisir préféré avant que toute cette merde nous tombe dessus ? je lui demande. Le sprint ? Ou la course longue distance ? Moi, c'était le football. J'étais receveur. Je ne suis pas très rapide, mais j'ai de bonnes mains. Enfin, j'avais.

Je la regarde droit dans les yeux. Ses yeux qui brillent d'une lueur argentée.

— Que nous est-il arrivé, sergent Sprinter ? Que nous ont-ils fait ? Est-ce que tu aurais imaginé faire sauter le cerveau d'un gamin il y a un an ? Je ne te connais pas, mais franchement je ne crois pas. On menait notre petite vie tranquille, et voilà que l'on glisse des bombes dans les gorges des enfants, qu'on les menace de nos armes comme si c'était la chose la plus naturelle au monde, aussi normal que de se brosser les dents. On se demande ce qui va arriver ensuite. Une fois qu'on en est là, comment peut-on faire marche arrière ?

À son tour, elle me décoche un large sourire.

— Pas la peine d'essayer de m'embobiner.

— Marika retourne sur les lieux où cette photo a été prise, je lâche, sans plus sourire du tout cette fois.

Nugget écarquille les yeux : *Zombie ! Non ! Tais-toi !*

— Une fois qu'elle sera arrivée là-bas, je poursuis, elle trouvera ce salopard qui nous a tous niqués – elle, toi, moi, le monde entier –, et quand elle l'aura trouvé, elle le tuera. Puis, à mon avis, elle descendra toutes les recrues de la base. Et quand tu retourneras là-bas – si tu y parviens avant que ce putain de ravitailleur nous lâche ses bombes sur la gueule –, elle te tuera aussi.

Je lui fais de nouveau mon super sourire. Brillant. Éblouissant. Irrésistible. Enfin, c'est ce que me disait tout le monde avant.

— Maintenant, pose ton arme, Sprinter, et fichons le camp d'ici.

86

ON M'OBLIGE À ME LEVER et on me pousse à l'intérieur avec Nugget, Megan, et deux mecs costauds qui retirent leur veste juste pour exhiber leurs muscles. Ils ont des tatouages similaires sur leurs biceps : *VQP*. Nous attendons dans le petit salon, Megan sur le canapé, serrant

Nounours contre elle, Nugget collé à moi, même s'il est plutôt furax envers moi, pour l'instant.

— Tu lui as dit ! m'accuse-t-il.

— La balle est déjà sortie du barillet, Nugget, ils peuvent plus y faire grand-chose.

Il écarquille les yeux, la métaphore lui passe manifestement au-dessus de la tête, alors je lui glisse à l'oreille :

— Peut-être, mais je ne lui ai pas parlé de Cassie.

Entendre le prénom de sa sœur le perturbe. Sa lèvre inférieure tremble, ses yeux s'emplissent de larmes.

— Hé ! Qu'est-ce qui t'arrive ? Relax, soldat ! Tu as fait preuve d'un courage extraordinaire aujourd'hui, bien au-delà de ce que j'attendais de toi. Tu sais ce qu'est une promotion ?

Il secoue la tête avec solennité.

— Non.

— Eh bien, tu viens d'en obtenir une, caporal Nugget.

J'effectue un salut militaire. Nugget bombe la poitrine, relève le menton, les yeux brillant de fierté. Il me retourne mon salut.

Sous le porche, le sergent Sprinter entretient un débat passionné avec son second. La porte est restée ouverte, j'entends facilement ce qu'ils disent. *Notre mission est terminée*, affirme le second, *il est temps de se débarrasser de ces connards et de rentrer à la base. Capturez-les, voilà ce que l'on m'a demandé*, rétorque le sergent. *Je n'ai pas reçu l'ordre de me débarrasser de quiconque.*

Néanmoins, elle hésite ; cela s'entend dans sa voix. Son second revient à la charge en soulevant le petit problème que constitue le ravitailleur qui va bientôt se mettre à chier des bombes à la volée : quoi qu'elle décide à notre sujet, ils doivent regagner la base avant l'aube sinon ils seront aux premières loges pour un spectacle style Armageddon.

Le sergent entre dans la maison au pas de charge, et se plante juste devant moi, suffisamment près pour que j'inhale une bouffée de son parfum. Cela fait si longtemps que je n'en ai pas senti que mon mal de tête disparaît en un éclair.

— Comment compte-t-elle s'y prendre ? crie-t-elle. Comment une seule personne…

— Une seule suffit.

Ma réponse, calme et détachée, face à sa colère.

— Une seule personne *déterminée*, et le monde change. Cela n'a rien d'inédit, sergent.

Elle me fixe de ses yeux sombres, intransigeants, qui me lancent des éclairs.

Sans me lâcher du regard, elle appelle son second :

— Caporal, nous partons. Accompagnez les prisonniers à l'hélicoptère. Ils vont aller faire un tour dans le terrier du lapin.

Puis elle s'adresse à moi :

— Tu te souviens de Wonderland ?

J'acquiesce d'un hochement de tête.

— Oh que oui !

87

Le Black Hawk s'élève, la Terre s'éloigne – depuis les airs, les grottes sont invisibles. La ferme et les champs brillent d'une lueur argentée, le souffle du vent est comme le hurlement du monde. La dernière fois que j'ai voyagé en hélicoptère, je me dirigeais vers un camp complètement différent, lors d'une mission pour sauver le gamin assis à l'heure actuelle à côté de moi – ce gosse dont le visage avait encore à l'époque les rondeurs de l'enfance, visage à présent émacié, sombre et maussade.

Un beau jour, il demandera à ses petits-enfants : *Je vous ai déjà raconté comment j'ai été promu caporal, à l'âge de six ans ?*

Ses petits-enfants. Selon Ringer, ils seront plongés dans la même guerre que lui. Ainsi que leurs petits-enfants, et les petits-enfants de leurs petits-enfants. Cette guerre qui ne peut finir tant que le vaisseau de l'ennemi flottera tranquillement au-dessus de nos têtes.

Assise face à moi dans la soute, le sergent Sprinter m'observe. Que je ne sois pas infesté n'a aucune importance à ses yeux, c'est bien le plus effrayant dans leur plan. *Celui qui n'est pas avec nous est contre nous.* C'est le genre de raisonnement qui a déjà failli mettre fin à l'Histoire plus d'une fois. Cette fois, ça aura été la bonne.

Je détourne les yeux et contemple le monde à l'extérieur. Impossible de voir le sol. Je ne perçois que la fine ligne de l'horizon, les milliers d'étoiles, et le gros vaisseau vert qui flotte juste au-dessus de la frontière entre le paradis et la Terre.

Quelqu'un me touche la cuisse. Des mains sales, égratignées, des ongles rongés, des bras maigres, un visage fatigué, des cheveux emmêlés malgré les tentatives de Sullivan pour les coiffer. J'effleure ces cheveux et lui en repousse une mèche derrière l'oreille. Megan me regarde avec timidité, sans me rabrouer. La dernière fois qu'elle est montée dans un hélicoptère, les personnes en qui elle avait confiance ont inséré une bombe dans sa gorge. Les mêmes personnes auprès de qui elle va se retrouver. Comment accepter un tel sort ? Je brûle d'envie de la rassurer, de le lui dire : *Ça n'arrivera pas cette fois, Megan. Cette fois, tu es en sécurité,* mais je m'abstiens.

Le sergent communique avec la base. Soudain, elle se met à crier dans son micro. Je capte à peine 10 % de ses paroles. *Alerte numéro quatre ? Vous êtes sûrs ?* et *On a assez de jus pour ça ?* Plus un chapelet de gros mots que je ne compte pas dans les 10 %. En entendant *Alerte numéro quatre,* les autres recrues se figent soudain de peur. Je sais pas ce que ça veut dire, mais ça a l'air de sentir mauvais.

Sacrément mauvais.

88

RINGER

DEPUIS LE TOIT DU CENTRE DE COMMANDEMENT, j'entends la vitre exploser à deux cents mètres. Un corps trébuche, tombe, se contorsionne de douleur sur le sol, son uniforme criblé d'éclats de verre. Je ne peux voir son visage, mais même à cette distance, je reconnais ses boucles emmêlées.

Je traverse le toit en courant, bondis sur celui de l'immeuble voisin – à dix mètres de là –, puis saute à terre. Sullivan voit soudain mes bottes atterrir à un mètre de sa tête et hurle. Elle tente de s'emparer de son revolver. D'un coup de pied, je l'écarte de sa main, et je la remets sur pied. Son uniforme est trempé. Ses yeux sont gonflés, rouges, son visage parsemé de pustules écarlates. Elle tremble sans pouvoir s'en empêcher. Elle est en état de choc. Je dois faire vite.

Je la hisse sur mon épaule et fonce vers un petit entrepôt à l'arrière de l'immeuble. L'entrée est verrouillée d'un cadenas. Je le fais sauter d'un coup de pied et porte Sullivan à l'intérieur. Le hub traite les données transmises par les drones olfactifs : il y avait quelque chose dans l'eau, un produit toxique.

Je lui retire sa veste. Sa chemise et son T-shirt. À demi consciente, elle ne résiste pas. Bottes, chaussettes, pantalon, sous-vêtements. Sa peau est enflammée et moite. Je pose une main sur sa poitrine : sous ma paume, son cœur tambourine. Elle a le regard perdu. Je fixe ses yeux suintants et pénètre en elle. Les toxines ne la tueront pas – en tout cas je l'espère –, mais sa terreur pourrait bien l'achever.

Je réprime sa panique pour ralentir son cœur. La part reptilienne de son cerveau repousse mes tentatives : ce gène humain est plus ancien et bien plus puissant que toute la technologie qui m'a été inoculée. Notre lutte continue durant plusieurs minutes.

Nos cœurs, la guerre.

Son corps, le champ de bataille.

89

JE POSE MA VESTE SUR SES ÉPAULES NUES. Elle la resserre sur sa poitrine. C'est plutôt bon signe, cela signifie qu'elle est encore consciente.

— Putain, tu étais où ?

Sa colère aussi est un bon signe.

— Je profitais du spectacle…, je lui réponds. Ils ont coupé le courant…

Elle lâche un rire rauque, détourne la tête et crache. Des glaires gorgées de sang. Je pense aussitôt à la Peste Rouge.

— Vraiment ? J'avais pas remarqué, ricane-t-elle.

— C'est assez malin, je rétorque. Ils nous forcent à nous réfugier à l'extérieur, où nos options sont limitées, puis envoient leurs troupes pour finir…

Elle secoue la tête.

— On n'a pas le choix, Ringer. Wonderland. On doit se rendre à Wonderland...

Elle tente de se lever. Ses jambes chancellent, elle tombe.

— Bordel, où sont mes vêtements ?

— Prends les miens, je porterai les tiens.

Après avoir revêtu son uniforme, je sens les toxines se répandre sur mes jambes ainsi que les milliers de bots microscopiques qui se mettent en marche pour neutraliser leurs effets. Je tends à Sullivan ma chemise sèche et enfile la sienne, mouillée.

— Le poison ne te fait rien ? demande-t-elle.

— Non, je ne sens rien.

Elle lève les yeux au ciel.

— Ça, je le savais déjà.

— Je prends le relais à partir de maintenant. Toi, tu restes ici.

— Dans tes rêves.

— Sullivan, le risque est...

— J'en ai rien à foutre de ton risque.

— Je ne parle pas du risque de la mission, mais du risque que tu...

— Aucune importance.

Elle se lève et, cette fois, tient debout.

— Où est mon fusil ?

Je secoue la tête.

— Je ne l'ai pas vu.

— Bon, OK. Où est mon revolver ?

J'inspire profondément. Ça ne va pas marcher. Désormais, elle est davantage un boulet qu'un atout, même si, de toute façon, elle n'a jamais été un réel atout. Elle va me ralentir. Je risque carrément de me faire tuer à cause d'elle. Je devrais la laisser ici. L'assommer, s'il le faut. Peu importe notre accord. À l'heure qu'il est, Walker est sûrement mort. Il n'y a aucune raison pour que Vosch l'ait maintenu en vie après l'avoir téléchargé dans Wonderland. Ce qui signifie que Sullivan risque sa peau, risque *tout*, pour rien.

Moi aussi, d'ailleurs. Pour des raisons que je suis incapable d'expliquer. Les mêmes raisons que j'ai lues dans ses yeux et que je ne peux nommer. Quelque chose qui n'a rien à voir avec Vosch ou avec une quelconque revanche pour ce qu'il m'a fait subir. C'est bien plus important que cela. Plus solide. Mais je ne peux pas mieux le décrire.

Quelque chose d'inviolable.

Mais je n'explique rien de tout cela à Sullivan. J'ouvre la bouche et la referme aussitôt. La seule chose que je lui dis, c'est :

— Tu n'as pas besoin de flingue, Sullivan. Ton arme, c'est moi.

90

JE VAIS DEVOIR LA LAISSER SEULE un petit bout de temps. Avant de partir, je lui fais promettre de rester sur place. Faire des promesses ne l'intéresse pas, elle préfère les entendre. Donc, je lui promets de revenir la chercher.

À mon retour, elle semble aller mieux. Son visage est encore un peu rouge, mais son urticaire ou ses furoncles, ou quoi que ce soit, ont presque disparu. Un peu à contrecœur, elle passe son bras autour de mon cou, s'appuie sur moi pendant que nous gagnons le centre de commandement.

La base entière est étrangement calme. Nos pas résonnent comme le tonnerre. *Vous nous observez,* dis-je en silence à Vosch. *Je sais que vous nous observez.* Sullivan s'écarte de moi quand nous atteignons la porte.

— Comment tu vas t'y prendre ? demande-t-elle. On va se faire cramer vivantes par toutes ces toxines.

— Négatif. Je viens juste de fermer l'arrivée d'eau.

Je perce la porte d'acier d'un coup de poing et abaisse la barre de l'autre côté. Aucune alarme ne sonne. Aucune lumière ne nous aveugle. Personne ne nous tire dessus. Le silence est assourdissant.

— Ce sont les vagues, Ringer, souffle Sullivan. Le courant électrique. Les inondations. La peste. Tu sais ce qui vient après.

J'acquiesce.

— Oui, je sais.

Je découvre les cadavres dans la cage d'escalier qui mène au complexe souterrain. Sept recrues, pas de sang, aucune égratignure sur les corps. Visiblement, celui qui a commis ce massacre a été renforcé. Deux des gamins ont la tête complètement tournée vers l'arrière, donc ils regardent vers nous, bien que leur corps soit plaqué face contre terre. Je tends l'un de leurs pistolets à Sullivan. Nous dépassons ce tas de cadavres et continuons à descendre. Elle tient l'arme dans une main ; l'autre m'agrippe par la manche. Sans lumière, elle n'a pas pu voir les dépouilles, mais elle n'a pas demandé pourquoi je m'étais arrêtée. Soit elle ne veut pas savoir, soit elle considère que cela n'a pas d'importance.

Une seule chose compte, a-t-elle dit. Elle a raison. Néanmoins, je ne suis pas sûre que nous pensions toutes les deux à la même.

Une fois en bas : silence et obscurité complets. Un long couloir s'étend devant nous. Très long. Même mes yeux renforcés ne peuvent en voir le bout. Mais je sais où je suis. Je me suis déjà trouvée ici, quand il y avait de la lumière. C'est là que Razor m'a sauvée, m'a donné de l'espoir, avant de me trahir.

Je m'arrête. Sullivan m'agrippe un peu plus fort.

— Bordel, je ne vois rien du tout, chuchote-t-elle. Où se trouve la porte verte ?

— Tu es juste devant.

Je pousse Sullivan sur le côté, recule d'une douzaine de mètres pour prendre mon élan. D'après ce que je sais, même une humaine renforcée ne peut traverser cette porte fermée par un mécanisme complexe. Pourtant, je n'ai pas le choix. Je suis à mi-chemin de ma course. J'ai atteint ma vitesse de pointe quand Sullivan se place devant moi et essaie la poignée.

La porte s'ouvre. Dans mon élan, je fais un dérapage contrôlé sur plusieurs mètres avant de m'arrêter. Heureusement, Sullivan ne peut pas voir mon expression interloquée. Ça la ferait marrer.

— S'il n'y a pas de courant, ils ne peuvent pas fermer la porte électroniquement, fait-elle remarquer. Wonderland a besoin de courant, n'est-ce pas ?

Bien vu. Quelle idiote je suis de ne pas avoir anticipé l'évidence !

— Je comprends, dit-elle, comme si elle lisait dans mon esprit. Tu n'as pas l'habitude de te sentir stupide. Crois-moi, tu t'y feras.

Elle sourit.

— Peut-être que Wonderland a ses propres générateurs – juste au cas où.

Nous avançons dans la pièce. Sullivan referme la porte derrière nous.

J'appuie sur quelques boutons de la console, sans résultat.

— Qu'est-ce qu'on fait, maintenant ? demande-t-elle.

J'en sais rien, Sullivan. C'est toi qui as demandé à venir ici.

— Il n'y a pas de groupe électrogène de secours, t'es sûre ? insiste-t-elle. On pourrait penser qu'ils ont prévu ça, au cas où l'électricité serait *accidentellement* coupée.

Puis elle ajoute – plus pour remplir le silence qu'autre chose :

— Je reste ici. Toi tu cherches la centrale électrique, ou n'importe quoi qui rétablisse la lumière.

— Sullivan. Je réfléchis.

— Tu réfléchis.

— Oui.

— C'est ce que tu fais. Réfléchir.

— C'est ce que je fais de mieux.

— Et dire que durant tout ce temps je croyais que tuer était ce que tu faisais de mieux.

— Eh bien, si je pouvais choisir deux disciplines…

— Ne plaisante pas !

— Je ne le fais jamais.

— Tu vois, ça, c'est pourtant fondamental. C'est une faille critique.

— Comme de trop parler.

— Tu as raison. Je devrais tuer plus et parler moins.

Je fais courir mes doigts sur la table de contrôle. Rien. Je m'accroupis, et rampe sous la console. Des câbles emmêlés, des prises électriques, des rallonges. Je me redresse. Sur le mur, des écrans plats – sans aucun câble, sûrement connectés au système par wifi. Rien d'autre à part ce clavier, mais bordel, il doit bien y avoir quelque chose. Où sont stockées les données ? Où est le processeur ? Bien sûr, il s'agit de technologie extraterrestre. Si ça se trouve, Vosch a le processeur dans sa poche. À moins qu'il soit sur une puce de la taille d'un grain de sable incrustée dans son cerveau.

La chose la plus déroutante est le risque. Wonderland est une pièce majeure du mécanisme, un composant primordial de la 5e Vague, un moyen radical d'éliminer les brebis galeuses, y compris Evan Walker, la brebis la plus galeuse du troupeau.

La pièce ne comporte aucune trace d'humidité. Aucun sprinkler ne s'est déclenché ici. Alors, où est le courant ? Même s'il est coupé dans toutes les autres parties du complexe, il devrait être en marche dans cette salle. Le risque est trop important.

— Ringer… ?

Au son de sa voix, je comprends que Sullivan est stressée par son incapacité à me voir. Dans l'obscurité, je remarque sa main tendue dans ma direction.

— … À quoi penses-tu ?

— Ils ne peuvent pas risquer de perdre le courant qui alimente Wonderland.

— C'est bien pour ça que j'ai demandé s'il y avait un générateur de secours ou…

Idiote. Idiote, idiote, idiote. J'espère que Sullivan a raison. J'espère que je pourrai m'habituer à me sentir stupide. Je passe derrière elle et appuie sur l'interrupteur.

Wonderland se met en marche.

91

SULLIVAN S'ASSIED. Le siège blanc dans lequel je l'ai attachée grince. Elle pivote pour faire face au plafond tout aussi blanc.

— Je n'ai jamais fait ça, avoue-t-elle. J'ai failli, à Camp Haven.

— Que s'est-il passé ?

— J'ai étranglé le docteur Pam avec une sangle[1].

— Je suis impressionnée, je lui avoue sincèrement.

Je m'approche du clavier. Je suis certaine que le système va me demander un mot de passe. De fait, non. J'appuie au hasard sur une touche, et la page d'accueil surgit sur le moniteur central.

— Alors ? s'enquiert Sullivan.

Depuis son siège, elle ne voit rien d'autre que le plafond.

1. Voir tome 1. (*N.d.T.*)

Banque de données.

— J'ai trouvé.

J'appuie sur le bouton.

— Et maintenant ?

Tout est codé. Des milliers de combinaisons de chiffres, qui, à mon avis, représentent les individus dont les souvenirs ont été capturés par le programme. Comment savoir quelle séquence est celle de Walker ? C'est carrément impossible. Nous pourrions commencer par la première et, s'il ne s'agit pas de lui, continuer à descendre la liste, mais…

— Ringer, pourquoi tu dis rien ?

— Je réfléchis.

Elle lâche un profond soupir. Je sais qu'elle meurt d'envie de répondre : *Je croyais que tu savais comment t'y prendre*, mais elle s'en abstient.

— Tu ignores laquelle est celle d'Evan, dit-elle au bout de quelques instants.

— De toute façon, même si je pouvais localiser ses données, tu ne peux pas savoir si ses souvenirs te conduiraient à lui. Après l'avoir téléchargé, Vosch a dû…

Elle redresse la tête autant qu'elle le peut dans son siège et me lance :

— Il est là-dedans, quelque part. Transfère-les-moi tous.

Pardon ? Je n'ai pas dû bien entendre.

— Cassie, il y en a des milliers.

— Je m'en fiche. Je les fouillerai tous jusqu'à ce que je le trouve.

— Je suis quasiment sûre que ça ne fonctionne pas comme ça.

— Oh, merde, mais qu'est-ce que tu en sais ? Qu'est-ce que tu sais *vraiment*, Ringer ? Et combien de ce que tu sais ne sont que des foutaises auxquelles Vosch veut que tu croies ? La vérité, c'est que tu ne sais rien de rien de bordel de rien. Tout comme moi. Personne ne sait rien.

Sa tête retombe en arrière. Ses mains agrippent les sangles. Peut-être envisage-t-elle de m'étrangler comme elle l'a fait avec le docteur Pam.

— Tu as dit que Vosch les avait tous téléchargés, poursuit-elle. C'est comme ça qu'il a pu vous manipuler. Il porte tous les souvenirs en lui, donc ça doit être sûr. *Parfaitement sûr.*

Je suis prête à lancer la commande, rien que pour la faire taire.

— Pourquoi tu as peur ? demande-t-elle.

Je secoue la tête.

— Et toi, pourquoi tu n'as pas peur ?

J'appuie sur le bouton qui envoie des millions de souvenirs ne lui appartenant pas dans le cerveau de Cassie Sullivan.

92

SON CORPS TRESSAUTE, lutte violemment contre les sangles qui l'entravent. Les liens commencent à se déchirer, menaçant de rompre. Soudain, Sullivan se crispe, comme en proie à une crise d'épilepsie. Ses yeux roulent en arrière. Elle serre brutalement les mâchoires. Un de ses ongles se brise et vole à travers la pièce.

Sur les écrans, les séquences défilent à toute allure, comme dans un brouillard. Même une vision renforcée telle que la mienne est incapable de les suivre. Combien de données sont réunies dans les esprits de dix mille personnes ? Ce que Sullivan est en train de vivre, c'est comme tenter de faire tenir le système solaire dans une coquille de noix. Cela va la tuer. Son cerveau va exploser comme la singularité au moment de la création.

Je ne doute pas un instant que Vosch ait utilisé Wonderland pour télécharger les expériences d'individus – je suis certaine qu'il a téléchargé les miennes – et que ces expériences aient été purgées d'une certaine manière une fois leur but atteint. Aucun être humain ne peut contenir la somme de toutes les expériences humaines. Au mieux, ce processus détruirait votre personnalité. Comment se raccrocher à l'essence de ce qui fonde votre réalité au milieu de tant d'alternatives ?

Sullivan gémit. *Elle est faible. Tu le savais. Tu aurais dû prendre sa place. Le douzième système t'aurait protégée. Pourquoi l'as-tu laissée faire cela ?*

Je connais la réponse à cette question : le douzième système peut seulement renforcer le corps humain – il est impuissant contre la peur. Il ne peut pas me procurer la seule chose que Cassie Sullivan possède en abondance.

Je croyais savoir ce qu'était le courage. Arrogante comme je l'étais, j'ai même donné des leçons à Zombie sur le sujet. Mais jusqu'à cet instant, j'ignorais ce qu'était le *véritable* courage. Cette chose non identifiable que j'ai vue dans les yeux de Cassie en fait partie – la racine dont provient justement son courage.

Mes doigts flottent au-dessus du bouton d'interruption. Serait-ce *courageux* de l'utiliser ? Ou bien serait-ce l'échec ultime de mon côté humain – la part de moi qui espère quand il n'y a plus d'espoir, qui croit quand il n'y a aucune raison de croire, qui a confiance lorsque toute confiance est brisée ? Presser ce bouton : serait-ce une victoire de Vosch sur moi ? *Tu vois, Marika, même toi tu nous appartiens. Même toi.*

Tout est terminé en moins de cinq minutes. Cinq minutes qui durent une éternité ; l'univers a pris forme en moins de temps.

Les écrans deviennent blancs. Le corps de Cassie s'affaisse. Je m'approche d'elle avec précaution. J'ai peur de la toucher. Peur de ce que je pourrais ressentir. Peur pour ma propre santé mentale. Plonger dans la conscience d'un humain est déjà suffisamment dangereux ; je ne tiens pas à être immergée dans la conscience de milliers d'humains.

— Cassie ?

Ses paupières tressaillent. Je vois le plafond blanc se refléter dans ses yeux verts. Et autre chose. Quelque chose d'inattendu. Ni horreur ni chagrin. Ni tristesse ni peur. Rien de tout ce qu'elle a dû découvrir dans Wonderland.

Au lieu de cela, ses yeux, son visage, son corps entier s'embrasent d'un sentiment impossible à conquérir, impossible à vaincre, immortel. La racine de son courage. La fondation de toute vie.

La joie.

Elle prend une longue inspiration et avoue :

— Je l'ai trouvé.

93

SULLIVAN EST RADIEUSE. Elle a les yeux qui brillent. Un sourire danse sur ses lèvres.

— Tu ne le croiras jamais..., chuchote-t-elle. Tu ne peux pas savoir...

Je secoue la tête.

— Non, je ne sais pas.

— C'est si magnifique... si magnifique... je ne peux pas... Oh mon Dieu, Marika, je ne peux pas...

Elle fond en larmes. Je prends son visage entre mes mains, suppliant le hub de me garder loin de tout cela. Je ne veux pas être là où Sullivan se trouve. Je ne pourrais certainement pas le supporter.

— Sammy est là-dedans, sanglote-t-elle. Sammy est *là* !

Elle s'agite, lutte contre les sangles comme si elle voulait enlacer son petit frère.

— Ben s'y trouve aussi. Oh mon Dieu, oh mon Dieu ! Il est fort... si fort... pas étonnant qu'ils n'arrivent pas à le tuer...

Ses yeux errent sur le plafond blanc. Ses épaules tremblent.

— Ils sont tous là-dedans, Ringer. Dumbo et Teacup, Poundcake.

Je m'éloigne d'elle. Je sais ce qui va arriver. C'est comme regarder un train lancé à toute vitesse ralentir. Je lutte contre une urgente envie de fuir.

— Je suis désolée, Marika. Pour tout. Je ne savais pas. Je ne comprenais pas.

— Inutile d'évoquer cela, Cassie, je murmure.

S'il te plaît, ne m'en parle pas.

— Il t'aimait. Razor… Alex. Il ne pouvait l'avouer à personne, pas même *se* l'avouer, mais il t'aimait. Oui, il t'aimait, Marika. Dès le début, il savait qu'il mourrait pour toi.

— Et Walker ? je demande d'une voix rauque. Qu'en est-il de Walker ?

Elle m'ignore – ou alors elle n'entend pas ma question. Elle est ici, et elle est ailleurs. Elle est Cassie Sullivan, et tous les autres aussi.

Elle est devenue la somme de nous tous.

— Des doigts couleur d'arc-en-ciel[1], chuchote-t-elle.

Je m'arrête de respirer. Elle a vu la main de mon père tenir la mienne. Elle se souvient de ces sensations, *mes sensations.*

— Cassie, on a pas le temps, j'insiste, histoire de la tirer de tous ses souvenirs. Écoute-moi. Est-ce que Walker est là ?

Elle hoche la tête et se remet à sangloter.

— Il disait la vérité. Il y avait de la musique là-bas. Et la musique était si belle. Je peux tout voir, Marika. Sa

1. Voir tome 2. (*N.d.T.*)

planète. Le ravitailleur. À quoi il ressemblait... Oh mon Dieu, c'est dégoûtant !

Elle secoue la tête, comme pour en chasser une image.

— Marika, il ne mentait pas ! C'est réel... c'est réel...

— Non, Cassie. Écoute-moi. Ces souvenirs ne sont pas réels.

À présent, elle hurle. De nouveau, elle se débat contre les sangles. Dieu merci, je ne l'ai pas encore détachée, sinon elle serait capable de s'arracher les yeux.

Je n'ai plus le choix. Je dois prendre le risque.

Je l'attrape par les épaules et la repousse dans le siège. Un véritable maelström d'émotions explose dans mon cerveau et, l'espace d'une seconde, j'ai peur de m'évanouir. Comment peut-elle supporter tout cela ? Comment un seul esprit peut-il endurer le poids de dix mille autres ? Cela défie la compréhension. C'est comme essayer de définir Dieu.

Il y a en Cassie Sullivan une horreur si profonde qu'il n'y a pas de mots pour la décrire. Les personnes qui ont été téléchargées dans Wonderland – en grande majorité des enfants – ont perdu tous ceux qui comptaient pour elles. Désormais, leur douleur est la sienne. Tout comme leur chagrin, leur colère, leurs regrets, leurs peurs. C'est beaucoup trop. Je ne peux pas rester à l'intérieur d'elle. Je recule, jusqu'à heurter la table de commande.

— Je sais où il est, dit-elle, retenant son souffle. Ou tout du moins où il est *possible* qu'il se trouve, s'ils l'ont ramené au même endroit. Détache-moi, Marika.

Je ramasse le fusil posé contre le mur.

— Marika.

Je me dirige vers la porte.

— *Marika !*

— Je reviens.

Elle hurle mon nom et, cette fois, je sais que je n'ai véritablement pas le choix. Si jusqu'à présent il ne nous avait pas entendues, cette fois il a dû l'entendre, *elle.*

Parce que moi, je l'ai entendu. Lui.

Quelqu'un descend les marches de l'escalier à l'autre extrémité de l'immense couloir. Je ne suis pas sûre de qui il s'agit, mais je sais de *quoi* il s'agit.

Et je sais pourquoi il vient.

— Tu seras en sécurité ici, Cassie.

Évidemment, il s'agit d'un mensonge. Le genre de mensonge que l'on dit aux enfants pour les rassurer. Néanmoins, je poursuis :

— Je vais faire en sorte que rien ne t'arrive.

J'ouvre la porte, et passe de la lumière à l'obscurité.

94

MÊME AVEC MA VITESSE RENFORCÉE, je ne parviendrai pas à atteindre la porte de l'escalier avant lui. Mais avec un peu de chance, je pourrai arriver à portée de tir de M16.

C'est sûrement Vosch. Qui d'autre ? Il sait que je suis là, et pour quoi. Créateur à créature, créature à créateur, c'est notre lien. Je n'ai qu'un seul moyen de le briser. Un seul moyen d'être libre.

Tel un missile humain, je fonce dans le couloir. Je l'entends venir, tout comme il doit m'entendre arriver.

La portée d'un M16 est de cinq cent cinquante mètres. Le hub calcule ma vitesse et la distance jusqu'à la cage d'escalier. Ça ne va pas le faire. Peu importent les calculs, je continue à courir. Neuf cents mètres, Huit cents, sept cents. Le processeur incrusté dans mon cortex cérébral s'emballe, recommence ses calculs, encore et encore, et m'envoie des messages de plus en plus urgents. *Fais marche arrière. Vite ! Trouve un abri. Tu n'as pas le temps. Pas le temps, pas le temps, pasletempspasletempspasletempspasletemps.*

Je l'ignore. Je ne suis pas au service du douzième système, c'est lui qui est au mien.

Jusqu'à ce qu'il décide du contraire.

Le hub débranche les drones qui renforcent mes muscles : s'il ne peut m'arrêter, il parvient au moins à me ralentir. Je perds de la vitesse. Abandonnée par le système, je cours comme une humaine ordinaire. Je me sens enchaînée et libérée en même temps.

Dans le couloir, les lumières se mettent en marche. La porte de la cage d'escalier s'ouvre en grand, une haute silhouette apparaît. Je fais feu et fonce de plus belle, comblant l'espace entre nous aussi vite que j'en suis encore capable. La silhouette trébuche, se précipite contre le mur du fond, lève instinctivement les mains pour se protéger le visage.

Je suis à portée maintenant – je le sais, l'ennemi le sait, et le hub le sait aussi. C'est terminé. Je vise l'ennemi droit au visage. Mon doigt se referme sur la gâchette.

Soudain, je remarque une combinaison bleue, et non un uniforme de commandant. Mauvaise taille. Mauvais poids aussi. J'hésite un instant et, durant cet instant, la silhouette baisse les mains.

Ma première pensée est pour Sullivan – elle a supporté Wonderland alors que ce n'était pas nécessaire. Elle a tout risqué pour le retrouver… jusqu'à ce qu'il la retrouve.

Evan Walker a toujours été doué pour la retrouver.

Je m'arrête à une centaine de mètres, mais je ne baisse pas mon fusil pour autant. Entre son départ et nos retrouvailles, je sais ce qui s'est passé. Le hub est d'accord avec moi. Aucun risque s'il est mort, un risque énorme si ce n'est pas le cas. La valeur qu'il pouvait avoir a désormais disparu, elle est contenue dans la conscience de Cassie Sullivan.

— Où est Vosch ? je demande.

Sans dire un mot, il baisse la tête, et charge. Il a déjà réduit la distance entre nous de moitié sans que j'aie eu le temps de faire feu. J'ignore l'insistance du hub qui m'enjoint de viser le crâne, puis de fuir avant que Walker me tombe dessus. Je lui tire six balles dans les jambes, pensant que cela va l'arrêter. Mais non. Le temps que j'obéisse au hub, il est trop tard.

Walker fait tomber le fusil de mes mains d'un coup de pied si rapide que je ne l'ai pas vu venir. Pas plus que l'attaque suivante, un coup de poing droit dans mon cou, qui me projette contre le mur. Le béton se lézarde sous l'impact.

Je cligne des yeux. Ses doigts se resserrent sur ma gorge. Un autre clignement. De la main gauche, je me libère de son emprise, et de la droite, je le frappe aussi fort que possible, en plein milieu du torse, histoire de lui briser le sternum et d'enfoncer l'os cassé dans son cœur. Mais c'est comme frapper une plaque d'acier trempé. L'os craque, mais ne rompt pas.

Je cligne à nouveau des yeux. À présent, mon visage est plaqué contre le béton froid, il y a du sang dans ma bouche et sur le mur – ah, en fait, ce n'est pas un mur mais le sol. Walker m'a projetée à une centaine de mètres, et j'ai atterri à plat ventre.

Trop vite. Il se déplace bien plus vite que le prêtre des cavernes, ou que le docteur Claire dans la salle de bains de l'infirmerie[1]. Plus vite que Vosch, même. Des déplacements aussi rapides pour un humain, cela défie toutes les lois de la physique.

Avant que le processeur de mon cerveau ait utilisé la nanoseconde nécessaire pour calculer les risques, j'ai deviné l'issue de notre duel.

Evan Walker va me tuer.

Il m'attrape par une cheville, me propulse contre le mur. Le béton se brise en une volée d'éclats. Comme plusieurs de mes os. Walker ne s'arrête pas pour autant. Il me projette contre un autre mur. Il s'amuse à me lancer comme ça, d'un mur à l'autre, jusqu'à ce que le béton cède et s'effrite, se répandant à terre en une poussière grise. Je ne ressens rien ; le hub annihile toute douleur en moi. Walker m'empoigne, soulève mon corps par-dessus sa tête puis, une jambe à demi levée, le brise en deux contre son genou.

---

1. Voir tome 2. (*N.d.T.*)

Je ne sens pas mon dos se rompre, mais je l'entends, le bruit amplifié par les drones auditifs intégrés dans mes oreilles.

Il me lâche, me laisse tomber à terre. Je ferme les yeux, attendant le coup de grâce. Au moins, je sais qu'il va m'achever rapidement. Je sais aussi que, pour ultime cadeau, le douzième système m'offrira une mort sans souffrance.

Walker me retourne du bout du pied. Puis il s'agenouille à côté de moi. Ses yeux sont impénétrables – deux trous sombres qu'aucune lumière intérieure ne peut éclairer. Il n'y a rien de vivant en eux, ni haine, ni rage, ni amusement, pas même la moindre curiosité. Les yeux d'Evan Walker sont aussi vides que ceux d'une poupée – il me regarde sans ciller.

— Il y en a une autre, dit-il. Une autre humaine. Où est-elle ?

Sa voix est atone, sans aucune trace d'humanité. L'Evan Walker que nous connaissions a disparu.

Je ne réponds pas. Alors, la chose qui était Evan Walker saisit mon visage à deux mains et pénètre ma conscience. L'entité qui viole mon âme est un alien qui, lui, en est dépourvu. Un Autre. Je ne peux m'échapper ; d'ailleurs, je ne peux carrément pas bouger. Avec suffisamment de temps – un temps qui lui fait défaut –, le douzième système pourrait réparer les dommages causés à ma colonne vertébrale, mais pour l'instant je suis paralysée. J'ouvre la bouche. Aucun son n'en sort.

L'alien a trouvé la réponse à sa question. Il sait. Alors, il me relâche et se lève.

Je retrouve enfin ma voix, et crie aussi fort que possible :

— Cassie ! Cassie, il arrive !

Mes cris résonnent dans le couloir jusqu'à la porte verte, vers laquelle il se dirige à pas pesants.

Bientôt, cette porte verte s'ouvrira. Sullivan le verra alors avec des yeux qui croient le connaître, et un cœur qui a partagé des sentiments similaires aux siens. Elle pensera qu'il est venu pour la sauver – que son amour la délivrera comme il l'a déjà fait.

Ma voix se brise, elle n'est plus qu'un gémissement.

— Cassie, il arrive. Il arrive...

Impossible qu'elle m'entende. Impossible de la prévenir.

Je prie pour qu'elle ne le voie pas arriver. Je prie pour que cette créature qui était autrefois Evan Walker lui accorde une mort rapide.

95

LE SILENCIEUX

AU BOUT DU COULOIR se trouve une porte verte. De l'autre côté de la porte verte, une pièce blanche. Dans cette pièce, sa proie ligotée à un siège blanc, la brebis attachée au pieu, le phoque blessé prisonnier d'un courant puissant. Il va lui faire exploser le crâne. Lui arracher le cœur à mains nues. Cette humaine qu'Evan Walker a sauvée pour que cette entité sans âme qu'il est désormais puisse la tuer. Il n'y a aucune ironie dans cette cruauté, rien que de la cruauté.

Mais le siège est vide. Sa proie a disparu. Le Silencieux examine les liens qui maintenaient ses bras. Poils, peau, sang. Elle a dû lutter pour se libérer.

Il baisse la tête et écoute. Son ouïe possède une exquise acuité. À près d'un kilomètre, à l'autre extrémité du couloir, l'alien peut entendre l'autre humaine respirer, celle dont il a brisé le dos, dont il a fait exploser les os contre les murs de béton. Il perçoit aussi la respiration des soldats réfugiés dans les salles sécurisées à travers la base, attendant l'ordre qui leur signifiera que tout est terminé, qu'ils peuvent quitter leurs refuges ; il entend leurs chuchotements nerveux, le bruissement de leurs uniformes, leurs cœurs qui battent la chamade. Il est même capable d'entendre l'électricité courir dans les câbles des murs de la pièce. Il filtre tous les bruits afin d'isoler celui de sa proie. Il cherche un simple battement de cœur, un souffle, tout près ; elle n'a pas pu aller bien loin.

Il ne ressent aucune satisfaction lorsqu'il détecte enfin sa présence. Un requin n'éprouve aucun plaisir quand il remarque un bébé phoque blessé dans les vagues.

Il se précipite hors de la pièce sans que ses jambes le fassent souffrir : le processeur incrusté dans son cerveau a anéanti le mal causé par les blessures, les drones artériels ont résorbé le flot de sang aux points d'entrée des balles. Ses jambes sont aussi transies que son cœur, aussi insensibles que son esprit.

Trois portes plus bas, sur la droite. Il se tient un moment devant la porte, figé, bras ballants, tête penchée, à l'écoute. D'une façon ou d'une autre, sa proie a trouvé le code pour pénétrer dans cette salle. Il ne perd pas de temps à essayer de comprendre comment. Pas plus qu'il ne tente de deviner pourquoi cette fille était dans la salle blanche ou ce qu'elle a pu subir là-bas. D'où vient sa proie, sa vie avant son arrivée dans cette base – tout cela n'a aucune importance. La bête s'élève des profondeurs, prête à bondir sur le pauvre phoque qui se débat à la surface.

Elle est proche – toute proche. Il entend sa respiration, perçoit même les battements de son cœur. À l'affût du moindre bruit, elle a plaqué son oreille contre la porte.

Le Silencieux se met en position de frappe : il pivote les hanches pour maximiser l'impact et, d'un violent coup de poing, transperce la porte. De l'autre côté, la proie recule, mais trop tard. Il lui agrippe plusieurs mèches de cheveux. Elle hurle, se libère, laissant entre ses doigts une pleine poignée de boucles.

Le Silencieux arrache la porte de ses gonds et bondit à l'intérieur. La proie file sur le sol mouillé, elle glisse entre deux rangées d'armoires de raccordement dressées de chaque côté de l'étroit couloir.

Il l'a acculée dans l'un des locaux électriques du complexe. Pour en sortir, elle n'a qu'un chemin : elle doit passer devant lui – et ça, c'est carrément mission impossible.

Le Silencieux n'a nullement besoin de se précipiter. Sans se presser – il semble à peine effleurer la surface de la flaque d'eau –, il réduit la distance qui les sépare.

La proie s'arrête près du mur du fond. Peut-être réalise-t-elle enfin qu'elle n'a nulle part où fuir, aucun endroit pour se cacher, aucune autre option que de se retourner et de faire face à ce qu'elle devra bien affronter, tôt ou tard. Soudain, elle s'élance en l'air, parvient à agripper l'un des tuyaux entre le sommet d'une armoire de raccordement et le plafond, et se réfugie dans le petit espace.

La voilà prisonnière.

La partie la plus primitive de son cerveau humain est mise en garde avant même le processeur de haute technologie incrusté dans son cortex cérébral : quelque chose cloche.

Le Silencieux s'arrête dans son élan.

Point numéro un : un gros câble à haut voltage pend de l'armoire de raccordement – il a été coupé ou détaché.

Point numéro deux : une pellicule d'eau recouvre le sol et s'étend autour de ses pieds.

Le processeur de son cerveau ne peut pas ralentir le temps, mais il peut ralentir la perception qu'en a son hôte. Avec une lenteur obscène, sa proie lâche le câble électrique qui tombe sur lui en un arc plein de grâce. Des étincelles jaillissent des fils dénudés qui descendent vers lui avec la même langueur que des flocons de neige.

Il est trop loin de la porte pour s'enfuir. Les armoires de raccordement qui l'entourent sont au même niveau que le plafond ; il n'y a aucun espace dans lequel il pourrait sauter.

Le Silencieux bondit ; il étend son corps sur toute sa longueur, volant parallèlement à un mètre au-dessus du sol, bras tendus, doigts écartés – sa seule chance d'attraper le câble avant qu'il entre en contact avec l'eau.

Ce câble qui chutait si gracieusement glisse entre les doigts du Silencieux.

Les étincelles jaillissent quand les fils touchent terre, en silence, comme la neige qui tombe.

96

RINGER

JE ME SUIS DÉJÀ TROUVÉE LÀ, allongée impuissante sous la lumière constante.

Si seulement Razor était avec moi pendant que mon corps entame sa bataille perdue d'avance contre les quarante mille intrus que l'ennemi a injectés en moi. S'il était à mes côtés, sa présence me soutiendrait, m'empêchant de tomber sans fin dans le vide.

Il est mort pour me sauver et, à présent, son enfant va mourir avec moi.

La porte de la cage d'escalier claque. Un bruit de bottes résonne sur le sol en béton. Je connais ce bruit. Je reconnais le rythme de sa marche.

C'est pour cela que le Silencieux ne t'a pas tuée. Il voulait que tu restes vivante pour lui.

— Marika.

Vosch se dresse au-dessus de moi. Il est immense, solide comme un roc, aussi inattaquable qu'un rempart. Il m'observe de toute sa hauteur, ses yeux d'azur brillant d'une étrange lueur.

— Tu as oublié quelque chose, me dit-il. Et maintenant, il est trop tard. Qu'as-tu oublié, Marika ?

Un enfant surgit d'entre les tiges brisées du blé détruit par le froid hivernal, portant une bombe de la taille d'une gélule au fond de la gorge. Un souffle humain enveloppe l'enfant, tout est emporté par des flammes vertes. Tout est anéanti.

La gélule. Son cadeau de départ dans la poche poitrine de ma veste. J'aimerais pouvoir l'attraper, mais ma main refuse de bouger.

— Je savais que tu reviendrais, affirme Vosch. Qui d'autre que ton créateur pourrait avoir la réponse définitive ?

Les mots meurent sur mes lèvres. Je suis encore capable de parler, mais à quoi bon ? Il sait déjà ce que je vais lui demander. C'est la seule question qu'il me reste.

— Oui, je suis allé dans leur ravitailleur. Il est aussi fabuleux que tu peux l'imaginer. Je les ai vus – nos sauveurs – et, oui, ils sont tout à fait remarquables. Ils ne sont pas physiquement là-bas, évidemment, mais ça, tu le savais déjà. Ils ne sont pas là-haut, Marika. Ils ne l'ont jamais été.

Ses yeux luisent d'une joie transcendantale, tels ceux d'un prophète qui a vu le paradis.

— Ils sont à base de carbone, comme nous, mais toute similitude s'arrête là. Il leur a fallu énormément de temps pour nous comprendre, pour accepter ce qui se passe ici, et concevoir la seule solution viable au problème. Tout comme il *m*'a fallu un temps infini pour comprendre et accepter leur solution. Il est difficile d'ignorer sa propre humanité, de sortir de soi-même et de regarder le monde à travers les yeux d'une espèce complètement différente. Cela a été ton problème dès le début, Marika. J'ai toujours espéré que tu le vaincrais. Je peux presque me voir en toi.

Il semble remarquer quelque chose sur mon visage et s'agenouille à côté de moi. Sa main effleure ma joue, mes larmes roulent sur ses doigts.

— Je vais partir, Marika. J'imagine que tu l'as deviné. Ma conscience sera préservée à bord du ravitailleur pour l'éternité, éternellement libre, éternellement protégée de ce qui risque d'arriver ici. C'était mon prix. Ils ont accepté de le payer.

Il me sourit avec affection, comme un père à sa fille bien-aimée.

— Es-tu contente, à présent ? Ai-je répondu à toutes tes questions ?

— Non, je chuchote. Vous ne m'avez pas dit pourquoi.

Il sait que je ne parle pas de ses motivations.

— Parce que l'univers n'a pas de limites, mais la vie en a. La vie est rare, Marika, et donc précieuse ; elle doit être préservée. Toute vie est digne d'exister. La Terre n'est pas la première planète qu'ils ont sauvée.

Il prend ma joue dans sa main.

— Je ne veux pas te perdre. Les vertus sont devenues des vices et, comme tu l'as dit toi-même, ce vice particulier ne suit aucune règle, pas même les siennes.

J'ai commis un péché mortel, Marika, tu es la seule à pouvoir m'en absoudre.

Il glisse sa main sous ma tête, me la soulève avec douceur. Créateur, père, tenant ma tête avec délicatesse.

— Marika, nous avons trouvé l'anomalie dans le programme de Walker. La faille dans son système, c'est qu'il n'y en a aucune. Comprends-tu ? C'est vraiment important. La singularité par-delà l'espace et le temps, la constante indéfinissable qui transcende tout ce qui ne peut être expliqué – ils n'ont aucune réponse à cela, voilà pourquoi ils n'en ont donné aucune. Comment le pourraient-ils ? Comment l'amour pourrait-il être contenu dans un algorithme ?

Ses yeux brillent toujours, mais cette fois de larmes.

— Viens avec moi, Marika. Partons ensemble vers un lieu où il n'y a plus de peine, plus de douleur. Tout cela sera éliminé en un instant.

D'un geste de la main, il désigne la base, la planète, le passé.

— Ils feront disparaître tous les souvenirs qui te perturbent. Tu seras immortelle, jeune et libre à jamais. Voilà ce qu'ils sont prêts à m'accorder. Laisse-moi le plaisir de t'offrir cela.

— Trop tard, je chuchote.

— Non ! Ne te fais pas de souci pour ce corps brisé. C'est inutile. Il n'est pas trop tard, Marika !

— Si, pour vous, il est trop tard.

Derrière lui, Cassie Sullivan me donne la réplique. Elle plaque le canon de son revolver sur la tête de mon créateur, et appuie sur la gâchette.

97

LE REVOLVER TOMBE DE SA MAIN. Cassie titube, fixant le corps de Vosch et le demi-cercle de sang qui s'étend autour de sa tête – réplique obscène d'un halo. Elle vit enfin cet instant dont elle a rêvé depuis si longtemps, mais ce n'est pas le moment de triomphe et de revanche qu'elle espérait. Je suis incapable de deviner ce qu'elle ressent ; son visage est dépourvu d'expression, son regard ne laisse filtrer aucune émotion.

— Evan est mort, annonce-t-elle d'une voix atone.

— Je sais. C'est lui qui m'a fait ça.

Son regard passe de Vosch à moi.

— Fait quoi ?

— Brisé le dos. Je ne peux plus bouger les jambes, Cassie.

Elle secoue la tête. Evan. Vosch. Moi. Ça fait beaucoup trop à digérer.

— Que s'est-il passé ? je demande.

Elle jette un coup d'œil vers le couloir.

— Le local électrique. Je connaissais son emplacement exact, ainsi que le code d'entrée. Je sais pratiquement tout de cette base.

Elle a les yeux secs, mais je devine qu'elle est sur le point de craquer ; je l'entends dans sa voix.

— Je l'ai tué, Ringer. J'ai tué Evan Walker.

— Non, Cassie. L'entité qui t'a attaquée n'était pas humaine. Je crois que Vosch a effacé sa mémoire, sa mémoire humaine et…

— Je sais ! m'interrompt-elle. C'est la dernière chose que j'ai entendue avant qu'ils l'emmènent : *Effacez l'humain.*

Elle inspire profondément. Désormais, les expériences d'Evan Walker sont les siennes. Elle partage avec lui l'horreur de ce moment, l'ultime instant de vie d'Evan Walker.

— Tu es sûre qu'il est mort ? je demande.

Elle esquisse un vague geste de la main.

— Carrément.

Elle reste quelques secondes silencieuse, puis ajoute :

— Tu m'as laissée attachée à ce putain de siège.

— Je croyais avoir le temps…

— Eh bien, ce n'était pas le cas.

Soudain, les haut-parleurs se mettent en marche :

L'ALERTE NUMÉRO QUATRE EST ANNULÉE. CHAQUE MEMBRE DU PERSONNEL DOIT IMMÉDIATEMENT REGAGNER SON POSTE DE COMBAT…

J'entends les escouades sortir de leurs planques autour de la base. D'un moment à l'autre, nous percevrons le tonnerre de leurs bottes, la grêle de leurs balles. Cassie penche la tête, elle aussi, comme si elle pouvait les entendre de ses oreilles non renforcées. Mais son organisme a été augmenté d'une façon différente, plus radicale, que je peux seulement faire semblant de comprendre.

— Je dois y aller, dit-elle sans me regarder – comme si elle ne s'adressait pas à moi.

Je suis réduite à l'observer tandis qu'elle prend le couteau dans l'étui attaché à ma cuisse, enjambe le corps de Vosch, lui écrase la main sur le sol et, en deux gestes vifs, lui tranche le pouce droit.

Puis elle enfouit le doigt ensanglanté dans l'une des poches de son uniforme.

— Ce ne serait pas juste de t'abandonner ici, Marika.

Elle glisse ses mains sous mes épaules et me tire vers la porte la plus proche.

— Laisse-moi, Cassie. Je suis foutue.

— Oh, ferme-la ! marmonne-t-elle.

Elle compose le code sur le clavier et me traîne dans la pièce.

— Je te fais mal ?

— Non, rien ne me fait mal.

Elle me cale contre le mur du fond, celui qui fait face à la porte, et me plaque le revolver dans la main. Je secoue la tête. Me planquer dans cette salle, arme à la main, ne fait que repousser l'inévitable.

Il y a une autre solution, cependant : elle se trouve dans ma poche poitrine.

Quand le temps viendra – et il viendra –, tu seras contente de l'avoir, Marika.

— Fiche le camp d'ici, je lui dis.

Mon temps sur cette Terre est peut-être écoulé, mais pas le sien.

— Si tu arrives à sortir de l'immeuble, tu pourras atteindre le périmètre…

Elle secoue la tête d'un air impatient.

— Pas comme ça, Marika.

Son regard semble se perdre dans le vide.

— Ce n'est pas très loin. À cinq minutes d'ici, non ?

Elle hoche la tête comme si quelqu'un avait répondu à sa question et poursuit pour elle-même :

— Oui, c'est ça. Au bout du couloir. À environ cinq minutes.

— Au bout du couloir ?

— La zone 51.

Elle se lève, l'air décidé.

— Il ne va pas comprendre. Il va être sacrément énervé, et tu vas devoir lui expliquer. Lui raconter ce qui s'est passé, et pourquoi. Tu devras aussi prendre soin de lui, OK ? Tu devras le protéger, t'assurer qu'il fasse bien sa toilette, se brosse les dents, se coupe les ongles, porte des sous-vêtements propres, et surtout, qu'il apprenne à lire. Enseigne-lui la patience, la gentillesse, et la confiance. La confiance envers tout le monde. Même envers les inconnus. Surtout envers les inconnus.

Elle s'interrompt un instant.

— Il y avait autre chose. Ah oui ! Fais-lui comprendre que rien n'arrive par hasard. Oh ! Et que plus personne ne l'appelle jamais Nugget. C'est tellement ridicule comme surnom. Promets-moi, Marika. Promets-moi.

98

LES SEPT MILLIARDS

NOUS SOMMES L'HUMANITÉ.

Nous sommes un.

Nous sommes la fille au dos brisé affalée dans une pièce vide, attendant la fin.

Nous sommes l'homme à terre à cinq cents mètres de là ; la seule chose qui vive en nous n'est pas vivante, mais un dispositif alien qui consacre l'intégralité de ses ressources à sauver notre corps couché sur la pierre froide, à faire redémarrer notre cœur. Il n'y a aucune différence entre nous et le système. Le douzième système, c'est nous, et nous sommes le douzième système. Si l'un chute, l'autre meurt.

Nous sommes les prisonniers à bord du Black Hawk qui, à court de carburant, contourne la base, survole une rivière au courant noir et rapide, nos voix étouffées par le vent qui s'engouffre dans la soute ouverte, nos mains liées ; nous sommes attachés les uns aux autres par une chaîne ininterrompue.

Nous sommes les recrues qui se pressent à leurs postes de combat, ceux qui ont été sauvés – la moisson récoltée par les bus –, séparés en groupes, dont les corps ont été endurcis et les âmes vidées pour être emplies de haine et d'espoir, et alors que nous quittons nos refuges, nous savons que l'aube approche, et avec elle la guerre, ce moment que nous avons attendu et redouté, la fin de l'hiver, la fin de nous. Nous nous souvenons de Razor et du prix qu'il a payé : nous avons gravé les trois lettres *VQP* dans notre chair en l'honneur de notre camarade. Nous nous rappelons les morts, mais nous sommes incapables de nous souvenir de nos propres noms.

Nous sommes les derniers, les perdus, les solitaires, ceux qui n'ont pas embarqué dans ces bus cahotant le long des autoroutes, des rues des villes désertées, des chemins de campagne. Nous nous sommes abrités pour l'hiver, nous avons observé le ciel et n'avons accordé notre confiance à personne. Ceux d'entre nous qui ne sont pas morts de faim, de froid, ou de simples infections que les antibiotiques que nous n'avions pas ne pouvaient soigner, ont résisté. Nous avons plié, mais nous n'avons pas rompu.

Nous sommes les chasseurs solitaires conçus par nos créateurs pour rassembler les survivants dans les bus qui arpentaient la campagne et pour tuer ceux qui refusaient d'y grimper. Nous sommes spéciaux, nous sommes à part, nous sommes les Autres. Nous nous sommes réveillés dans un mensonge si fascinant que ne pas y croire aurait été une pure folie. À présent, notre travail est accompli, et nous observons le ciel, attendant une délivrance qui n'arrivera jamais.

Nous sommes les sept milliards qui ont été sacrifiés, dont les corps ont été dépouillés jusqu'à l'os. Nous sommes ceux qui ont été mis de côté, les jetés au rebut, ceux dont les noms ont été oubliés, les visages effacés par le vent et le sable. Personne ne se souviendra de nous ; notre empreinte sera dissoute, notre héritage consumé, nos enfants et leurs enfants et les enfants de leurs enfants seront plongés dans une guerre permanente jusqu'à la dernière génération, jusqu'à la fin du monde.

Nous sommes l'humanité. Notre nom est Cassiopée.

En nous, la rage, le chagrin, la peur.

En nous, la foi, l'espoir, l'amour.

Nous sommes le vaisseau de dix mille âmes. Nous les soutenons, nous les préservons. Nous portons leur fardeau et, à travers nous, leurs vies perdurent.

Elles reposent en nous, et nous en elles. Notre cœur contient tous les autres.

Un cœur, une vie – l'avènement de l'ultime vol de l'Éphémère.

CASSIE

Les extraterrestres sont stupides.

Dix mille ans passés à nous étudier, à apprendre à nous connaître jusqu'au dernier électron, et ils n'ont toujours rien pigé. Ils ne comprennent toujours rien.

Bande de crétins.

La capsule de sauvetage est installée sur une plateforme surélevée par trois marches. Vert foncé, elle a la forme d'un œuf, et fait la taille d'un gros SUV. La trappe d'accès est fermée, mais j'ai la clé. J'applique la pulpe du pouce tranché de Vosch sur le capteur circulaire à côté de la porte, et le toit s'ouvre. Les lumières s'allument, baignant l'habitacle d'un vert iridescent. À l'intérieur, un unique siège et un clavier. C'est tout. Aucun tableau de bord. Aucun moniteur. Rien d'autre que le siège, le clavier, et une petite vitre qui doit servir à faire au revoir d'un signe de la main.

Evan avait tort et il avait raison. Il croyait en leurs mensonges, mais il connaissait la seule vérité importante. L'unique vérité qui comptait avant leur Arrivée, pendant et après.

Ils n'avaient aucune réponse à l'amour. Parce qu'il n'y en avait aucune.

Ils pensaient pouvoir annihiler notre besoin d'aimer, l'effacer de nos esprits et le remplacer par son opposé – pas la haine, mais l'indifférence. Ils croyaient pouvoir transformer les hommes en requins.

Cependant, ils ne pouvaient expliquer nos sentiments.

Pas plus que l'amour de Sam pour Nounours.

RINGER

Après le départ de Cassie, je laisse tomber le revolver.

Je n'en ai pas besoin. J'ai le cadeau de Vosch dans ma poche.

Je suis l'enfant dans le champ de blé.

Le bruit des bottes dans la cour, sur le sol de béton, sur les marches en acier, de la piste d'atterrissage au centre de commandement, le son de milliers de pieds qui courent, comme le grattement des rats derrière les murs du vieil hôtel.

Je suis encerclée.

Je lui donnerai la seule chose que j'ai à lui donner, je pense, en cherchant la petite gélule verte dans ma poche. *La seule chose qui me reste.*

Mes doigts s'enfoncent dans la poche de ma veste.

La poche *vide* de ma veste.

Je tapote mes autres poches. Non, pas *mes* poches. Celles de Cassie : nous avons échangé nos vêtements avant de pénétrer dans le centre de commandement.

Je n'ai donc plus la capsule verte. Elle est en possession de Cassie.

Le bruit des bottes dans la cour, sur le sol de béton, sur les marches de métal. Je m'écarte du mur et rampe vers la porte.

Il n'est pas loin. Juste de l'autre côté de cette pièce, derrière cette porte, quelques mètres plus bas dans le couloir. Si j'arrive jusqu'à lui avant qu'ils atteignent cet étage, j'aurai peut-être une chance – eux non, mais moi oui.

Cassie aura une chance.

Porte. Je tire sur la poignée, entrouvre la porte, puis me glisse dans l'entrebâillement. Je le vois là-bas, ce meurtrier sans visage des sept milliards d'âmes humaines, celui qui aurait dû me tuer quand il en avait l'occasion – et il en a eu plusieurs –, mais s'en est révélé incapable. Non, il n'a pas pu me tuer, parce que même lui a été déconcerté par la trajectoire imprévisible de l'amour.

Couloir. Il a sûrement encore le dispositif en sa possession. Où qu'il aille, il l'emportait. Léger et pas plus gros qu'un téléphone portable, il lui permettait de suivre à la trace chaque recrue sur la base. D'un simple glissement du pouce sur l'écran, l'appareil peut envoyer un signal à l'implant dans leur nuque, et tuer chaque soldat.

Vosch. Me traînant toujours à plat ventre, je tends le bras vers lui, attrape le dos de sa veste et le fais rouler sur lui-même. Le cratère ensanglanté qui fut son visage est tourné vers le plafond. Je les entends dans l'escalier, leurs bottes sur les marches de métal, le bruit de plus en plus fort. *Où est-il ? Donne-le-moi, espèce de salopard !*

Poche poitrine. Là où il l'a toujours gardé. L'écran s'éclaire de points verts ; un groupe de trois escouades se dirige vers moi. Je les mets tous en surbrillance – chaque recrue sur la base, plus de cinq mille personnes, le bouton vert clignote sous mon pouce. Voilà pourquoi je ne voulais pas revenir. Je savais ce qui arriverait. Je le savais.

Je tuerai jusqu'à en perdre le compte. Je tuerai jusqu'à ce que compter n'ait plus d'importance.

Je fixe l'écran où clignotent ces milliers de petits points verts, chacun représentant une victime sans espoir, un être humain.

Je n'ai pas le choix.

Je ne suis pas sa création. Je ne suis pas ce qu'il a fait de moi.

ZOMBIE

À notre dix-septième passage autour du périmètre – ou peut-être le dix-huitième, je ne sais plus –, les lumières de la base se rallument brutalement. En face de moi, le sergent Sprinter crie dans le micro de son casque :

— Situation ?

Cela fait plus d'une heure que nous survolons la base. À mon avis, nous ne devons plus avoir beaucoup de carburant. Nous allons être obligés de nous poser bientôt. La seule question est *où*. À l'intérieur ou à l'extérieur du camp ? Pour l'instant, nous nous rapprochons de la rivière. Je m'attends à ce que la pilote change de trajectoire, nous amène au-dessus d'un champ, mais elle n'en fait rien.

Megan est blottie sous mon bras, sa tête sous mon menton. De l'autre côté, Nugget se plaque contre moi, et observe la base en contrebas. Sa sœur doit être là-bas, quelque part. Peut-être vivante, probablement morte. Le retour des lumières est plutôt mauvais signe.

Nous virons au-dessus de la rivière, au cours gonflé par une précoce fonte des neiges, gardant la base sur notre gauche. Je vois d'autres hélicoptères la survoler, attendant eux aussi l'autorisation de se poser. Telles d'étincelantes colonnes blanches, leurs projecteurs transpercent la brume d'avant l'aube. Au-dessus de nous, le ciel s'éclaircit, les étoiles disparaissent peu à peu.

Voilà, on y est. Green Day. Le jour où les bombes tombent sur la Terre.

Du regard, je cherche le ravitailleur – sans succès.

Une fois sa conversation avec les hommes au sol terminée, le sergent retire son casque. Elle me fixe, la main posée sur la crosse de son revolver. Nugget se raidit. Il a compris avant moi ce qui allait se passer ; ses mains agrippent son harnais, même s'il n'y a nulle part où aller ni aucun endroit pour se cacher.

Les ordres ont changé. Sprinter saisit son arme et la pointe à hauteur de la tête de Nugget.

Je me jette devant lui. Finalement, le cercle se referme. Il est temps de payer ma dette.

CASSIE

Les soldats franchissent la porte ouverte derrière moi et pénètrent dans la salle. Ils se déploient rapidement d'un mur à l'autre, épaule contre épaule, en deux rangs – le plus proche de moi agenouillé. Deux douzaines de fusils pointés sur une seule personne, une fille aux cheveux bouclés et au nez tordu. Je me retourne pour leur faire face. Ils ne me connaissent pas, mais moi, si. Je reconnais chacun des visages de ceux qui sont venus pour me tuer.

Je sais ce dont ils se souviennent et ce qu'ils ont oublié. Leurs souvenirs sont en moi. C'est comme si j'étais sur le point d'être assassinée par une mosaïque humaine de moi-même. Ce qui amène une curieuse question : est-ce un meurtre ? ou un suicide ?

Je ferme les yeux. *Désolée, Sams. J'ai essayé.*

Je sais que mon petit frère est avec moi, en cet instant précis. Je peux le sentir en moi.

Et c'est très bien comme ça. Au moins, je ne mourrai pas seule.

RINGER

La porte de la cage d'escalier s'ouvre en grand, ils jaillissent dans le hall, arme au poing, doigt crispé sur la gâchette.

Trop tard pour eux.

Trop tard pour moi.

J'appuie sur le bouton.

ZOMBIE

De l'autre côté de l'allée, Sprinter sursaute dans son siège ; ses magnifiques yeux sombres se révulsent, son crâne cogne contre la cloison, puis elle s'affaisse dans son harnais. Megan se redresse en poussant un hurlement de frayeur. Toutes les recrues dans la soute se sont écroulées comme le sergent.

Nous n'avons donc plus de pilote.

Le nez de l'hélico plonge, l'engin bascule brutalement sur la droite, me plaquant contre Nugget, qui, lui, ne perd pas de temps. Il est déjà en train de dégrafer son harnais. Ce satané gosse a tout compris avant moi. Megan gigote dans tous les sens. J'essaie de la détacher aussi vite que possible. Nugget se retrouve alors catapulté hors de son siège, je parviens in extremis à le retenir. Puis Megan réussit à se libérer à son tour. J'agrippe chaque gamin d'une main, mais je suis toujours bloqué.

— La rivière ! je crie à l'attention de Nugget.

Il hoche la tête. De nous trois, c'est lui qui a le plus de sang-froid. Ses petits doigts s'affairent sur les boucles de mon harnais pour me libérer.

L'hélicoptère pique droit sur l'eau.

— Accrochez-vous à moi ! Ne me lâchez pas !

Nous tombons de plus en plus vite. La rivière est comme un énorme mur sombre qui se précipite vers la carlingue ouverte du côté de Nugget.

— UN !

Nugget ferme les yeux.

— DEUX !

Megan hurle.

— TROIS !

Un gamin sous chaque bras, je bondis hors de mon siège et saute pieds en avant dans le vide.

CASSIE

Les soldats s'écroulent. Un instant ils étaient debout, celui d'après ils sont avachis sur le sol. Quelqu'un leur a grillé le cerveau. Je ne sais pas vraiment comment, mais je suis quasiment certaine de savoir qui.

Je me détourne. J'ai vu suffisamment de cadavres comme ça pour une vie entière, pour dix mille vies entières même, de ma mère baignant dans son sang à mon père qui se traînait dans la boue après avoir reçu une balle, plus tous ceux que j'ai vus avant, pendant, après, mes morts, leurs morts, nos morts.

Oui, j'en ai assez vu comme ça.

De plus, ces gamins qui viennent de mourir sous mes yeux sont *moi*, d'une certaine façon. C'est comme de contempler sa propre dépouille. Multiplié par douze.

J'entre dans la capsule de sauvetage. M'installe dans le siège. Boucle le harnais, serre fort les sangles sur ma poitrine. Dans ma main, le pouce d'un homme mort. Dans ma poche, une petite gélule verte enveloppée dans du plastique. Dans ma tête, dix mille voix qui chantent à l'unisson. Et dans mon cœur, un calme infini.

Cassie, tu as envie de voler ?

Quand je me suis extirpée du siège de Wonderland, la gélule verte est tombée de ma poche. Je l'ai ramassée sans réfléchir, sans même la regarder. Puis j'ai vu Ringer affalée dans le couloir, et je me suis rappelée que nous avions échangé nos vestes. Elle avait donc cette bombe avec elle durant tout ce temps et n'en avait parlé à personne. Je crois que je sais pourquoi. Je la connais aussi bien qu'elle se connaît. Et même mieux, parce que je me souviens de ce qu'elle a oublié.

J'applique le pouce de Vosch sur le bouton de mise à feu. La porte de la carlingue se ferme, le mécanisme de verrouillage vrombit. Le système de ventilation s'allume ; de l'air frais effleure mes joues.

La capsule tremble, prête à s'élancer, et j'ai envie de lever les bras au ciel.

Oui, papa, je veux voler.

ZOMBIE

Je perds les gamins dès l'instant où nous heurtons l'eau. La force du choc me les arrache. L'hélicoptère tombe dans la rivière à quelques centaines de mètres en amont ; la boule de feu teinte les flots d'un orangé crépusculaire. Je vois Megan en premier. Son visage brise la surface, elle lâche un cri étranglé. Je lui agrippe le poignet et l'attire vers moi.

— Capitaine ! hurle-t-elle.

Quoi ?

— J'ai perdu Capitaine !

Non mais je rêve !

Elle se débat, ses jambes frappent les miennes. De sa main libre, elle essaie d'attraper l'ours en peluche qui dérive tranquillement loin de nous.

Oh, bordel ! Cette saloperie de Nounours !

Je jette un coup d'œil par-dessus mon épaule. *Nugget, où es-tu ?* Soudain, je l'aperçois près de la rive. Il est encore à moitié immergé et, plié en deux, il tousse, crachant de l'eau. Ce gosse est vraiment indestructible.

— OK, Megan. Grimpe sur mon dos. Je vais aller te le chercher.

Elle obtempère, noue ses petits bras autour de mon cou et ses jambes maigrelettes autour de mon torse. Je me rapproche de la peluche. Voilà, ça y est, je l'ai. Ensuite, une longue nage vers la rive, qui n'est pas si loin, mais l'eau est gelée, et Megan m'entraîne vers le fond.

À bout de souffle, j'atteins enfin la berge, et nous nous écroulons dans l'herbe, à côté de Nugget. Durant quelques minutes, personne ne dit mot. Puis, Nugget se lance :

— Zombie ?

— Quelqu'un a appuyé sur le détonateur qui a déclenché leur mort. C'est la seule explication valable, soldat.

— Caporal, me corrige-t-il, avant de demander : Ringer ?

J'acquiesce d'un hochement de tête.

— Ringer.

Il reste silencieux durant une seconde. Puis, d'une voix tremblante, il ose me poser la question qui le taraude :

— Et Cassie ?

CASSIE

La main de Dieu s'abat sur moi tandis que la capsule de sauvetage jaillit le long de la rampe de lancement, un poing massif plaque mon corps au fond du siège, et ce poing se referme sur moi avec force. Un petit malin a eu la bonne idée de me jeter un rocher de deux tonnes sur la poitrine, j'ai un mal fou à respirer. Et ce petit malin, indifférent à mon confort et à ma sécurité, a éteint toutes les lumières – je ne vois qu'une inquiétante lueur verte qui semble surgir de partout et de nulle part. À moins qu'on ne m'ait enfoncé les yeux jusqu'à l'arrière du crâne.

ZOMBIE

Non, Nugget. Elle s'en est sans doute pas sortie. Avant que je puisse prononcer ces mots, Megan me frappe le torse et, d'un geste du doigt, me désigne la base. Une énorme boule de lumière verte surgit au-delà de la cime des arbres et s'envole dans le ciel teinté de rose. L'image rémanente s'attarde sur nos rétines bien longtemps après que la lueur verte a disparu dans l'atmosphère.

— Une étoile filante ! s'exclame Megan.

Je secoue la tête.

— Non, elle ne va pas dans la bonne direction.

Au bout du compte, c'est *moi* qui avais tort.

CASSIE

J'ai l'horrible sensation d'être broyée jusqu'à ce que mort s'ensuive dans une obscurité totale qui dure plusieurs minutes. Autant dire l'éternité.

Éternité. Un mot dont nous usons et abusons, comme si l'éternité était une chose que l'esprit humain pouvait comprendre.

Les sangles autour de mon torse se desserrent. Le rocher de deux tonnes se dissout. Je prends une longue inspiration puis j'ouvre les yeux. L'habitacle est plongé dans l'obscurité – la lumière verte a disparu. Bon débarras ! J'ai toujours détesté le vert alien. Très peu flatteur pour mon teint. Je regarde par la vitre, et en ai le souffle coupé.

Salut, la Terre.

C'est donc ainsi que Dieu te voit – un bleu étincelant sur un noir terne. Pas étonnant qu'il ait inventé le soleil et les étoiles afin de mieux pouvoir te contempler.

Magnifique. Voilà un autre mot que nous utilisons à tort et à travers, aussi bien pour les voitures que pour du vernis à ongles, jusqu'à ce qu'il ait perdu tout sens sous le poids de la banalité. Mais le monde est magnifique. J'espère qu'ils ne l'oublieront jamais. Le monde est magnifique.

Une gouttelette flotte devant mes yeux. En mouvement libre, c'est la plus curieuse larme que j'aie jamais chassée d'un revers de main.

N'oublie jamais, Sams. L'amour est éternel. S'il ne l'était pas, ce ne serait pas de l'amour. Le monde est magnifique. S'il ne l'était pas, ce ne serait pas le monde.

Vous savez ce qui est le plus curieux dans le fait de porter les souvenirs de mon petit frère en moi ? C'est de me voir à travers ses yeux, de m'entendre à travers ses oreilles, de naviguer sur la mer cassiopéenne en trois dimensions, la seule manière dont on puisse faire l'expérience du monde, sauf de ce qu'on est censé connaître le plus intimement : soi-même. Pour Sam, il y a le faisceau de couleurs, d'odeurs et de sensations qui constitue *Cassie.* Et cette Cassie n'est pas celle de Ben, ni celle de Marika, d'Evan, ni même la Cassie de Cassie : celle-là appartient à Sam, et à Sam seulement.

La capsule de sauvetage s'élève, le joyau d'un bleu étincelant disparaît de ma vue et, pour la dernière fois de ma vie, j'ai peur, comme si j'étais tombée du rebord du monde – ce qui, en un certain sens, est bien le cas. D'instinct, je cherche à toucher cette Terre qui s'évanouit ; mes doigts heurtent la vitre.

Au revoir.

Oh, je suis à la fois trop loin et trop près. Et me voilà, écoutant cette petite voix qui crie dans l'immensité du vide : *Seule, seule, seule, Cassie, tu es seule.* À travers les yeux d'Evan, je vois cette fille avec son ours en peluche et son M16 inutile, blottie dans son sac de couchage dans les bois, croyant être la dernière humaine sur Terre. Je l'observe nuit après nuit. Je suis vraiment une ordure de toucher ses affaires et de lire son journal intime. Pourquoi ne puis-je me contenter de la tuer ?

Cassie comme Cassiopée. C'est comme ça que je m'appelle. Seule et solitaire comme les étoiles.

À présent, je me découvre en lui, et je ne suis pas la personne à laquelle je m'attendais. La Cassie d'Evan transperce l'obscurité comme la lumière d'un milliard de soleils. Il n'y a aucune raison, aucune explication flagrante à cela. Il en est aussi déconcerté que moi, tout comme l'humanité, tout comme les Autres. C'est impossible à comprendre, la question même n'a aucune pertinence, comme de demander pourquoi quelque chose existe plutôt que rien.

Certes, il avait la réponse. Mais ce n'était pas la réponse que je cherchais.

Désolée, Evan, je me suis trompée. À présent, je sais : ce n'était pas l'idée de moi que tu aimais. Derrière la vitre, les étoiles s'évanouissent, submergées par la nauséeuse lueur verte et, une minute plus tard, la coque du ravitailleur apparaît.

Quelle merde. Dire que durant un an, je t'ai détesté. Je t'ai observé, emplie de haine et de peur, et maintenant il n'y a plus que nous deux, les Autres et l'humanité.

C'est mon nom. Pas Cassie pour Cassandra. Ni pour Cassidy. Et pas plus Cassie pour Cassiopée. Plus maintenant. Désormais, je suis plus que cela.

Je suis eux tous, Evan, Ben et Marika et Megan et Sam. Je suis Dumbo, Poundcake et Teacup. Je suis tous ceux que tu as vidés, que tu as corrompus, que tu as désintégrés, les milliers d'êtres que tu croyais avoir tués, mais qui vivent en moi.

Et je suis encore plus que cela. Je suis aussi tous ceux dont ils se souviennent, ceux qu'ils ont aimés, qu'ils ont connus, et tous ceux dont ils n'ont fait qu'entendre parler. Combien d'êtres sont contenus en moi ? Comptez les étoiles. Continuez, et comptez les grains de sable. C'est moi.

Je suis l'humanité.

ZOMBIE

Nous courons nous mettre à l'abri sous le couvert des arbres. Si ce qui vient de se passer est bien ce que je soupçonne – que quelqu'un à l'intérieur de la base a tué tout le monde –, il n'y a plus beaucoup de risques à emmener les gamins avec moi, mais le risque existe quand même, et une personne fort au courant m'a dit un jour que tout était une question de risque.

Megan semble soulagée. Nugget est furieux.

— Qui la surveillera si tu m'accompagnes ? je lui demande.

— Je m'en fiche !

— Peut-être, mais il se trouve que ce n'est pas toi qui commandes.

À travers les bois, puis dans le no man's land qui entoure la base, vers l'entrée la plus proche et le mirador juste à côté. Je n'ai aucune arme, aucun moyen de me défendre. Je suis une cible facile. Néanmoins, je n'ai pas le choix. Je continue d'avancer.

Je suis trempé jusqu'à l'os, il fait une température polaire, mais je n'ai pas froid. Je me sens en pleine forme ; même ma jambe ne me fait plus mal.

CASSIOPÉE

Le vert scintillant de la carcasse du ravitailleur emplit la vitre, occulte les étoiles. À présent, je ne vois plus que lui, ce gigantesque vaisseau extraterrestre. La lumière du soleil se réfléchit sur sa surface lisse. À la télévision, au début de la 1re Vague, ils ont dit que sa superficie était environ celle de Manhattan. Je ne perçois donc qu'une infime partie d'un énorme tout. Mon cœur bat la chamade. J'ai le souffle court. Je gèle ici. Je ne me rappelle pas avoir jamais eu si froid.

Les doigts tremblants, je fouille dans ma poche et en sors la gélule. Elle glisse et tourbillonne en l'air vers le plafond de l'habitacle. Après plusieurs essais, je parviens à la rattraper et referme la main dessus.

Bordel, qu'est-ce que j'ai froid ! Je claque des dents. Mes pensées s'agitent dans tous les sens. Quoi d'autre ? Y a-t-il autre chose ? Qu'ai-je oublié ? Il n'y a pas grand-chose – je suis désormais plus que la somme de mes propres expériences. Je suis moi, multipliée par dix mille.

Parce que voilà le truc : se voir à travers les yeux d'autrui modifie votre perception. Cela ne change pas la façon dont vous vous regardez. Mais la façon dont vous regardez le monde. Pas vous. Mais le tout en dehors de vous.

Je m'adresse en silence au ravitailleur : *Je ne te hais plus. Et je n'ai plus peur de toi. Je ne hais rien ni personne. Je n'ai peur de rien.*

Face à moi, un trou noir grandit – il me fait songer à une immense bouche qui s'ouvre au ralenti. Je me dirige droit dessus.

Je glisse la gélule entre mes lèvres.

Non, la réponse n'est pas la haine.

Le trou noir s'élargit. Je tombe dans un puits sans lumière, un vide gigantesque, l'univers avant que l'univers soit l'univers.

Et la réponse n'est pas non plus la peur.

Quelque part dans les entrailles du ravitailleur, des milliers de bombes qui mesurent vingt fois la taille de celle que j'ai dans la bouche se mettent en place sur leurs rampes de lancement. J'espère qu'elles sont encore à l'intérieur. Qu'elles n'ont pas commencé à se déverser sur la Terre.

Pourvu que je sois à l'heure.

La capsule de sauvetage franchit le seuil du ravitailleur et s'arrête brusquement. À cause du froid, la vitre est verglacée, mais il y a de la lumière dehors, elle fait scintiller la glace. La trappe d'accès coulisse derrière moi. Je dois attendre qu'elle s'ouvre complètement. Puis me lever de mon siège. Et enfin me retourner, et affronter ce qui m'attend, là, à l'extérieur.

Vivants un jour, disparus le lendemain. La question n'est pas de savoir combien de temps nous serons là, mais ce que nous ferons de ce temps, m'a-t-il dit.

Il n'y a aucun moyen de nous séparer, aucun endroit où je commence et où il termine.

Non, aucun moyen de séparer quoi que ce soit. Je suis liée au grand tout, des éphémères jusqu'à l'étoile la plus lointaine. Je n'ai aucune frontière, aucune limite, et je m'ouvre à la création comme une fleur sous la pluie.

Je n'ai plus froid. Les bras de sept milliards d'êtres humains m'enveloppent.

Je me lève.

Maintenant, je m'allonge pour dormir…

J'inspire profondément. Ma dernière inspiration.

Quand je me réveille le matin…

Je serre les dents. Fort. La gélule se brise.

Montre-moi le chemin de l'amour.

Je quitte la capsule de sauvetage, je fais un pas dans cet extérieur *extraterrestre*, et j'inspire.

ZOMBIE

J'atteins l'allée de graviers qui borde la clôture de sécurité au moment où le soleil point à l'horizon – non, pas le soleil, c'est impossible, à moins qu'il ait décidé de se lever au nord et qu'il ait changé sa couleur d'or pour un vert étincelant. Je me tourne vers la droite, et alors je vois les étoiles s'éteindre une à une, oblitérées par une énorme masse de lumière, une explosion dans l'atmosphère supérieure qui inonde le paysage d'un vert aveuglant.

Ma première pensée est pour les gamins. J'ignore ce qui se passe, et je n'ai pas encore fait le lien entre le projectile émergeant de la base et le gigantesque éclat verdâtre au nord. Il ne me vient pas à l'esprit que, pour la première fois depuis très longtemps, la chance est peut-être de notre côté. Honnêtement, en voyant cette lumière, j'ai songé que le bombardement avait débuté et que j'étais témoin de la première salve destructrice de chaque métropole sur Terre. L'idée que le ravitailleur ait pu disparaître ne m'a jamais traversé l'esprit. Comment aurait-il pu disparaître ? Ce navire spatial est aussi inattaquable que la Lune.

J'hésite. Dois-je continuer à avancer ou faire marche arrière ? La lumière verte se fane, le ciel retrouve une teinte rosée, et aucun enfant effrayé ne surgit des bois en criant au secours. Je décide de poursuivre en avant. J'ai confiance en Nugget. Il sait que Megan et lui doivent rester cachés jusqu'à mon retour.

Dix minutes après mon entrée dans la base, je trouve le premier de nombreux corps. L'endroit est une véritable nécropole. J'avance à travers des champs de cadavres. Ils sont allongés en piles, par groupes de six ou dix, leurs visages tordus en une grimace d'agonie. Je m'arrête pour examiner chaque horrible tas, cherchant deux visages familiers. Je n'ai pas l'intention de me presser, bien qu'à chaque minute qui s'égrène, une voix intérieure me hurle de me presser. Au fond de moi, je me remémore ce qui est arrivé à Camp Haven – Vosch était prêt à sacrifier un village pour le sauver.

Finalement, tout cela n'est peut-être pas dû à Ringer – mais à Vosch.

Il me faut des heures pour atteindre l'étage inférieur, le fond de ce puits de la mort.

Elle soulève à peine la tête quand j'ouvre la porte de la cage d'escalier. J'ai peut-être crié son nom ; je ne m'en souviens pas.

Pas plus que je ne me rappelle avoir enjambé le corps de Vosch, ce que j'ai pourtant dû faire, vu qu'il se trouvait sur mon chemin. Ma botte heurte le dispositif de mise à mort posé à côté d'elle. Il glisse sur le sol.

— Walker…, halète-t-elle.

D'un doigt, elle désigne l'immense couloir derrière moi.

— Je crois qu'il est…

Je secoue la tête. Elle est blessée, et elle pense que je me soucie de lui ? Je lui effleure l'épaule. Ses longs cheveux noirs chatouillent mes doigts. Ses yeux brillent.

— Tu m'as trouvée, murmure-t-elle.

Je m'agenouille à côté d'elle, et prends sa main dans la mienne.

— Oui, je t'ai trouvée.

— J'ai le dos brisé. Je ne peux pas marcher.

Je glisse mes bras sous elle.

— Alors, je vais te porter.

MARBLE FALLS

BEN

Le soleil de fin d'après-midi teinte les vitrines poussiéreuses du supermarché d'une lueur dorée. À l'intérieur, la lumière est plus sombre. Il nous reste moins d'une heure pour regagner la maison avant le crépuscule. Le jour nous appartient peut-être, mais la nuit appartient aux coyotes et aux chiens sauvages qui traînent sur les rives du Colorado et vagabondent à la périphérie de Marble Falls. Question armes, je suis bien équipé : je déteste les coyotes, mais je déteste aussi tirer sur les chiens. Les plus âgés ont été des animaux domestiques ; les tuer, c'est comme abandonner tout espoir de rédemption.

Il n'y a pas que les chiens et les coyotes. Quelques semaines plus tôt, à la fin de l'été, après avoir franchi les frontières du Texas, Marika a remarqué des animaux évadés d'un zoo qui se désaltéraient à quelques kilomètres en amont du fleuve – une lionne et ses deux petits. Depuis, Sam meurt d'envie de partir en safari. Il aimerait capturer un éléphant pour le chevaucher comme Aladdin. Ou bien apprivoiser un singe. Il n'est pas difficile.

— Hé, Sam !

Il s'est aventuré un peu plus loin dans les rayons à la recherche de nouveaux trésors. Ces derniers temps, il s'est entiché des Lego. Avant, c'étaient les Lincoln Logs[1]. Il adore construire. Il a monté un fort, une cabane, et a même commencé un bunker souterrain dans le jardin.

— Quoi ? crie-t-il depuis le rayon des jouets.

— Il se fait tard. On doit se décider.

— Je t'ai déjà dit que je m'en fiche. Choisis tout seul !

Un objet tombe d'une étagère et s'écrase à terre. J'entends Sammy pousser un juron.

— Hé ! Qu'est-ce que, moi, je t'ai déjà dit ? Défense d'être grossier !

— Merde, merde, merde, fais chier !

Je lâche un long soupir. *C'est pas gagné !*

— Allez, magne-toi, Sam ! On va devoir se traîner ce truc pendant trois putains de kilomètres. J'aimerais autant qu'on se les tape pas de nuit.

— Je suis *occupé* !

Je me tourne vers la vitrine. Pas question d'en prendre un déjà décoré d'une guirlande électrique. J'ai le choix entre des modèles de deux mètres, deux mètres cinquante, ou trois mètres. Ceux de trois mètres sont trop grands pour le salon. Donc, deux mètres, ou deux mètres cinquante. Un de deux mètres serait plus facile à transporter, mais ils ne sont vraiment pas terribles. La chaleur du Texas les a fait souffrir. Beaucoup ont perdu leurs aiguilles. Ceux de deux mètres cinquante n'ont pas l'air vraiment plus fringants, mais au moins ils ne sont pas aussi rachitiques. Mais bon sang, deux mètres

---

1. Jeu de construction. (*N.d.T.*)

cinquante ! Peut-être qu'ils en ont d'autres emballés en réserve.

Je suis encore en train d'essayer de me décider quand j'entends soudain un bruit hélas trop familier : celui d'une balle dans la chambre d'un pistolet.

— Pas un geste ! crie Sam. Fais-moi voir tes mains ! Tes mains !

Je sors aussitôt mon arme de son étui et cours dans le rayon aussi vite que ma jambe me l'autorise. Je glisse sur des crottes de rats, sautille par-dessus des étagères tombées au sol et des boîtes éventrées, jusqu'au rayon des jouets, où Sam tient un inconnu en joue sous la menace de son Beretta.

Un mec de mon âge. Vêtu d'un uniforme. Il porte une lentille oculaire de la 5e Vague autour de son cou maigrelet. Il est adossé au mur du fond, sous l'étagère des jeux de société, une main plaquée sur son ventre, l'autre sur sa tête. Ce n'est sûrement pas un Silencieux – Marika a tué celui assigné à Marble Falls il y a des mois –, mais on ne peut jamais être certain.

— L'autre main ! hurle Sam.

— J'ai pas d'arme..., affirme le mec de sa voix traînante du Texas.

— Fouille-le, Zombie !

— Où est ton escouade ? je demande, la tête soudain envahie d'images d'embuscade.

— Il n'y a pas d'escouade. Juste moi.

Je remarque le sang – en majorité séché, mais il y en a aussi du frais – sur les pans de sa chemise.

— Tu es blessé. Qu'est-ce qu'il t'est arrivé ?

Il secoue la tête, et tousse. Un raclement dans sa poitrine. Peut-être dû à une pneumonie. Ce n'est tout de même pas la Peste Rouge…

— Un sniper, bredouille-t-il, après avoir repris son souffle.

— Où ça ? Ici, à Marble Falls, ou… ?

Il bouge le bras plaqué sur son ventre. À côté de moi, Sam se crispe. Je pose la main sur le canon de son Beretta.

— Attends ! je murmure à mon soldat.

— Pas question de te dire quoi que ce soit, espèce de merde infestée, lâche le type.

— OK. Alors, c'est moi qui vais t'annoncer quelque chose : nous ne sommes pas infestés. Personne ne l'est.

Je sais que je perds mon temps. Mon discours est inutile. Je pourrais tout aussi bien tenter de lui faire croire qu'il est un géranium en plein cauchemar.

J'entraîne Sam de l'autre côté du rayon, et lui chuchote :

— On a un problème.

Sam secoue la tête avec véhémence.

— Pas du tout. On n'a qu'à le tuer.

— Personne ne tue personne, Sam. C'est fini tout ça.

— On ne peut pas le laisser ici, Zombie. Et si jamais il ment à propos de son escouade ? S'il fait semblant d'être blessé ? On doit le tuer avant qu'il nous tue.

Son visage levé vers moi et, dans la lumière mourante, ses yeux qui brillent de haine et de peur. *Le tuer avant qu'il nous tue.* Parfois, pas souvent, mais parfois quand même, je me demande pour quoi Cassie est morte. Le tigre a été libéré de sa cage et personne n'est capable de le capturer. Comment reconstruire ce que nous avons perdu ? Dans une épicerie abandonnée, une fille terrifiée a abattu un homme blessé, à terre, parce que sa confiance avait volé en éclats. Il n'y a aucun autre moyen d'être certain, aucune autre option pour assurer sa propre sécurité.

Tu es en sécurité, ici. Parfaitement en sécurité. Cette phrase me hante encore. Elle me hante parce que cela a toujours été un mensonge. Un mensonge qui existait avant leur Arrivée, un mensonge qui perdure. Nous ne sommes jamais *parfaitement en sécurité.* Aucun humain sur Terre ne l'a jamais été et ne le sera jamais. Vivre, c'est risquer votre vie, votre cœur, tout. Sinon, vous n'êtes qu'un corps ambulant. Un zombie.

— Il n'est pas différent de nous, Sam. Rien ne sera jamais terminé tant que quelqu'un n'aura pas décidé de poser les armes.

Je ne tends pas la main pour m'emparer de son pistolet. Cette décision doit être la sienne.

— Zombie…

— Qu'est-ce que je t'ai déjà dit ? Je m'appelle Ben.

Sam baisse son pistolet.

Au même moment, à l'autre bout du rayon, une autre bataille silencieuse est perdue. Le soldat a menti ; il était armé. Il vient de se tirer une balle dans la tête.

MARIKA

D'abord, je lui ai expliqué que c'était une idée stupide. Puis, comme il insistait, je lui conseillai d'attendre jusqu'au lendemain. L'après-midi était déjà avancé, et le supermarché se trouvait à plus de cinq kilomètres. Il n'aurait pas le temps de revenir avant la nuit. Il partit quand même.

— Demain, c'est Noël, me rappela-t-il. Nous avons raté le dernier. Pas question de louper celui-ci.

— Pourquoi toute cette histoire à cause de Noël ?

— Parce que.

Il sourit, comme si cela avait un quelconque impact sur moi.

— N'emmène pas Sam.

— C'est pour lui que je fais tout ça.

Il jeta un coup d'œil par-dessus mon épaule, vers Megan qui jouait à côté de la cheminée.

— Et pour elle. Et pour Cassie. Surtout.

Il promit de revenir vite. Je les observai depuis le porche qui surplombe le fleuve tandis qu'ils se dirigeaient vers le pont, Sam poussant le petit chariot vide, Ben boitillant, le soleil découpant leurs ombres, une longue, l'autre plus courte, comme les deux aiguilles d'une pendule.

Comme toujours, elle commença à pleurer dès la nuit tombée. Je m'assis dans le rocking-chair, et la calai sur mes genoux. Je venais juste de la nourrir, ce n'était donc pas la faim qui l'indisposait. Je lui caressai la joue et, avec douceur, je m'insinuai en elle, cherchant à comprendre ses besoins. Ben. Elle voulait Ben. *Ne t'inquiète pas,* lui dis-je. *Il reviendra bientôt. Il l'a promis.*

Pourquoi tenait-il à faire tout ce chemin jusqu'à ce supermarché ? Il devait y avoir des douzaines de maisons de ce côté du fleuve avec des sapins de Noël dans leurs greniers. Mais non, il voulait un arbre neuf, et il devait être artificiel. *Pas quelque chose qui meure,* avait-il insisté.

J'ajustai la couverture sur elle. La nuit était brumeuse, un vent froid soufflait depuis le fleuve. Dans la cheminée, le feu crépitait. La lueur des flammes dansait sur les vitres et illuminait le plancher.

Evan Walker surgit sur le porche et posa son fusil contre la rampe. Comme moi, il scruta l'obscurité et, au-delà du fleuve, le pont et les bâtiments sur l'autre rive.

— Ils ne sont toujours pas rentrés ?

— Non.

Il me jeta un coup d'œil et sourit.

— Ne t'inquiète pas, ils ne vont pas tarder.

Il fut le premier à les voir. Ils approchaient du pont en traînant le petit chariot rouge avec sa cargaison verte.

— On dirait qu'ils ont touché le gros lot.

Il fit passer son fusil sur son épaule et retourna à l'intérieur. Le vent se leva. Je sentis une odeur de poudre. *Bon sang, Ben !*

Lorsqu'il arriva enfin, un large sourire éclairant son visage comme celui d'un chasseur rapportant son butin à la caverne, j'eus envie de le gifler. Pourquoi prendre autant de risques pour un satané sapin de Noël artificiel ?

Je me levai. Il remarqua aussitôt mon expression et se figea. Sam se glissa derrière lui, comme s'il voulait se cacher.

— Quoi ? demanda Ben.

— Qui s'est servi de son arme, et pourquoi ?

Ben poussa un soupir.

— Tu l'as entendu ou tu l'as senti ? Parfois je déteste ton douzième système.

— Réponds-moi, Parish !

— Est-ce que je t'ai déjà dit que j'adore quand tu m'appelles Parish ? C'est tellement sexy.

Il m'embrassa, puis ajouta :

— Ce n'était pas nous, et c'est une longue histoire. Rentrons. Il gèle ici.

— Non, il ne gèle pas.

— Eh bien, il fait froid. Allez, viens, Sullivan, la fiesta va commencer !

Je les suivis à l'intérieur. Megan laissa tomber ses poupées et bondit vers eux en poussant des cris enthousiastes. Le sapin en plastique touchait manifestement une corde sensible. Walker sortit de la cuisine pour les aider à l'installer. Moi, je me tenais près de la porte, berçant le bébé qui pleurait sur ma hanche. Ben remarqua soudain ses vagissements et abandonna le sapin pour me la prendre des bras.

— Que se passe-t-il, petite éphémère ? Qu'est-ce qui t'arrive ?

De son poing minuscule, elle lui tapota le menton. Ben rit aux éclats. Même quand elle faisait un caprice ou réclamait avec insistance qu'on la prenne dans les bras, il riait. Depuis sa naissance, elle le menait par le bout du nez.

À l'autre extrémité de la pièce, Evan Walker tressaillit. *Éphémère.* Un mot qui, à ses oreilles, ne serait jamais juste un mot. Parfois, je me demandais s'il n'aurait pas été préférable de le laisser là-bas, dans la base canadienne, si lui faire retrouver ses souvenirs n'était pas cruel – une sorte de torture psychologique. Néanmoins, les autres solutions étaient inenvisageables : le tuer, ou le vider complètement de toute mémoire, pour qu'il ne soit plus qu'une coquille humaine sans aucun souvenir d'elle. Ces deux possibilités étaient indolores, nous avons opté pour la douleur.

La douleur est nécessaire. La douleur, c'est la vie. Sans douleur, il n'y a pas de joie. C'est ce que m'a enseigné Cassie Sullivan.

Les pleurs recommencèrent. Même Ben, avec ses pouvoirs spéciaux à la Parish, ne réussit pas à la calmer.

— Qu'est-ce qui cloche ? me demanda-t-il, comme si je le savais.

Je saisis l'occasion pour le faire un peu culpabiliser :

— Tu es parti. Tu as brisé sa routine. Elle déteste ça.

Elle ressemble tant à celle dont elle porte le nom : toujours à pleurer, à donner des coups de poing, à exiger, à avoir *besoin.* Cette idée de réincarnation n'est peut-être pas si débile que ça. Agitée, jamais satisfaite, soupe au lait, entêtée, et infiniment curieuse. Cassie avait un nom pour cela. Celui qu'elle s'était donné, il y a bien longtemps. *Je suis l'humanité.*

Sam fila dans le couloir jusqu'à sa chambre. Je crus qu'il ne supportait plus les pleurs, mais je me trompais. Il revint vers nous, les mains cachées dans le dos.

— Je voulais attendre jusqu'à demain, mais…

Il haussa les épaules d'un air résigné.

Cet ours a connu des jours meilleurs. Il lui manque une oreille, son pelage est passé d'un brun sombre à un gris constellé de taches, il a été cousu et recousu de toutes parts. À dire vrai, il a plus de points de suture que la créature de Frankenstein. Il a vraiment une sale mine, mais il est toujours là.

Ben prit l'ours en peluche et le fit danser pour Cassie. Les petits bras battirent l'air. Les jambes de longueur inégale – l'une plus courte que l'autre – s'agitèrent en une danse effrénée. Le bébé pleura encore quelques instants, puis tendit les bras vers la peluche. *Donne-la-moi, donne-la-moi, je la veux, je la veux.*

— Alors, qu'est-ce que tu dis de ça ? lança Ben.

Il me fixa. Son sourire était si sincère – ni calculateur ni vaniteux, ne demandant rien, mais exprimant tout – que je ne pus m'en empêcher ; d'ailleurs, je n'en avais aucune envie.

Je lui souris.

EVAN WALKER

Toutes les nuits, du crépuscule à l'aube, il montait la garde sous le porche qui surplombait le fleuve. Chaque demi-heure, il quittait le porche pour patrouiller le quartier. Puis il regagnait son poste et surveillait les lieux pendant que les autres dormaient. Lui dormait peu, juste une heure ou deux durant l'après-midi, une longue sieste dont il se réveillait toujours agité, dérouté, paniquant comme un homme en train de se noyer et qui tente de remonter à la surface.

Il rêvait peut-être, mais il ne s'en souvenait pas.

Seul dans l'obscurité, éveillé pendant que tous les autres dormaient, c'était durant ces moments-là qu'il se sentait le plus en paix. Ce devait être dans sa nature, un gène transmis par son père et le père de son père, des fermiers qui s'occupaient de la terre et veillaient sur leur bétail et leurs moissons. Ce qui aurait dû être son héritage. Mais il était devenu le contraire. Le chasseur Silencieux dans les bois. L'assassin traquant la proie humaine. Combien en avait-il tué avant de la découvrir cachée dans la forêt durant cet après-midi d'automne ? Il était incapable de s'en souvenir. Il n'éprouvait aucune absolution à savoir qu'il avait été utilisé, manipulé, aucune rédemption à comprendre qu'il était autant victime que ceux qu'il avait tués – à distance, toujours à distance. Ce n'est ni l'innocence ni l'ignorance qui donne naissance au pardon. C'est de l'amour que naît le pardon.

À l'aube, il quitta le porche et regagna sa chambre. Le moment était venu. Il s'était déjà attardé ici trop longtemps. Il était en train de fourrer une veste supplémentaire dans son sac marin – cette veste de bowling qu'il avait récupérée dans la maison de Grâce et que Cassie détestait tant – quand Ben apparut sur le seuil, torse nu, les yeux encore gonflés de sommeil.

— Tu t'en vas, lâcha-t-il.

— Oui, je pars.

— Marika en était certaine, mais je ne la croyais pas.

— Pourquoi ?

Ben haussa les épaules.

— Elle n'a pas toujours raison. Il y a même des fois où elle n'a qu'à moitié raison, genre dans 0,5 % des cas...

Il se frotta les yeux, bâilla et ajouta :

— Et tu ne reviendras pas. Elle a raison sur ce point-là aussi ?

Evan hocha la tête.

— Oui.

Ben détourna le regard.

— Bon, concéda-t-il en se grattant lentement l'épaule. Et où est-ce que tu vas ?

— Chercher des lumières dans la nuit.

— Tu veux dire littéralement, ou... ?

— Je parle des bases. Des complexes militaires. Le plus proche est à environ cent cinquante kilomètres. Je vais commencer par celui-là.

— Et qu'est-ce que tu vas faire ?

— Ce pour quoi je suis doué.

— Tu comptes faire sauter toutes les bases militaires d'Amérique du Nord ?

— D'Amérique du Sud aussi, si je vis assez longtemps.

— C'est plutôt ambitieux, comme projet.

— Je ne travaillerai pas seul.

Ben réfléchit un moment.

— Les Silencieux, dit-il enfin.

— Ils savent où se trouvent leurs ennemis. Ils savent également que chaque base a un arsenal militaire comme à Camp Haven. Maintenant que le ravitailleur a disparu, ils pensent ne plus avoir d'autre option que de faire sauter les bases de la 5e Vague. Enfin, *je crois* que c'est ce qu'ils croient. C'est ce que je croirais, si je croyais encore. On verra bien.

Il fit passer son sac sur son épaule et se dirigea vers la porte. Le visage blême de rage, Ben lui bloqua le chemin.

— Tu parles d'assassiner des milliers d'innocents.

— Qu'est-ce que tu suggères d'autre, Ben ?

— Reste ici. Aide-nous. On…

Il prit une profonde inspiration. Ça, c'était plutôt dur à dire.

— On a besoin de toi, lâcha-t-il.

— Pourquoi ? Toi aussi, tu peux monter la garde de nuit et t'occuper du jardin. Et même me remplacer à la chasse.

— Bordel, Walker, de quoi on parle, là ? explosa Ben. De quoi on parle vraiment ? De mettre un terme à une guerre ou de prendre une revanche ? Tu peux bien faire sauter le monde entier, ça ne la ramènera pas.

Malgré la colère de Ben, Evan garda son calme. Il avait déjà entendu ces arguments à plusieurs reprises. Il en avait débattu durant des mois, seul, dans le tumulte de son cœur.

— Pour chaque être que je tuerai, deux vivront. C'est mathématique. Quelle alternative ai-je ? Rester ici jusqu'à ce que ça devienne trop dangereux, fuir dans un autre endroit, puis un autre, et encore un autre, me cacher, fuir encore, utiliser le cadeau qu'ils m'ont fait pour me garder en vie – et pour quoi ? Cassie n'est pas morte pour que je puisse vivre. Elle est morte pour une cause bien plus vaste.

— Exact. Alors que dirais-tu que je te tue pour sauver des dizaines de milliers de vies ? Ça aussi c'est mathématique, non ?

Evan esquissa un sourire.

— Là, tu marques un point, mec. Le problème, c'est que tu n'es pas un tueur, Ben. Tu ne l'as jamais été.

SAM

Evan Walker sur le pont qui enjambe le fleuve. Evan Walker avec un sac sur une épaule et un fusil sur l'autre, qui rétrécit.

— Où il va ? demanda Megan.

Sam secoua la tête, il n'en savait rien.

Ils l'observèrent jusqu'à ce qu'il ait complètement disparu de leur vue.

— On va jouer ? lança Megan.

— Je dois d'abord finir mon bunker.

— Tu as déjà creusé plus qu'une taupe !

— C'est toi, la taupe !

— Et en plus, tu as donné Capitaine !

Sam soupira. Ça n'allait pas recommencer !

— Il ne s'appelle pas Capitaine ! Et de toute façon, il n'était pas à toi, mais à moi.

— Tu aurais quand même pu me demander mon avis !

Megan esquissa une moue, puis ajouta :

— Je m'en fiche ! Cassie peut bien le garder. Il puait.

— C'est toi qui pues.

Il s'éloigna de la fenêtre et se dirigea vers la cuisine. Il avait faim. Il prit son livre préféré pour lire en mangeant. *Le Bord du monde.* Evan Walker lui avait dit que c'était aussi l'ouvrage préféré de Cassie.

Si tu es un rêveur, entre en ami[1]...

Evan Walker est parti. *Pour toujours*, a dit Zombie. Sam ne voulait pas y penser. Pas plus qu'à la disparition de Cassie ou à celles de Dumbo, de Poundcake, des autres membres de son ancienne escouade, à celles de son père, de sa mère, ou de tous ceux qu'il avait connus avant de venir ici dans cette belle grande maison près du fleuve. La plupart du temps, il réussissait à ne pas y penser. Parfois, Cassie surgissait dans ses rêves, et elle le grondait pour un truc ou un autre. Il ne faisait pas assez bien sa toilette. Il n'était pas assez gentil. Il ne parvenait pas à se rappeler les choses qu'elle jugeait importantes. Dans ses rêves, sa sœur avait le nez bien droit, ses cheveux étaient plus longs, et ses vêtements plus propres. Dans ses rêves, elle était la Cassie d'*avant.*

As-tu été sage, Sam ? Est-ce que tu récites bien tes prières avant de te coucher ?

Une nuit, il réveilla Zombie – oui, en pensée, il l'appelait toujours Zombie – et Zombie l'emmena dans la salle de bains, lui passa un gant sur le visage pour essuyer ses larmes, et lui avoua que Cassie lui manquait aussi. Puis, il l'entraîna dehors et lui désigna le ciel.

---

1. Shel Silverstein, *Le Bord du monde,* trad. Françoise Morvan, Éd. MeMo, 2012. (*N.d.T.*)

— Tu vois ces étoiles, là-haut, celles qui forment comme un W à l'envers ? Tu sais ce que c'est ?

Ils s'assirent sous le porche et contemplèrent les étoiles pendant que Zombie lui racontait l'histoire d'une reine nommée Cassiopée, qui vivait pour l'éternité installée sur un trône dans le ciel.

— Mais son trône est à l'envers, fit remarquer Sam en observant la constellation. Elle ne risque pas de tomber ?

Zombie s'éclaircit la gorge.

— Non, elle ne tombera pas. Son trône est tourné dans ce sens pour qu'elle puisse surveiller son royaume.

— Qu'est-ce que c'est, un royaume ?

Zombie tendit le bras vers lui, plaqua sa main sur son cœur.

— Juste là, tu vois. C'est ça un royaume, Sam.

LES CLANS

SEEKERS

de Arwen Elys Dayton

Livre I

La vérité les anéantira tous.

Lorsque Quin Kincaid aura prêté serment, elle deviendra ce pour quoi elle s'est entraînée toute sa vie : une Seeker. Dernière de son clan, elle se doit de perpétuer la légende. Une fois initiée, Quin pourra se battre aux côtés de ses deux plus proches compagnons, Shinobu et John, pour défendre le pauvre et l'opprimé. Ensemble, ils porteront la lumière au cœur des ténèbres. Mais au cours de la nuit tant attendue de l'initiation, tout bascule. Les masques tombent et Quin découvre qu'elle a été élevée dans le mensonge. Ni sa mission, ni sa famille, ni même ses amis ne sont ce qu'elle croyait. Il est trop tard pour faire marche arrière…

Le premier tome de la nouvelle saga américaine best-seller, à la croisée de *Hunger Games* et de *Game of Thrones*.

Bientôt adapté au cinéma par Sony Pictures.

Tome 2 : *Les Clans Seekers*, Livre II

de Kass Morgan

Tome 1

Depuis des siècles, plus personne n'a posé le pied sur Terre.
Le compte à rebours a commencé...

2:48... 2:47... 2:46...
Ils sont 100, tous mineurs, tous accusés de crimes
passibles de la peine de mort.

1:32... 1:31... 1:30...
Après des centaines d'années d'exil dans l'espace,
le Conseil leur accorde une seconde chance
qu'ils n'ont pas le droit de refuser : retourner sur Terre.

0:45... 0:44... 0:43...
Seulement, là-bas,
l'atmosphère est toujours potentiellement radioactive
et à peine débarqués les 100 risquent de mourir.

0:03... 0:02... 0:01...
Amours, haines, secrets enfouis et trahisons.
Comment se racheter une conduite
quand on n'a plus que quelques heures à vivre ?

Découvrez sur la chaîne SyFy et France 4
la série télé adaptée du roman
par les producteurs de *The Vampire Diaries* et *Gossip Girl*

Tome 2 : *21e Jour*

Tome 3 : *Retour*

PARDONNE-MOI, LEONARD PEACOCK

de Matthew Quick

En plus du P-38, le flingue de mon grand-père, il y a quatre paquets, un pour chacun de mes amis.

Je veux leur dire au revoir correctement. Je veux qu'ils gardent un souvenir de moi. Qu'ils sachent que je suis désolé d'avoir dû leur fausser compagnie. Qu'ils ne sont pas responsables de ce qui va se passer…

Aujourd'hui, Leonard Peacock a dix-huit ans. C'est le jour qu'il a choisi pour tuer son ancien meilleur ami. Ensuite, il se suicidera. Plus tard, peut-être, il se dira que c'est OK, voire important, d'être différent. Mais pas aujourd'hui.

« On a besoin de livres comme celui de Matthew Quick. »
The New York Times

Après *Happiness Therapy*, le premier roman Young Adult de Matthew Quick, bientôt adapté au cinéma par Channing Tatum.

LES CŒURS BRISÉS

d'Amelia Kahaney

Fille de la haute société de Bedlam,
ballerine talentueuse, Anthem ne sait pas encore
qu'elle sera bientôt arrachée à son cocon doré.

Tic... tac... tic... tac... tic... tac... tic...

Elle va payer de sa vie sa passion aussi brève qu'intense
pour un jeune homme des bas-fonds...

Tac...

Et lorsqu'elle se réveille avec un cœur hybride,
la rendant capable de prouesses surhumaines,
le désespoir laisse vite place à la fureur vengeresse.

Tic-tac-tic-tac-tic-tac !

L'apprentissage d'Anthem ne fait que commencer.
L'espoir s'apprête à renaître.
Le Syndicat du crime de Bedlam n'a qu'à bien se tenir.

L'HEURE D'UNE VRAIE JUSTICE
AU VISAGE FÉMININ A SONNÉ !

*Le premier volet d'un diptyque bientôt adapté au cinéma
par Charlize Theron et les studios New Line*

Second volet : *Les Invisibles*

de Lissa Price

Vous rêvez d'une nouvelle jeunesse?
Devenez quelqu'un d'autre!

Dans un futur proche : après les ravages d'un virus mortel, seules ont survécu les populations très jeunes ou très âgées : les Starters et les Enders. Réduite à la misère, la jeune Callie, du haut de ses 16 ans, tente de survivre dans la rue avec son petit frère. Elle prend alors une décision inimaginable : louer son corps à un mystérieux institut scientifique, la Banque des Corps. L'esprit d'une vieille femme en prend possession pour retrouver sa jeunesse perdue. Malheureusement, rien ne se déroule comme prévu... Et Callie prend bientôt conscience que son corps n'a été loué que dans un seul but : exécuter un sinistre plan qu'elle devra contrecarrer à tout prix !

Le premier volet du thriller dystopique phénomène aux États-Unis.

« Les lecteurs de Hunger Games vont adorer ! », Kami Garcia, auteur de la série best-seller 16 Lunes.

Second volet : ***Enders***

Nouvelles numériques inédites :

Starters 0.1 : Portrait d'un Starter
Starters 0.2 : Portrait d'un marshal

LA TRILOGIE DE BRAISES ET DE RONCES

de Rae Carson

Tome 1

Sera-t-elle reine au cœur de son royaume, comme au royaume de son cœur ?

Princesse d'Orovalle, Elisa est l'unique gardienne de la Pierre Sacrée. Bien qu'elle porte le joyau à son nombril, signe qu'elle a été choisie pour une destinée hors normes, Elisa a déçu les attentes de son peuple, qui ne voit en elle qu'une jeune fille paresseuse, inutile et enveloppée... Le jour de ses seize ans, son père la marie à un souverain de vingt ans son aîné. Elisa commence alors une nouvelle existence loin des siens, dans un royaume de dunes menacé par un ennemi sanguinaire prêt à tout pour s'emparer de sa Pierre Sacrée.

Une perle de l'heroic fantasy, pour les fans de la série Game of Thrones.

Le premier tome d'une trilogie « unique, intense... À lire absolument ! » (Veronica Roth, auteur de la trilogie best-seller Divergente).

Tome 2 : *La Couronne de flammes*

Tome 3 : *Le Royaume des larmes*

Nouvelle numérique :
Le Garde royal

GLITCH

de Heather Anastasiu

L'amour est une arme

Dans une société souterraine où toute émotion a été éradiquée, Zoe possède un don qu'elle doit à tout prix dissimuler si elle ne veut pas être pourchassée par la dictature en place.

L'amour lui ouvrira-t-il les portes de sa prison ?

Lorsque la puce de Zoe, une adolescente technologiquement modifiée, commence à glitcher (bugger), des vagues de sentiments, de pensées personnelles et même une étrange sensation d'identité menacent de la submerger. Zoe le sait, toute anomalie doit être immédiatement signalée à ses Supérieurs et réparée, mais la jeune fille possède un noir secret qui la mènerait à une désactivation définitive si jamais elle se faisait attraper : ses glitches ont éveillé en elle d'incontrôlables pouvoirs télékinésiques...

Tandis que Zoe lutte pour apprivoiser ce talent dévastateur tout en restant cachée, elle va rencontrer d'autres Glitchers : Max le métamorphe et Adrien, qui a des visions du futur. Ensemble, ils vont devoir trouver un moyen de se libérer de l'omniprésente Communauté et de rejoindre la Résistance à la surface, sous peine d'être désactivés, voire pire...

La trilogie dystopique de l'éditeur américain des séries best-sellers *La Maison de la nuit* et *Éternels.*

Tome 2 : *Résurrection*

Tome 3 : *Insurrection*

Retrouvez tout l'univers de
La 5e Vague
sur le site dédié :
www.la5evague.fr
et sur la page Facebook de la collection R :
www.facebook.com/collectionrcanada